平實導師 述著

ISBN 978-986-97233-8-1

（鸚鵡摩納）語世尊曰：「我父都提，大行布施，作大齋祠；身壞命終，正（應該）生梵天；何因何緣，乃生於此下賤狗中？」世尊告曰：「汝父都提，以此（大行布施故生起）增上慢，是故生於下賤狗中：「梵志增上慢，此終六處生：雞狗豬及豺，驢五地獄六。」……若有男子、女人，急性多惱，彼（等諸人於深妙正法）稍所聞便大瞋恚，憎嫉生憂、廣生諍怒；彼受此業，作具足已（誹謗正法的惡業具足作了以後），身壞命終必至惡處，生地獄中。」（中阿含《鸚鵡經》）如　佛所言「因施而生慢者墮畜生道，因聞所未曾聞之深妙法便作誹謗之業已即墮地獄」，則學人因師之助而悟者，若因得此「眞見道」之淺悟而生起增上慢，而妄自尊大，而自行創造新佛法，冠於原有正法之上，用以誹謗正法及謗賢聖者，其過更增，欲求不墮地獄後長劫輾轉三塗者實難，有智學人當以此　佛語自省。

——平實導師——

既然《華嚴經》中說，證得阿賴耶識心體之人，可以**運轉阿賴耶識心體**而發起**本覺智**，故說親證阿賴耶識者方是親證**本覺**者，方是**證真如**者；《起信論》中更說證此本覺者方名**始覺**（初次證悟）之菩薩，由此證知：**親證如來藏者方可名為真實開悟者，除此絕無般若之開悟**。則未證如來藏（阿賴耶、異熟、無垢識）者，既無本覺智，必非眞實開悟者；若示人已悟，則成大妄語業。而此本覺智，唯有大乘別教菩薩所證般若智慧中方有，二乘聖人及大乘通教中之阿羅漢、緣覺位菩薩皆未證得第八識如來藏，故皆無此本覺智，故二乘皆無般若實相智慧；是故**親證阿賴耶識心體**，而能**運轉阿賴耶識心體**之人，才是眞實證悟之人，即是證得**本覺智**之始覺位菩薩。若人否定阿賴耶、異熟、無垢識心體，即是外於眞正之**本覺智**而欲別求**本覺智**，斯人非狂即癡，絕無絲毫智慧，是故若人否定阿賴耶識心體，謗爲生滅法而別求覺悟眞如者，即是謗法謗佛者，其理極明。

——平實導師——

目次

自序 …… 序001

第一輯　諸法實相品第一 …… 001

第二輯　諸法實相品第一 …… 001

第三輯　諸法實相品第一 …… 001

第四輯　諸法實相品第一 …… 001

第五輯　諸法實相品第一 …… 001

念佛品第二 …… 313

第六輯　念佛品第二 …… 001

第七輯　念佛品第二 …… 001

第八輯　念佛品第二 …… 001

念法品第三 …… 073

第九輯　念法品　第三——001
第十輯　念法品　第三——001
念僧品　第四——025
第十一輯　念僧品　第四——001
第十二輯　念僧品　第四——001
第十三輯　念僧品　第四——001
淨戒品　第五之一——175
第十四輯　淨戒品　第五之一——001
淨戒品　第五之餘——091
第十五輯　淨戒品　第五之餘——001
淨法品　第六——207
第十六輯　淨法品　第六——001
往古品　第七——173
第十七輯　往古品　第七——001
淨見品　第八——241

第十八輯　淨見品　第八——001
　　　　　了戒品　第九——303
第十九輯　了戒品　第九——001
第二十輯　了戒品　第九——001
　　　　　囑累品　第十——291
第二十一輯　囑累品　第十——001

自序

《佛藏經》之所以名為「佛藏」者，所說主旨即以諸佛之寶藏為要義。諸佛之寶藏即是萬法之本源如來藏，《楞嚴經》中說之為「如來藏妙眞如心」，《入楞伽經》卷七〈佛性品〉則說：「大慧！阿梨耶識者名如來藏，而與無明七識共俱，如大海波常不斷絕，身俱生故；離無常過，離於我過，自性清淨。餘七識者心，意、意識等念念不住，是生滅法。」大略解釋其意如下：

【謂阿梨耶識（通譯阿賴耶識）又名如來藏，含藏著無明種子與七轉識種子，並與所生之無明及七轉識同時同處、和合相共運行而成為一個五陰有情。七轉識與無明相應而從如來藏中出生，每日運行不斷；意根每天一早促使意識等六心生起之後相續運作，與意識等六心和合似一，看似常而不斷之常住心，其實是從如來藏中種子流注才出現的心，就是一般凡夫大師說的「清清楚楚、明明白白」的心，早上出生以後就與處處作主的意根和合運作看似一心。這七識心種子及其相應的無明種子，每天同時從如來藏中流注出來，猶如大海波一般「常不斷絕」，因爲是與色身共俱而出生的緣故。

如來藏離無常的過失，是常住法，不曾剎那間斷過；無始而有，盡未來際永無中斷或壞滅之時。如來藏亦離三界我等無常過失，迥無我見我執或我所執；其自性是本來清淨而無染污，無始以來恆自清淨而不與貪等六根本煩惱及其餘隨煩惱相應。其餘七轉識都是心，即是意根、意識與眼等五識，即是面對六塵境界時清楚明白的前六識，及處處作主的意根；這七識心與無明種子都是念念不住的，因爲是從如來藏中流注這七識心等種子在身中才有的，當色身出生以後與意根同時和合運作，意識等六識也就跟著現行而與色身同在一起，所以是與色身同時出生而存在的。而種子是剎那剎那生滅的，以此緣故說意根與意識等七個心是生滅法。若是證阿羅漢果而入無餘涅槃時，由於我見、我執、我所執的煩惱已經斷除的緣故，這七識心的種子便不再從如來藏流注出來，死時就不會有中陰身，不會再受生，便永遠消滅了，亦因此故是生滅法。】

在三種譯本的《楞伽經》中，都不說此心是第八識（第八識是通俗的說法），而是將此心與七轉識區分成二類，說如來藏一心是常住的，是出生「意」與「意識等」六識者，也說是出生色身者，不同於七識等心。所援引的上開經文，亦已明說如來藏「**離無常過，離於我過，自性清淨**」；而從如來藏中出生的「**餘七識者心，意、意識等**」，都是「**念念不住，是生滅法**」。這已經很明確將如來藏的主要體性與七轉識的主要體性區分開來：一是能生，一是所生，能生與所生之間互相繫屬；能生者是常住心，沒有三界我的無常過失，沒有我見我執等過失，自性是清淨的；所生的七識心，是念念生滅的，也是可滅的，有無常的過失，也有三界我的我見與我執等過失，是不清淨的，也是生滅法。

今此《佛藏經》中所說主旨即是說明此心如來藏的自性，名之爲「**無名相法**」或「**無分別法**」，仍不說之爲第八識，而從各方面來說明此心；並且希望後世仍有業障而無法實證佛法的四眾弟子們，未來世中都能滅除業障而證得解脫及實相智慧。以此緣故，先從「**諸法實相**」的本質來說明如來藏，兼及實證此心者於實證前必須留意避免的過失，才能有實證的因緣；若墮邪見或誤導眾生，並有犯戒不淨等事者，將成就業障；於其業障未滅之前，縱使未來歷經無量無邊不可思議阿僧祇劫，奉侍供養隨學九十九億諸佛以後，仍無實證之可能。以此緣故，釋迦如來大發悲心，首先於〈諸法實相品〉廣釋實相心如來藏之各種自性，隨即教導學人如何了知惡知識與善知識之區別。善於選擇善知識者，於解脫及諸法實相之求證方有可能，是故以〈念佛品〉、〈念法品〉、〈念僧品〉中的法義教導，令學人以此為據，得以判知何人為善知識、何人為惡知識，從而得以修學正確的佛法，然後得證解脫果及證入諸法實相，發起本來自性清淨涅槃智慧，久修之後亦得兼及二乘涅槃，再發十無盡願而起惑潤生得以入地。

若未慎擇善知識，誤隨惡知識者（惡知識表相上都很像善知識），不免追隨惡知識於無心之中所犯過失，則未來歷經無數阿僧祇劫奉侍九十九億佛之後，於解脫道及實相了義正法仍無順忍之可能，欲求佛法之見道即不可得，遑論入地。以此緣故，世尊隨後又說〈淨戒品〉、〈淨法品〉等法，教導四眾弟子們如何清淨所受戒與所修法。又為杜絕心疑不信者，隨即演說〈往古品〉，舉出過往無量無邊不可思議阿僧祇劫前　大莊嚴佛座下，苦岸弟子等四人為惡知識，執著邪見而誤導眾生，成為不淨說法者；以此緣故與諸眾生相率流轉生死，於人間及三惡道中往復流轉至今，反復經歷阿鼻地獄等尤重純苦及餓鬼、畜生、人間諸苦，終而復始受苦無量之後終於來到　釋迦如來座下精進修行，然而竟連順忍亦不可得，求證初果仍遙遙無期；至於求證諸法實相而入大乘見道，則無論矣！思之令人悲憐，設欲助其見道終於無可能，對彼諸人助益無門，只能待其未來阿僧祇劫受業滅罪之後始能助之。

如是警覺邪見者之後，世尊繼以〈淨見品〉、〈了戒品〉而作補救，期望以此二品能轉變諸人的邪見，勸勉諸人清淨往昔熏習所得的邪見，並了知清淨戒之所以施設的緣由而能清淨持戒，未來方有實證解脫果與佛菩提果的可能。如是教導之後，於〈囑累品〉中囑累阿難尊者等諸大弟子，當來之世以善方便攝受諸多弟子，得能清淨知見與戒行，滅除往昔所造謗法破戒所成之業障，而後方有實證之世到來。由此可見 世尊大慈大悲之心，藉著舍利弗尊者之因緣，在與舍利弗對答之時演說此實相法等，期望後世遺法弟子得能滅除業障而得證法。普察如今末法時代眾多遺法弟子精進修行，仍難遠離邪見與邪戒，求證解脫果及佛菩提果仍將難能可得，令人不覺悲切不已，是故將此經之講述錄音整理成書，流通天下，欲以利益佛門四眾。

佛子 **平實** 謹誌

於公元二〇一九年 夏初

第一輯：

《佛藏經》卷上

〈諸法實相品〉第一

品名釋義：接下來我們就進入下一部經，要開始講《佛藏經》，先來簡略的解釋《佛藏經》的意涵。既然稱為《佛藏經》，表示這一部經是「一切諸佛的法藏」，也就是說，這部經典是把諸佛的法藏從不同的層面加以解說，所以叫作《佛藏經》。諸位可想而知，既然稱為《佛藏經》，它當然一定是講「菩薩藏」，因為諸菩薩依菩薩藏修行到最後才可以成佛，所以菩薩藏最重要的法義一定會在此經中演說到。而世尊在《楞伽經》中說：「否定阿賴耶識的人，就是謗菩薩藏；謗菩薩藏就稱為一闡提人，也就是斷盡善根的人。」那麼諸佛的法藏都以菩薩所修的菩薩藏為依據來說明，而菩薩藏最重要的根本法就是第八識如來藏。所以這一部《佛藏經》所說的各個層面的法，當然全部都是圍繞著如來藏、也就是「妙法蓮華經」來演說。可是爲了正法的久住，也爲了佛弟子們的道業快速進展，所以佛陀在這部經中，一方面演說勝妙法，一方面是語重心長，甚至有時幾乎就等於鞭笞一樣的說法；所以《佛藏經》的內涵有一些部分，套一句現代的話來講，還眞有點麻辣！

這部經之所以重要，是因爲現在是末法時代，所以它特別重要。這部經中的法義，對末法時代的佛弟子有很多層面的對治，所以有一些道場心裡是很厭惡這部經，但是不敢說厭惡，因爲既然是佛弟子，每一部經典都要接受，除非是僞經，否則怎麼可以厭惡呢！

佛陀語重心長，說了這麼多勝妙法在其中，怎麼可以厭惡呢？可是以前就曾經有一個唸佛的道場，規定徒眾們說：「這部《佛藏經》只能讀前半部，不許讀後半部。」這是很奇怪的心態。

就好像印順法師不接受大乘經典，指稱大乘諸經非佛說，卻自稱是大乘菩薩，這個道理眞是不通。又譬如他接受《阿含經》，可是《阿含經》的內容也不全部接受，他只接受其中大約十分之一的內容，這也是很奇怪的心態。這樣的人還可以披著僧衣出家而被稱爲僧寶，甚至於還被愚癡的法師們恭稱爲導師，他究竟要將導眾生走向何地？

所以這裡要告訴大家一個前提，不管《佛藏經》講到後面多麼麻辣，對你應該都沒有影響，要這樣才對。感覺麻辣，表示他的功夫很差、體質很差，所以吃起來感覺很麻辣，吃不下去！可是有的人越麻越好、越辣越好，因爲他體質好，都無所謂，吃完了一鍋麻辣鍋大呼爽快。我們正覺同修會的佛弟子應當如是，因爲你們熏習已久，最勝妙的《妙法蓮華經》也講過了，那麼諸位對於《佛藏經》的內涵都可以越嚐越覺得是無上的享受，對你來講那都是享樂而不是麻辣；是增添味道之所必須，而非避之唯恐不及，這就是我要爲大眾講解《佛藏經》的目的。

雖然說《佛藏經》的內涵，對某些未證謂證的大法師們而言非常麻辣，他們承受不住，但是，我也希望他們未來聽說我講的《佛藏經》出版了以後會想：「據說很麻辣，我買來偷偷讀一讀，看自己受不受得了這個麻辣。」果眞如此，佛教界就可以比較快速地回歸正道、遠離岔道。這就是我選擇這部經來宣講之另一目的；那麼這部經講完一半時，我才會再去構思我想要再講什麼經。

現在我們來看這部經，這是姚秦龜茲鳩摩羅什翻譯的。他譯這部經典時一定是法樂無窮，不麻也不辣；因爲他是完全遵守《佛藏經》勝妙法義的人，所以對他來講這是醍醐妙味。雖然他後來被無道的國王逼迫，不得不還俗娶妻，只是他依舊修他的清淨行，留著性命忍辱負重，繼續把應該翻譯的經典翻譯出來，所以我們才能因爲他而得到一些利益。因爲他所翻譯的經典都很優美，而且他翻譯了這些經典以後，別人就不需要再花時間與人力來翻譯了，否則經典根本翻譯不完。

所以鳩摩羅什這位三藏法師，雖然被逼還俗娶妻了，我還是認爲他是出家的法師；因爲在解脫道中說的法師，是「爲人解說色陰虛妄，應該要滅盡，這才是眞正的解脫道的法師」。像密宗假藏傳佛教的宗喀巴等人主張「色陰是眞實」，他知道這個肉體會壞，還可以去觀想另一個有色陰的所謂本尊神，那樣的人都是主張色陰眞實的人，那就不是佛法中—特別是聲聞法中—所說的法師。同樣的道理，《阿含經》中說「受想行識虛妄、應該滅盡，這樣才是法師」，結果他們竟然主張：受想行識是眞實法，所以樂空雙運是眞實境界、是成佛境界。那他們就不是聲聞法中所說的法師，因爲 佛已經把法師的定義講得很清楚了。

同理，大乘法中的法師該怎麼樣定義？應該說：如來藏眞實有，阿賴耶識可以親證；繼續進修而使第八識留下異熟識的名稱、捨棄了阿賴耶識的名稱；再從八地心繼續進修捨棄了異熟識的名稱、改名爲無垢識，這個如來藏妙法才是佛菩提道的根本。五陰雖然虛妄、十八界雖然虛妄，但是必須「從有入空」以後，還得「從空入假，雙照兩邊、不墮兩邊」，住於中道而行佛菩提道，這樣爲人說法的人，才可以說他是大乘法中的法師。

如果是否定第八識正法，即使他頭上燙滿了戒疤，我一樣說他不是大乘法中的法師。他出了家也沒用，即使把九條衣改爲十八條衣，我也不承認他是大乘法的法師。如果他趕快把那一串價值五百萬元臺幣的蜜蠟念珠捨了、改換菩提子，看來好像無貪，但因爲他否定第八識如來藏，我仍然要說他不是個大乘的法師，他是個破壞正法者。所以由這裡來說，我仍然承認鳩摩羅什是出家菩薩。

這是我們對鳩摩羅什應該要有的讚歎，因爲他那時處於戰亂的年代，國王無道時，他也不得不如此；因爲對他而言捨壽很容易，可是對眾生不利，因此他苟且偷生，繼續完成翻譯了義經典的重責大任，這是更難的事。有句話說：「從容赴義易，苟且偷生難。」就是這個道理。所以他是爲正法而忍辱偷生，來努力翻譯經典；因爲他如果不這樣，國王不會支持他翻譯經典，所以他這個功德很大。不是在順境中去翻譯，他是在忍辱中作翻譯，因此我們應該要讚歎他。接著回到《佛藏經》，先從卷上來講，第一品是〈諸法實相品〉，請張老師唸一下：

經文：【如是我聞：一時佛住王舍城耆闍崛山中，與大比丘僧俱，皆是衆所知識，及無邊大菩薩摩訶薩衆，無量無數。】

品名釋義：我們繼續把上週末講完的品名釋義說完，再來解釋經文的意涵。〈諸法實相品〉，表示這一品一開始就點出來，《佛藏經》最重要的內涵就是諸法的實相，等於開宗明義。諸法，就是大家都可以從語言文字的說明之中、從事相的觀察中了知的。換句話說，諸法都是有生滅的；雖然說諸法是有生滅的，可是諸法一定伴隨著實相，不可能離開實相而存在。哲學界演進到現在也瞭解這個道理：一切生滅的法，一定會依於不生滅法，才能有生滅。因為從邏輯上的推理就可以瞭解到這一點：假必依實。至於為什麼是這樣呢？時間又到了，下週再說明。

《佛藏經》卷上〈諸法實相品〉第一，我們上週說明「諸法不能離於實相」；就是說「假必依實」，才能不斷地生滅，否則滅後就會變成空無、斷滅空。但是先要跟諸位聊一下，聽過《妙法蓮華經》以後再來聽《佛藏經》的內容，就好像吃過滿漢全席，再來吃一席兩萬塊錢的菜餚一樣，不曉得諸位會不會因此覺得好像沒那麼精彩？（大眾說：不會。）不會喔！有智慧！因為滿漢全席畢竟不可能每天都吃，所以一般的宴客場合雖然不是吃便飯，當然是上萬塊的菜餚就可以了。可是眞要說老實話，每餐都吃那一、二萬塊錢大飯店的大餐，可能腸胃也受不了，所以最長久的還是家常便飯。就好像每天喝那些飲料，儘管喝，但還是不能離開最基本的白開水，道理是一樣的。何況《佛藏經》也不是小菜，因為這部經就像四川大菜一樣，或者說像湖南菜一樣，氣味也是蠻足的。

我們上週說「諸法不能離於實相」，那麼這話題先且按下不表，現在先來談談到底如何叫作「諸法」？一般人聽到「法」，大概就是說：「那就是佛法。」可是在佛菩提道中，說到法時，有些不同層面的意涵；一般人所知道的法就認爲是四聖諦、八正道、十二因緣、佛菩提道，瞭解多一點的就說「得要加上六度波羅蜜多」；更瞭解的人說「還有三十七道品」，正式在實修的人就會聽聞到「十度波羅蜜多」，那麼這些全部都稱之爲「法」。可是這些法推究到後面來，你會發覺這些法不能離開某一些法，那些法就叫作「五陰、十八界」；假使沒有五陰、十八界，就沒有人天善法，也不會有二乘菩提諸法，更沒有大菩提道的種種佛法，那麼三十七道品也就談不上了；所以那麼多的佛法得要推究到我們的五陰十八界來，否則談不上有什麼法。因爲如果沒有「人」這個「我」存在，一切諸法就不需要提了。可是這樣來說「法」，到底〈諸法實相品〉這個「諸法」，是應該指說哪一些法？我還是要依照剛才說的兩個層面來講，直接地說，是五陰十八界等法；間接地說，就是方才說的種種諸法。

可是五陰十八界，聽起來就好像很簡單的東西，總共五個字，要說它的內涵，最根本的定義就是五陰，只是色受想行識；十八界不過就是六根六塵六識，好像也沒什麼，大家都懂。其實不然！因爲五陰之中有很多法，十八界之中也有很多法，眞要細說起來還眞是沒完沒了。那麼在《百法明門論》中說的百法，除了第八識如來藏以外，其餘九十九種法，全都是五陰十八界及其相應法。那麼如果依根本大論《瑜伽師地論》來說，六百六十個法除了如來藏這個法之外，其他的法也全部都在五陰十八界中運作。所以「諸法」函蓋的範圍很廣。

但是在這裡概略地說，諸法有兩個定義，一個就是最直接、最簡單的說五陰十八界等法。既然這一品的品名稱爲〈諸法實相品〉，那就表示「諸法」不包含第八識如來藏，也就是不包含《妙法蓮華經》、《金剛經》說的「**此經**」；因爲實相就是「**此經**」妙法蓮華心，就是「**此經**」金剛心。這一品既然說爲〈諸法實相品〉，就等於開宗明義說「諸法都是從實相而來」；所以說諸法應該要匯歸於諸法背後的實相。這一品要說的既是如此的內涵，所以定名爲〈諸法實相品〉。

這意思也是說，諸法本身其實就是實相，因爲諸法本來就是實相中的一部分；而諸法在現行運作的過程中，這個實相始終不離不棄，同時在運作，分明現行。但是對於還沒有證悟的人來講，禪師會告訴他說：「**這個實相心**

潛行密用，如愚如魯。」可是對於實證的菩薩們來講，實相其實是在諸法中很清楚地現行，不曾有過中斷，因此這一品的命名、或者定義，其實很明確，直接告訴我們說「諸法同時就是實相」，實相不單是指如來藏，因爲諸法全都要攝歸實相心如來藏中。我們要從此處去理解，諸法本來就是實相之中的局部。那麼這個意思是告訴我們：諸法與實相是同在一起，生滅性的諸法與不生滅的實相是不一亦不異，而諸法只是實相中的一部分。所以這時如果要說諸法是生滅的，就不符合實相；如果反過來說諸法是不生滅的，那也違背了現象界中的生滅現象。所以眞實親證諸法實相的人不說諸法生住異滅，也不說諸法無生住異滅。

所以禪師們就說：若要論實相，無一法可說。乾脆不講了。「如何是佛法大意？」「喫茶去！」因爲當你說個有生滅、無生滅，都已經落入言詮，都已經不離生滅相了，所以乾脆叫你喫茶去。「你自己去參比較快，我也省得費口舌。」所以遇到一個讓他覺得沒因緣的人、見了就不喜歡的學人來了：「如何是佛法大意？」禪師乾脆回答：「佛法大意！」就這麼打發了。這學人當然不服了，抗議說：「學人我賣了衣單，千里迢迢投師訪道，難道這就是佛法大意嗎？」沒想到禪師指著他的鼻子罵：「你這個笨蛋！三十年後去說給內行人聽。」一棍就打出去了。

也就是說，諸法與實相從來不一不異、非離非即，而實相從來不落言詮。當你說個實相時已經落入言詮，可怪的是當你問禪師：「那麼如何是實相？」禪師告訴你說：「實相！」分明指示給你了，可是這學人不懂，又抗議了：「學人我千里迢迢投師，賣了衣單而來，可不是騎鶴上揚州，您竟然這樣打發我，只給我答個兩個字叫作『實相』。」禪師一樣要罵他：「你這個渾小子，你說什麼叫實相？」所以實相還眞的難說。

不只是我這麼說，《佛藏經》一開頭，舍利弗尊者也是這麼說啊！所以實相眞的很難說，既不可說、不好說、很難說；不可以明說，卻又要幫人家實證，這可眞是難啊！那麼這樣說明了以後，一定有人今天第一次來聽經，心想：「我就是要來聽你講實相道理如何？你偏偏跟我東拉西扯講些不著邊際底話，這豈不成了玄學了？」我說：「不！我答覆你『實相』兩個字就已經是義學了，你希望我用語言文字來爲你說明的，那才是玄學啊！」所以禪師往往罵人：「一大盤的黃金捧出來你不要，偏要一大堆破銅爛鐵。」說的正是這個道理。可是這個實相當面捧出，一般人確實很難會取，所以咱們還是要從理上為大家講一講。譬如捧出一大盤的黃銅，讓大家瞭解黃金就好像是這樣，因為黃銅總是比較像，然後再加上說明就容易理解；就是說，藉別的事物如實將它說明，讓大眾比較容易會取。

諸法實相，剛才說諸法與實相不離也不即，就像焦不離孟、秤不離鉈；或者說難兄難弟、難姊難妹，始終同在一處。然而諸法畢竟是在現象界中存在的事，不是在實相界中；可是從實證者的現觀來說，諸法卻與實相法界同在一處，始終存在於實相法界中，不曾外於實相法界；而諸法從現象上來看，始終是有生有滅。例如每一個人的五陰十八界一向都是藉由父母的恩德才能出生，出生之後逐漸長大一樣不是常；如果是常，那就永遠長不大了。

很多學佛人希望自己證得的是「常」，然而把「常」的道理告訴他，他可就不想要了。如果永遠是「常」，那麼凡夫永遠是凡夫，問他要不要？他鐵定告訴你不要。如果是「常」，你問孩子要不要呢？他如果笨，就說要；他如果聰明，就說不要。為什麼呢？他反而罵你：「你眞笨！我不是每天在唱『只要我長大』嗎？所以我希望長大呀！如果『常』，我就長不大了！」

反而罵你說：「**老爸！你比我還笨。**」所以五陰十八界本來就是生滅而無常。從世間道德等法來說，年輕人不要欺負老人，年輕人更不能欺負小孩子；因爲老人投胎再來就比你年輕了，而欺負小孩子可會現世報的，因爲過個十年、二十年，他可比你孔武有力，那可不是老人死了來世再來報。

所以五陰十八界都「非常」，有生滅相，但這個生滅相，在現象界中看得見的是生住異滅，卻是始終都存在於實相法界中，因爲這五陰十八界本身就是實相法界中的一部分。當你有一天實證了，再來看看自己是否曾經一時一刻生活在你的如來藏妙心以外，結果你找不到一剎那是如此。原來無始劫來每一世的五陰十八界，都在自己的「**妙法蓮華經**」中，不曾一剎那外於「**此經**」如來藏；所以「**此經**」妙法蓮花是常，而諸法無常。但是諸法只能存在一世，「**此經**」卻是連亙三世，前際無窮、未來無盡；既然如此，就不能說諸法含攝了「**此經**」如來藏，因爲諸法只是一世住，但是如來藏貫通三世、離三世境，永恆而不曾一剎那生滅。

所以諸法要攝歸於如來藏才對，而如來藏就是諸法背後的實相，所以諸法當然就是實相的一部分。這就是〈諸法實相品〉要告訴我們的道理，這個道理才是諸佛的祕密法藏；而「此經」要說的就是這個諸佛的祕密法藏，因此就稱為《佛藏經》。

那麼講了這麼多，也該回來講原來的話題，來講諸法為何不能離於實相？因為諸法是由如來藏實相心所出生的，既然如此，當然不能夠離於實相而存在。換句話說，實相是諸法的源頭，就好像一棵四、五十公尺高的大樹，枝葉茂密，非常地強壯；可是如果它的根爛了，它很快就傾倒而且枯萎，最後腐朽爛盡，又回歸於大地。實相就像是那一棵大樹的根，諸法就像大樹的主幹、粗枝、細莖、細枝，乃至葉、花、果、種子等。所以諸法不能外於實相而存在，因為諸法由實相而生，猶如那棵大樹的一切都從它的根所出生一樣。

那麼這個諸法實相的道理是如此，接著還要講一個道理。那些六識論者，包括密宗假藏傳佛教的應成派、自續派中觀，自認為很懂得《三論》，例如釋印順狡辯說他不是三論宗的人，可是他一生從年輕講到死，都是在講《中論》的內容。問題又來了：就像他講的解脫道全面錯誤一樣，他所說的《中論》也是全面錯誤的。當他把《中論》依文解義時是正確的，可是他只要加以發揮，立刻就錯了；原因就是他不懂「此經」如來藏妙義，硬將生滅法的諸法所攝的意識，套在第八識如來藏的境界來說中道，所以他的《華雨集》、《妙雲集》自然就是臭氣沖天、邪霧瀰漫。以此緣故，他所說的《中論》就不是《中論》，他所說的般若就完全不是般若。不幸的是，他錯說了很多法而違背了般若、違背了《中論》以後，他自己完全不知道。

譬如《中論》，龍樹菩薩開宗明義說：「**諸法不自生，亦不從他生，不共不無因，是故知無生。**」四種道理：不自生、不他生、不共生、不無因生，這樣才是眞正懂得無生。可是我們來看看印順講的諸法：例如五陰十八界是怎麼生的？他說的是由四大、根、塵，以及父母的因緣就能生了，那叫作共生和他生，單憑父母的因緣就是他生，四大所生以及根塵爲緣生，就是共生。他說的意識是怎麼生的？是根觸塵而生意識，也是共生。所以他的錯誤眞是一塌糊塗，想理很難理，要清更難清；因爲你要把它理得很清楚、說得很詳細，他的信徒也聽不懂，讀了亦不能理解。

好在現在有一本《霧峰無霧》就簡單地講一講，把他所有的錯誤挑出來簡單一說就好了；不要細說，否則他們讀了也很頭痛；講太深讀不懂，該怎麼回應？不回應的話心中很難受，可是想要回應時不知如何回應。所以當印順的徒眾還眞苦惱，但他們不能怪正覺，因爲正覺寫這一些文字、出這樣的書，是要救他們，一片善心好意，叫作菩薩心腸。他們如果難過想要怪誰時，應該要怪釋印順一生亂說法；如今印順死了怪不到，要怪誰？怪自己！因爲自己笨，信那種胡說八道的六識論邪見。以六識論的邪見想要解釋八識論的佛法，永遠都不可能正確，自己若是夠聰明就不要信他。

話說回來，諸法的生，有四種是被禁止的，《中論》早就禁止「**自生**、**他生**、**共生**、**無因生**」，說這些都是邪見，這種人是不懂無生的人，所說也不符合中道。不違背這四個禁制來說諸法，才能叫作眞正的解脫道或中道；否則他把五陰十八界的生住異滅講到天花亂墜，依舊是邪魔外道，因爲不異於外道法，就是不知無生的凡夫。

現在先來說第一個「諸法不自生」。譬如說一個嬰兒，他能不能自己出生自己？如果他能自己出生自己，也就不必父母的因緣了；即使是孫悟空都要有個石頭讓他迸出來，一個嬰兒怎麼可能自己生自己呢？如果有生滅的法可以自己生自己，那就是「無中生有」；如果嬰兒可以無中生有，那麼諸佛也可以無因成佛，同樣是無中生有；那麼世間所有的農業工業都可以停掉，因爲一切產品都可以無中生有。可是諸法不能無中生有，因爲自己還不存在以前是無，自己還不存在時怎麼能出生自己？所以龍樹一開口就說「諸法不自生」。這意謂著：識陰等六個識都不可能自己生自己。所以離念靈知這個意識心，夜晚眠熟以後就斷滅了，每天早晨都是由「此經」如來藏，藉根與塵而出生的，意識是無法自己生自己的。

那麼接著說「不他生」，是說諸法也不是從他生的。例如你的識陰六個識，得要由你自己的五色根配合意根，加上自己的六塵才能出生；如果是別人的六根觸六塵所生的六識，那是別人的六識，不是你的，所以你這個覺知心不能從他生。假使有人告訴你說：「全能的上帝是造物主，一切生命都是上帝出生的。」你就鼓掌：「對啊！上帝是造物主。」接著馬上問他：「那你這個覺知心是不是物？」他若是夠聰明，臉就綠了。「對啊！上帝是造物主，你沒有說他是造心之主。」他狡辯說：「對啊！有這個身體就可以生心啊！」「那麼死人也應該有心，杯子也應該能生心，因爲你說的是『物能生心』。」「請問物能生心嗎？」你再問他這一句，他可能生氣：「不跟你講了！」扭頭便走，因爲他不是很理性的人，他們只是崇拜而不討論智慧。

所以別人的物—六根與六塵—相觸所生的六識心，那是別人的覺知心，我們的覺知心不可能由別人來生。如果由別人的六根與六塵這十二處來生我們的六識，天下大亂！因爲我們自己也有六根、六塵，那我們生的六識是不是要跟人家交換或混雜？然而心不能交換也不會混雜，所以從這第一個層面來說，我們的心—這六個識—不可能從他而生，不管這個「他」是指上帝或任何物，或是其他的任何有情。

從另一個層面來說，諸位都聽過這覺知心六個識得要由如來藏生；道理亦復如是，別人的「**此經**」——妙法蓮花，不能出生我們自己的六識心；我們六識心的一切心所法也一樣不從他生，得要由我們各人自己的「**此經**」妙法蓮花來出生，所以龍樹早就說了：諸法不是從他而生。

可偏偏還有許多無知愚昧的人要去相信說：「**我是上帝出生的。**」問題來了，當他們這麼主張時，我們要問他：「**那生你的上帝是怎麼個模樣？**」他總不能夠說上帝無形無色，因爲他們《聖經》早就已經打死上帝自己了，他們自己的《聖經》說：「**依上帝的形象造人。**」那上帝這個神的形象就是人：一個頭、一個身體、兩隻腳、兩隻手、五官跟我們一模一樣。

那麼上帝會不會生氣？會啊！而且脾氣很大，動不動弄了大水淹死好多人，動不動降下天火來燒死人。心腸惡毒到什麼地步呢？「**那是不信我的異教徒，我要把他剪除！**」所以就把那個異教徒弄到他的信徒手裡殺掉，顯然上帝瞋心很大。那上帝會不會生起歡喜？也會，因爲一神教徒有時把背向天的動物殺了祭祀，他也很歡喜領受，原來他也很愛血食。那麼由此來看，上帝平常是不是和眾生一樣，常常住於捨受的境界中、無喜也無怒？顯然是啊！因爲他不是永遠生氣、永遠歡喜。原來上帝跟我們一樣有喜怒哀樂，那請問：「**上帝這個心是不是跟我們人類的識陰一樣？**」完全一樣，沒有比我們好到哪裡去。

接著上帝說是依著他的形象來造人，顯然他是有身體的；有身體、有覺知心，六識具足；因爲他不是瞎子、不是啞巴，他六識具足，有識陰，那他就離不開受、想、行三陰；原來上帝五陰具足。既然是五陰具足，請問耶和華：「**你的五陰是怎麼來的？你不可以說你的五陰是本來就圓滿存在，因爲你也有壽命，只是你自己還不知道。**」好了，當你這麼一問，上帝聽不懂，因為你跟他說五陰，他連聽都沒聽過；那你也許大發慈悲告訴他：「耶和華老哥！你既然五陰聽不懂，不然我跟你講講十八界好了。」你就從六根、六塵開始講：五色根有勝義根、有扶塵根，六塵是怎麼來的，六識怎麼來的。他聽了也得佩服你啊！

可是他馬上起煩惱：「糟糕！《聖經》說我是造物主，等一下他可能要問我說：『這世界我是怎麼造的？』」他知道世界不是他造的，因為你看《聖經》講的那個世界的形成，那個次序是顛倒錯亂的，顯然不是他造的；而且他說世界是平面的，但地球卻是圓的。也許他這時一溜煙不見了，省得煩惱；因為跟你談下去只有煩惱，沒有好處。逃了以後，實際上他得了好處，但他不懂，覺得煩惱。好處是什麼？他未來世一定會學佛，跑不掉。因為你已經為他把五陰十八界都說了，當他捨報以後，未來世來到人間聽到佛法，就會想要學了；可是他現在感覺不到這個好處，他只有煩惱，於是一溜煙不見了。這在告訴我們說，五陰是不能生五陰的。也就是說，每一個人的五陰都要由自己的實相如來藏妙心來出生，根與塵只是藉緣，而別人的五陰—上帝或者大梵天王的五陰—不能出生我們，所以諸法不能從他生。假使有人硬要瞎掰狡辯說：「大家都是上帝所生的。」那你就把剛才那些話拿來一一問他，雖然他可能不高興，但他未來世就會成爲你的徒弟，一定跑不掉。所以諸法不可能從他生，一定由自己的實相妙心所生。

也許有人第一次來聽經，因爲《佛藏經》剛開始講，就來聽聽看；這時心裡想：「我們臺灣人有一句俗話說得很好：哪個人不是父母生養的？」是喔？都是父母生養的，然而那只是從世間相來說，叫作父母生養的。不信的話回去問問父親、母親說：「當初你們是怎麼把我們製造出來的？」問了父親當然不知道，問媽媽好了；沒想到媽媽手抬起來，腦袋瓜一巴掌打下來罵：「你這個傻孩子，問什麼傻問題！」因爲媽媽也不知道怎麼生你的，在肚子裡糊里糊塗就生出你這個身體和覺知心了！不是嗎？有哪一位媽媽說：「我今天觀想讓他出生一根小指，明天再生無名指。」有沒有？都沒有啊！也沒有說：「我今天弄一根頭髮幫他種到頭上去。」都沒有啊！原來媽媽只是提供那個環境跟物資，是由那個 baby 自己的如來藏來製造自己的身體。

所以這個色陰是由自己的如來藏所生的，有了五色根配合著意根，如來藏就能出生自己的六塵；六塵也是個人自己的，六塵不是大家共有一個。所以十八界中的六塵是眾生各自獨有，比方說（一般人可能沒想到這個問題），比如諸位坐在這裡聽經，我在這裡講經，諸位同樣是見到我，可是各人所見各不相同，譬如坐在這一邊男眾親教師看到我，是我的左側；另一邊女眾親教師看到我，是我的右側；這邊男眾最遠的地方看過來，是我的左前側，另一邊女眾最遠的地方看過來，是我的右前側，這影像顯然都不一樣。所以這個色塵不是同一個，個人有個人的色塵。那麼這色塵當然要由自己的如來藏生，你有沒有看見上帝在那裡一直變六塵出來給你？有沒有？沒有啊！所以上帝怎麼可能出生你的色塵？當然要說「諸法不從他生」。你這個色塵是由你自己的「此經」妙法蓮花心來生。接著說其他的五塵亦復如是，都得要自己的妙法蓮花如來藏心來生，絕對不從他生。

那麼自己有六根、六塵就可以出生六識了，我們就來說「諸法不共生」。「諸法」我們現在只談六識法，先不談別的。六識這些法不是根與塵共生來的，如果六識這個法是根塵共生出來的，那麼人剛死時六根還是具足，有六根應該就可以有六塵，那是不是死人同樣可以出生六識？那就不會死了，但事實上顯然不行。又譬如說，假使將來科學很厲害、醫學很厲害，能夠製造五勝義根、五扶塵根，那它就能共同出生五塵嗎？也不行！縱使科學很厲害，可以供給五塵好了（這是永遠不可能達到的，我們假設說它達到了），那它就能出生六識覺知心嗎？也不成，因爲物不能生心。

可是釋印順少年糊塗，一直到最後成爲老糊塗，糊塗到底，竟然主張「諸法共生」；他認爲人的覺知心出生，就是六根與六塵相觸，所以就有了六識，於是具足成爲一個人，不必有如來藏。那不就是公開主張諸法共生嗎？可是他所宗奉的《中論》裡，龍樹菩薩一開頭的偈中就講諸法不共生，但印順爲什麼主張諸法共生？可憐的是他自己都沒感覺到這個錯誤，所以他的徒眾如果要堅持說他們不是「三論宗」的人，那我也認同！爲什麼？因爲三論跟他們講的不一樣，那他們當然不是「三論宗」的信徒，他們叫作「印順邪說」的信徒。所以諸法不可能共生，也就是說，諸法藉著種種助緣和合而出生時，其實背後一定有個能生的根本因；根與塵只是藉緣，不能共生意識或識陰六識。

我們接著就可以談到龍樹說的諸法「不無因生」。換句話說，一定要有一個根本因，然後藉根、塵等其他幾個助緣，諸法才能夠出生；如果沒有根本因，縱使藉緣具足了（其實不可能具足），諸法都不可能出生。即使是器世間亦復如是，有眾生的種種身、口、意行，然後有眾生的種種業種以外，還得要有眾生的如來藏為因，器世間才能出生，所以一定要有一個根本因。

那麼一切諸法，我們眼前就是把它匯歸到六識來說最貼切，因為這是與大家息息相關的。那麼六識是諸法所攝，六根、六塵又何嘗不是諸法？所以六根的出生，仍然要有其「因」，就是「**此經**」妙法蓮花如來藏，只有這個如來藏心才能出生六根；同樣的道理，祂出生了六根以後，也不直接出生六塵，祂藉六根作為助緣來出生六塵；有了六根、六塵以後，根觸塵時如來藏才可以生識，所以 世尊在《阿含經》中說：「**眼根觸色塵而出生眼識，乃至意根觸法塵而出生了意識。**」那麼 世尊同時卻又說：「**有因有緣集世間，有因有緣世間集；有因有緣滅世間，有因有緣世間滅。**」這世間講的正是五陰，因就是識——如來藏。

世間五陰之所以集成而能出生為一個人，不是單靠四大以及父母的藉緣，還得另有其因，單靠這些緣是不夠的；即使出生以後將來要死，這個五陰要壞滅，還是得要有因，不是單單有這個五陰十八界、加上命根盡等緣就能死，沒有如來藏還死不了。不信的話，你晚上睡覺的時候說：「**我這一睡就睡死算了**。」看死不死得了？得要如來藏把算盤慢慢跟你打，打到剩下最後五分鐘過完可以死了才能死；所以不是無因有緣滅世間，而是「有因有緣滅世間」。

回過頭來說修行人「有因有緣集世間」，修行人修行以後很清楚知道，得要如來藏爲因、父母和四大爲緣，所以這個五陰世間就集成了。可是你將來要入涅槃時，想要把五陰世間永遠滅除，不再有來世的五陰受生死苦，還必須要有如來藏這個「因」；是以修行爲助緣，而由如來藏作因，是因與緣配合：「如來藏因」加上「修行的緣」配合，把我見、我執、我所執都斷除了，然後捨壽時才能永遠滅掉這個五陰世間，也還是要有第八識如來藏，所以佛才說「有因有緣滅世間」。

所以一切諸法背後必有其因，推究「諸法之因」的「最後因」就是「**此經**」妙法蓮花，就是「**此經**」「**金剛經**」，就是如來藏心。所以龍樹開宗明義說「不無因生」。如果這《中論》的四個道理眞的弄清楚了，才能說是「知無生」的人；如果印順學派那一些人把這道理弄清楚了，早就一個個幡然悔悟，他們就會回歸 佛陀的本懷了，但他們都沒弄清楚。

那麼這樣看來，顯然諸法都從根本因如來藏而生——一切諸法都從如來藏生。你看十八界的順序就夠了，十八界中最早有的是意根，意根從如來藏生；意根出生以後便可以出生五根了，但五根不是由意根所生，仍然要由如來藏而生；現在有六根，可以生六塵了，可是六塵不是從六根生，還是由如來藏來生，如來藏藉著六根出生六塵，這才叫作「有因有緣」。

意根爲緣所以出生五色根，六根爲緣所以出生六塵；那麼有六根、六塵，六根觸六塵時就可以生六識，然而六識仍然是由如來藏所出生，六根、六塵只是如來藏出生六識的藉緣，不是根本因。六識出生了以後，十八界具足，五陰就具足，五陰世間就圓滿了。所以必須要說「有因有緣世間集」，不能像釋印順說的無因唯緣世間集，否則就變成諸法共生，這在三論宗是很大忌諱。明明《中論》一開始的偈中就告訴你諸法不共生，從這樣的事實來看，《中論》到底是六識論還是八識論者？（大眾回答：八識論。）對啊！

所以佛教歷史中，龍樹菩薩跟他的弟子提婆菩薩兩個人，有一天閒著就來玩佛法；怎麼玩呢？龍樹說：「假使我的《中論》用六識論來講，你認爲如何？」提婆菩薩說：「如果師父用六識論來講《中論》，我當場就把您破了。」於是他們眞的當場表演，其實就是表演給大眾看。龍樹就用六識論來解釋《中論》，提婆菩薩當場一一破解，有什麼過失都一一提出來。古時如此，現在亦復如是！他們印順派用六識論來解釋《中論》，我們就要把他們推翻，因爲他們一定講不通，一定會有許多過失。所以他的《中觀今論》我們將要推翻他了，我們游老師也在寫一本《中觀今論》（編案：後來名爲《般若中觀》），就用他的東西作素材重新來寫一本書。

所以諸法本來就不外於實相，因爲諸法本來就是實相中的一部分；諸法攝歸於實相時，其實諸法本來就是實相的一部分，因爲已經被攝歸於實相中。可是如果外於實相單單來說諸法時，諸法就是生滅法，不是實相了。那麼這樣〈諸法實相品〉的品題就解說完了，讓大家有一個正確的概念在，接下來的經文就容易講：

經文：【如是我聞：一時佛住王舍城耆闍崛山中，與大比丘僧俱，皆是眾所知識，及無邊大菩薩摩訶薩眾，無量無數。

爾時舍利弗從三昧起，行詣佛所。偏袒右肩，頭面作禮，白佛言：「稀有，世尊！如來所說一切諸法無生無滅無相無為，令人信解。」佛告舍利弗：「汝見何利，歎言『稀有，如來所說一切諸法無生無滅無相無為，令人信解』？」舍利弗白佛言：「世尊！我在靜處每作是念：『世尊乃於「無名相法」以名相說，「無語言法」以語言說。』思惟是事，生稀有心。」

語譯：【我阿難是這樣親自聽聞的：有一段時間佛陀住在王舍城的靈鷲山中，與大比丘僧同在一起，那些大比丘僧都是大眾所知所識的人，還有無邊的大菩薩摩訶薩聖眾同在一起，無法計算數量。

這時舍利弗從三昧中起來，步行到佛陀的所在。他偏袒右肩，以頭臉著地向佛陀禮拜後，稟白佛陀說：「稀有啊！世尊！如來所說的一切諸法無生無滅無相無為，而竟然能使人信受與勝解。」佛陀告訴舍利弗說：「你是看見了什麼利益，歎說『稀有，如來所說一切諸法無生無滅無相無為，令人信受與勝解』？」舍利弗稟白佛陀說：「世尊！我在安靜的處所時常作出這樣的想法：『世尊乃能對於「無名相法」以名相來解說，「無語言法」以語言來解說。』思惟這樣的事情，產生了稀有心。」】

講義：「如是我聞」意思是說，現在要說的這一些法義或者事情，都是我阿難像這樣親自聽聞的。古人對「如是我聞」怎麼解說，我們就不談它，因爲大家都讀多了，這裡不需要重複再講。我要從這裡來談的是經典的結集，那些佛學學術界作了好多的考證，他們說經典有四次結集，有的說有五次，有的說有六次；現在問題來了，那些人既然結集經典，可是所結集的經典必然一開頭就要講「如是我聞」，我們就要請問他們：「**你們是第二次結集經典的人，都是曾經現場聽聞佛陀金口宣說的嗎？**」要問這一點，否則他們憑什麼說「如是我聞」？因爲這些經典的「如是我聞」四字已經明白說：這是你自己親耳聽 佛陀所說的，才能叫作「如是我聞」，否則結集的經典開頭應該說「如是聽聞」或者「如是傳說」，乾脆四個字好了：「道聽塗說」（大眾笑…）這樣最正確啦！

所以你們看四阿含的結集記載，就是七葉窟聲聞法中五百凡聖的結集，成爲四大部的《阿含經》；接著半年後才是七葉窟外菩薩們千人大結集，成爲大乘諸經。這些人都是親耳聽聞 佛陀所說，所以他們結集出來的經典可以加上「如是我聞」四個字；沒有人可以質疑他們寫的這四個字是否正確。

至於四阿含「如是我聞」中，有很多大乘經典被聲聞人結集錯了，變成聲聞法的經典，那個我們且不談它；至少他們對大乘經中 佛陀所說的有關解脫道的內涵有親耳聽聞，只是對其中的大乘法聽不懂而只留下二乘法義。

接下來一百一十年後，那個「十事非法」的《律藏》結集，那能算經藏、律藏的結集嗎？那都不是聽聞 佛陀所說而結集的，因為親耳聽聞 佛陀說法的聖者都已經入滅了，不然就是去雞足山入滅盡定了。所以當時結集「十事非法」律典的人，全部都不是親耳聽聞 世尊所說的戒律，縱使結集成就了，頂多也是律典而非經典，並且不是親耳聽聞 佛陀所說的，學術研究者憑什麼可以說是第二次結集經典？所以那不能稱為經典結集，只能說他們是針對戒律去加以論議，然後作一個決定說：這些戒律應該怎麼解釋，對方主張的那十件事情認為是合乎佛法的解釋，其實是錯誤的，所以結論說「十事非法」。只可以這麼說，但不能叫作經典或律典的第二次結集；因為那談不上是經典，也談不上是律典，否則我寫了那麼多的書，彙整出書後也可以叫作經典結集了。

至於其後四百年、五百年、八百年以後的事，甚至於近幾百年南洋還有人在搞什麼結集，那都不叫經典「結集」，那只能叫作「整理經典」。那樣如果也能叫作經典結集的話，那麼中國的結集可多了；《磧砂藏》，還有最有名、最爛的《龍藏》，日本也有斷句錯誤很嚴重的《大正藏》，韓國還有《高麗藏》（韓國人可能不會說釋迦牟尼佛也是韓國人吧？但他們有個《高麗藏》），中國還有《嘉興藏》等，依照同一個邏輯應該也可以算是經典結集了。如果標準是那樣的話，中國那些經典的匯集以及刊行都應該叫作結集，總共就不是只有五、六次結集，而是十來次了。

所以結集經典必須是親耳聽聞 佛陀所說的一群人，大家憑著記憶各自寫下來，然後互相比對所聞整理討論，看怎麼講而把它定案下來，才能叫作經典結集。因爲那樣結集出來的經典或律典，才眞的有資格叫作「如是我聞」，這樣才是「如是我聞」的眞實義。經由結集的事相來作了說明以後，大家可以有更正確的瞭解，不再像以前只是字面上的理解。

接著說，在這個時候 佛陀住於王舍城旁邊的鷲頭山中（或者叫作靈鷲山），與大比丘僧同在一處，而這些大比丘僧們都是大眾所認知、所熟識的聖者。不但如此，還有無量無邊大菩薩摩訶薩眾也同在一起，這些菩薩眾們時，把右邊肩膀露了出來，頭觸地面而作禮拜。

在這個情況下，就是佛法經典開始演說的一個好緣起；這時舍利弗從三昧中起來了，他就步行前往 世尊的所在，覲謁 世尊。當他來到 世尊面前時，把右邊肩膀露了出來，頭觸地面而作禮拜。

「偏袒右肩」是一個禮節，在古印度佛教僧服有點類似我們這種海青外的縵衣；其實在印度如果不是雪山下，天氣大多很熱，所以只要三衣就足夠了。一般就是一件寬寬大大的布料把身體圍著，這就叫作外衣，過著很簡單的生活。最早期跟著 佛陀出家時，沒有精舍，都是樹下坐、山洞裡坐，這樣過夜。如果我哪天出家了這樣過生活，大概沒幾個人願意跟我出家；老實說臺灣的天氣也不適合這樣出家，是因為印度天氣熱，才可以這樣。

前往 佛陀面前禮拜之前必須要偏袒右肩，這樣就演變成為諸位看到我現在所穿的縵衣；其實古時在 佛陀那個年代並沒有規定說：你受了菩薩戒才可以搭衣。後來中國人就開始施設：你要受菩薩戒才能搭衣。甚至於法鼓山還不讓菩薩戒弟子搭衣，因為他們覺得：你們在家人如果理光頭後，穿了海青搭起縵衣，唸佛時我們一起繞佛，那你們跟我們出家人就一樣了。我說的是有根據的，有一次聖嚴法師當著大眾（記得是週日禪坐會的開示）對我說：「蕭某某啊！剃了光頭是不是就是出家人啊？」現在回想起來那是很輕佻的話，當然那時我是不方便回應的；老實講，那時也沒有心思回應，因爲長期住在見山不是山的日子，那眞不好過；破參才重要，這些都不重要，就沒心思去回應他。

現在話說回來，你見了 佛陀要表示恭敬，所以就把右手從衣服裡伸出來，那時看起來就是搭縵衣這個樣子，這叫作「偏袒右肩」，就是很坦誠而無遮蔽；然後再行頭面捉足禮，禮拜時額頭得要著地。額頭著地也可以廣義的解釋「頭面接足禮」，爲什麼呢？因爲 佛陀的腳是踩在地上的，你的額頭碰觸到地上就等於在 佛陀的腳下面，這是表示恭敬的一種方式，所以也可以稱爲頭面接足禮。這是廣義的解釋。

「頭面作禮」之後，他向 佛陀稟白說：「很稀有啊！世尊！如來您所說的一切諸法無生無滅無相無爲，而能使人產生了信受和理解。」舍利弗這個話眞有道理，諸位想想看，在聲聞、緣覺菩提，也就是初轉法輪時期，佛陀一直都說：「諸法生滅有爲不住，諸法有種種相，有生必有滅。」可是來到般若時期第二轉法輪，講法似乎一百八十度轉變，竟然說：「一切諸法無生無滅無相無為。」依文解義的人當然沒辦法接受。

沒有實證的人都無法接受的，這樣說比較簡單扼要。所以達賴喇嘛說：「佛陀前後三轉法輪說的互相矛盾、互相衝突。」這樣的說法竟然有人為他出版，就是陳履安的眾生出版社，所以那個出版社的命名眞符合事實，就是「眾生」（大眾笑…）。只有凡夫眾生的出版社才會出版那樣的書，因為他們都落在眾生的境界中，依眾生相來理解佛法。我不曉得陳履安到底在想什麼？以前我們正覺還在中山北路地下室時，他帶了弟弟還有一個兒子，好像還有一個是兒子的女朋友，跟他兒子的朋友吧，在中山北路地下室，他來見我時談得好高興；後來他要單獨見我，我說：「我不單獨見人，我得要再約張老師的時間。」他因此就不高興，就說：「那我們再約吧！」我聽他說再約，就知道不見了，我說：「好！再約、再約。」

當然，他會問我：「你為什麼一定要有人作陪？」我說：「我向來不單獨見外人，外人來見我時一定要有會裡的人作陪，這個規矩不會改變。」他就追問：「那你為什麼一定要這樣？看不起我啊？」我說：「不是，您是鼎鼎大名天下皆知，怎能看不起您啊！」「那是爲什麼？」我說：「我的原則就這樣，不是爲什麼。」他就一直問：「一定有原因啊！」那我就不得不說了，那時正好謝長廷跟宋七力不是有一千多萬元供養的新聞報導嗎？我說：「我不是說您怎麼樣，」我說：「假如我單獨見人，這種謠言遲早都會出現，所以我不能打破這個規矩。」我就說：「就像宋七力跟謝長廷如今百口莫辯，那麼打從我一開始弘法，爲了預防這種可能性，我就是如此建立規矩，永遠不改變。」那他就很不高興：「那你是當作我跟他們一樣？」「不是，我很尊敬您，但是我不會改變這個規矩。」他就說：「好吧！那就再約了，週末再看看。」

我一聽「再約」，就知道了；當然週末沒有再打電話來，於是他後來就跟著孫春華走上密宗假藏傳佛教路子了。孫春華本來是建議他：「你要好好去讀《大品般若》。」《大品般若》有六百卷，據他自己說是讀了半年。讀了半年以後去中央信託局佛學社演講，因爲人家說他讀後開悟了，有人就約我去聽。我說：「我沒那個興趣。」可是人家再三邀約不已，盛情難卻，就去了。這是什麼時候的事情呢？這是他來找我之前大約半年左右的事情。我去聽了，當時我坐在最後面，就聽一聽，看他講什麼？當然是失望而歸。本來是期待會遇到一個知己，結果失望而歸。接著就是我們那時在中山北路地下室，他去那裡拜訪我，我受他供養了一大盒日本二十世紀水梨，就回他一些局版書跟結緣書。沒想到孫春華又引導他走向密宗假藏傳佛教去，後來他的那些事情諸位都耳熟能詳，我就不必複述了。

這也讓我們瞭解：一個對於佛法無所知的人，才會去出版達賴喇嘛那種胡說八道的內容；因爲他們只是依文解義，而且還解錯了。從他們的立場來說，他們也可以講得振振有詞：「四阿含諸經中都說了，五陰、十八界『一切諸法都是生住異滅、有相有爲』，來到第二轉法輪般若，竟然講說『一切諸法無生無滅無相無爲』，前後矛盾。」從文字表面上看來，這是自相矛盾，是看來好像矛盾，其實都不是，只是因爲他們沒有實證，既不瞭解二乘菩提，也不瞭解大乘菩提，因此他們都站在錯誤的地方來看同一個法。也就是說，佛陀說法是整體的，佛陀爲大眾演述二乘菩提時，祂是「依第八識『妙法蓮華經』來演述所生的五蘊、十八界生滅有爲」；可是來到第二轉法輪時，是「反過來從一切諸法生滅有爲，來說到一切諸法的根源實相心—第八識『妙法蓮華經』—含攝的一切諸法是無生無滅、無相無爲」，這當中哪裡有矛盾呢？何處有衝突？自是他們不會，誣賴 佛陀。

可是對於凡夫眾生來講，這道理很難講得清楚，所以舍利弗一定是有一天想到了這個問題，有感而發，因此來到 佛前偏袒右肩、頭面作禮以後就這麼說：「眞是稀有，好難得，世尊啊！如來說這個一切諸法無生無滅無相無爲，竟然可以讓人得以信解！」確實很難啊！你看我們現在增上班四百多人，今天他們可以如實理解 如來所說「一切諸法無生無滅無相無爲」，我可是花了二十來年的時光欸！容易嗎？不容易啊！而 佛陀所度化能夠理解的人，那可是我的十百千倍，當然眞的很稀有啊！

諸位要不是來到正覺同修會，怎麼可能釐清這個是講現象界的五陰、十八界，那個是講實相法界的如來藏「妙法蓮華經」，不可能弄清楚啊！因爲有正覺同修會之前，所有的道場在講禪、講佛法、講開悟、講菩提，講來講去都在五陰、十八界的範圍中胡扯一通，何曾有人這樣把二個法界弄清楚？而諸位來到正覺同修會弄清楚時，我已經說法二十來年了（編案：這是二〇一三年十二月二十四日所講）。你看，這是多麼不容易的事，於此之前你們根本弄不清楚。所以這個事情要能讓人家理解，眞的很稀有，當然舍利弗想到了就

應該上來讚歎 世尊。

諸弟子們以前修學二乘菩提證得阿羅漢果、緣覺果時為眾生所說，或是聽聞 世尊所說，都是在講一切諸法有生有滅、有相有為；所以才說因為有一切諸法就會輪轉生死，因此每一個人求出生死時應該要滅除一切諸法，捨壽之後要能確認「我生已盡」，還要能自覺自知說「不受後有」。這都是告訴大家要把五陰、十八界以及一切心所法等等全部滅除，因為這一些法「有生必有滅，有相及有為」；可是當你走入菩薩道實證了，你證得「**此經**」妙法蓮華妙心，現見一切諸法都從這個第八識妙心出生，然後依附這個妙心而運作、而存在、而變異、而消失，從來都是附屬於這個第八識心而存在第八識心中，不曾外於這個真如心而存在，所以一切諸法顯然都歸於這個妙心所有，因此這個第八識如來藏妙心叫作「**諸法的實相**」。

當這一切諸法全部都攝歸於如來藏妙心，不能外於如來藏妙心而存在、而運作，都在如來藏妙心之中被含攝著，本就屬於如來藏妙心中的一部分，那麼一切諸法自然就是「不生不滅、無相無為」。這道理在這幾百年以來就只有正覺在講，沒有別的道場講過。事實上以前菩薩們早就講過了，菩薩們隨佛而學早都實證了，可是要先從斷我見然後來證「此經」如來藏，再來現前觀察這一切諸有都屬於如來藏，才能說「一切諸法無生無滅無相無為」，否則不能這樣講的。

那麼這個過程在《妙法蓮華經》講解的最後，那時我請大家一起跟我來誦「妙法蓮華」《心經》時，誦完了，我有為諸位解釋：佛菩提道不像二乘道，二乘道是「從有入滅」，但是大乘道「從有入空」；這個空不是斷滅空，是空性這個空；然後不許取無餘涅槃，因此你要再「從空入假」——回到一切假有的諸法之中，現見一切諸法虛假；「從空入假」之後，你依舊住於空性境界中「雙照空假，不離空假，也不墮於空假」。這樣住於中道，雙照兩邊，你才有辦法繼續修行到最後成佛。

所以從二乘菩提的一切諸法有生有滅有相有為，轉到了實相法界般若時，說「一切諸法無生無滅無相無為」，這中間沒有絲毫的矛盾，也沒有任何牴觸；因為前者是從現象界五陰、十八界諸法來說，後者是把一切諸法攝歸於無生的實相法界，所以「一切諸法」變成「無生無滅無相無為」。這只是立足點不一樣，所以表面上看，法似乎有所不同，但是兩個法之間表相背道而馳，實際上完全沒有任何矛盾或者衝突，因爲這本來就同一個法，本來就是不一不異的，怎麼會互相矛盾？

假使互相矛盾時，必定會產生一個結果，就是與現象界諸法不能契合，會發生衝突或矛盾。可是當你證了如來藏時，來觀察二乘菩提的實證，發覺與般若諸經講的沒有一點點的牴觸；再拿來觀察三界各種世間，你會發覺本來如是，沒有一絲一毫的矛盾。所以實證以及研究之間的距離是很大的，在他們所謂的研究內涵中，其實無非是對經文所作的文字訓詁、文獻研究；但佛經不是明著說的，很多法都是「隱覆說義」，所以不能單從文字表義來看。因此舍利弗那時想到了這一點，當然要上來讚歎：「**稀有，世尊！如來所說一切諸法無生無滅無相無爲，令人信解。**」當然，我們同樣要像舍利弗尊者一樣讚歎如來。時間到了，今天講到這裡。

回到《佛藏經》卷上〈諸法實相品〉第一，上週講到第二段第二行「令人信解」。接著是 佛陀回答舍利弗：「**汝見何利，歎言『稀有，如來所說一切諸法無生無滅無相無爲，令人信解』？**」前面我們有說明爲什麼「一切諸法」是「無生無滅無相無爲」，這個說法確實很難令人信解。所以很多佛學研究者、很多大法師們，他們以前都不講這種經典，講來講去就是開悟明心：**怎麼樣叫作開悟明心？就是一念不生**。不然就是放下煩惱，不然就是放下自我，然後再倒過來說要把握自我，要當自我。眞是其心顚倒，不一而足。也可以叫作不三不四，因爲他們往往今天說三種，明天說四種，後天又變五種，變來變去的，所以不三不四。

如來說的這種道理很難理解的原因，是因爲這裡所說的其實都是佛菩提道，而佛菩提道的這些內涵，不但談到現象法界的蘊處界等等法是虛妄、是生住異滅而無我，可是同時也談到「實相法界」。實相法界是遍於現象法界中同時運行而不中輟，函蓋了現象法界的生滅有爲，但是很難理解。所以講到後來又把現象界攝歸於實相法界時，這些現象界等有爲生滅法本來都是有相有爲法，被攝歸到實相法界來說明時，這些生滅的有相有爲諸法，就變成了「**無生無滅無相無爲**」。

這很難理解，即使像我在《妙法蓮華經》的講解中說明後，爲了把它統攝起來，所以邀請諸位一同誦了《般若波羅蜜多心經》，然後又一起來誦了「**妙法蓮華經**」的《心經》，告訴諸位說：你從現象界來看的話，一切諸法都是生滅有相有為，就是說你要觀察一些諸法都是緣起而性空、無常故空、無常故苦、苦故無我；可是等你修完二乘解脫道時，卻告訴你說：「這一切的生滅法、有相法、有為法，全部都屬於實相法界所函蓋，都歸實相法界所有。」也就是說，這一些法全部都是從實相法界而來，「實相法界就是第八識空性」。這就是告訴大家說：你應該從一切有、種種有、三界有之中，轉入空性實相法界，所以說「從有入空」。

但是從有入空之後，不該是去取無餘涅槃，因為依於《心經》而實證的菩薩道，應該是要走向成佛的大道，不能走羅漢的小道，所以就告訴大家「由空性來看一切諸法」時，一切諸法固然都是不存在、都是空性如來藏，可是你卻得要從空性再走回一切諸法中來，才能世世廣行菩薩道；那麼走回一切諸法中時，不再認定一切諸法眞實有，卻有個實相心第八識住持著一切法，所以看待一切諸法是假有，這就是「從空入假」。那麼從空入假時你有一個所依，就是三乘菩提的智慧作為你的依憑，於是你可以住於中道，不墮空有兩邊；也不墮於一切假法中，因為一切是假，唯有空性是眞，然而一切假法卻都附屬於「空性心」，因此以菩提智雙照空有二邊而不墮於二邊。

這個道理本來不難理解，可是被印順學派弄來弄去，弄到最後大家越讀、越研究後越迷糊。其實這個道理很容易理解，因爲哲學界也早就講過一致公認的邏輯，就是「假必依實」——如果不是有一個眞實法、本住法永遠不壞，那麼這一切假法不可能出現，也不可能緣起性空。所以哲學界最後的定論是「假必依實」，他們唯一沒有定論的就是那個「實」究竟是什麼？他們始終無法實證，所以到現在這個部分仍然沒有定論。這是哲學界，如果是醫學界、生物學界等，他們已經是等而下之；因爲他們的觀念是「物能生心，無情的身體能出生有情的心」，那就已經是心行顚倒了！所以，到現在爲止還是有人在主張說：人是從恐龍演化出來的，然後又說恐龍演化以後變成雞。那人爲什麼不變成雞？問題來了！所以他們的很多說法都是自相矛盾的，我們就暫且不去談它。

也就是說大乘法、佛法大藏，非常難以理解，所以「佛藏」是法界最大的祕密。那佛藏其實就是宇宙萬有的根源，因爲三界中之所以會有三界這些有情的世間（所謂的有情世間就是各人的五陰世間），這些之所從來就是各人的「妙法蓮華經」如來藏；因爲有如來藏依據各人所修的四空定爲緣，所以就有人受生而住在四空定的境界中，安住一萬大劫乃至八萬大劫，成爲無色界的世間。

由於有些人是實證初禪乃至四禪的，因爲四禪八定的實證，所以他們要有那個境界可以安住；既然他們的心是應該安住於那個境界的，於是如來藏就變生他們那個天身；有了那個色界天身，他們就會附帶個人所居住的宮殿，於是色界天就成立了。有人持五戒、修十善，應該生到欲界天去享福了，應該去享福的結果就會有人生爲天女、有人生爲天子等，就在那邊產生了欲界天身；由於欲界天身的產生，那些共業有情的如來藏又變現出欲界天的境界來，所以他們在那邊生活，互相受用。同樣的道理，人也是如此，畜生、餓鬼、地獄都是如此，所以宇宙的萬有都不能外於實相心而有，這就是說，菩薩應當要能夠這樣子現觀。

由於已確定一切諸法都由「妙法蓮華經」如來藏而生，所以看待一切諸法無妨繼續生滅不斷，自己無妨住於有相有爲諸法之中，而以「無生無滅無相無爲」的實相心境界，作爲自己所安住的立足之處，繼續廣修菩薩行，就稱爲「行菩薩道」。這樣繼續修行才能夠說他是在修學佛法，否則都只不過是人天善法罷了，最多也就只是羅漢道、緣覺道。

可是這個道理很難使人理解，在我們正覺同修會出來弘法之前，沒有人講這個道理；大家講來講去就是剛剛說的禪宗表相的、落入識陰境界的那些錯誤言論，然後加上聲聞道中所謂的四聖諦、八正道、十二因緣。他們講的雖然是能使人證阿羅漢果的法，但他們解說出來的法義卻又講錯了。所以眞正的大乘法，在正覺同修會出來弘法之前其實不存在，已經消滅三、四百年了！也就是說，自從西藏覺囊巴眞正藏傳佛教被滅了以後，大乘正法就已經不存在了；而後時局不允許我們出來弘法，所以我們就等候時機。正好現在這個時間點是最好的時機，我們就次第開展出來，一部分又一部分漸漸地介紹給佛教界。

想當年我們剛出來弘法時，我們說禪宗的開悟就是證如來藏，被好多人毀謗，他們說：「禪宗悟的不是如來藏，禪宗悟的是離念靈知；離念靈知就是眞如，就是佛性。」我們那時被毀謗，不得不拈提一些公案，把禪宗的所說拈出來講；後來又在《鈍鳥與靈龜》書中舉證，當年禪宗最重要的兩大派，叫作「看話禪」以及「默照禪」，全都是以證如來藏爲標的，因此後來臺灣佛教界終於在這部分有個統一的見解了。至於二乘菩提、大乘菩提，我們就次第開演出來；到今天，正覺同修會成立已二十來年。其實正覺同修會成立之前的一九八九年，我就已經開始說法了，這樣算一算有多久了？二十幾年。得要二十幾年、寫了那麼多書出來，才能說服臺灣佛教界信受「大乘佛法不同於二乘菩提」，才終於說服大家「般若的修行要從證悟如來藏開始」。這一段過程可以說是篳路藍縷，而且絲縷欲絕——如絲如縷，就好像要斷掉的模樣。假使我們不是有道種智作依憑的話，其實三次法難時這個大乘法脈也就中斷了。

所以舍利弗這個讚歎是正確的！因爲從一般人的看法來講，或者從二乘菩提來講，應該說一切諸法有生有滅有相有爲；可是當你「從有入空，從空入假，住於中道」來看，能雙照空有兩邊時，或者說雙照空假兩邊時再來看一切諸法，一切諸法莫非是「空性如來藏之所有」。可是眾生無明所以喧賓奪主，反而去掌控如來藏；掌控了整整一世，如來藏都不計較，因爲如來藏老哥很有度量。一般人說君子報仇三年不晚，那小人報仇三天不晚，可是如來藏不會說：「**我不跟你報仇算帳，我算帳是一世不晚，等你這一世結束了，**

我再來跟你算總帳。」但是死後祂就依因果律把有情變生為三惡道或天道有情，最後誰被誰算了？這一些有情把如來藏據為己有，種種糟蹋欺辱，甚至於像印順他們對如來藏是加上謾罵，結果他們的如來藏都不計較，最後的結果是死時如來藏依因果跟他們算總帳。

所以這樣看起來，如來藏才是眞主，有情五陰世間其實只是附帶品而已。那麼這個「主」無始以來乃至未來無盡、恆常而不滅，可是每一世處處作主到處把捉的覺知心、五陰世間，到最後死亡而歸於壞滅。所以 世尊在《楞嚴經》中好有一比，說如來藏就像一個客棧的「亭主」，旅客來來去去；昨天張三住進如來藏來，天一亮，張三走了；「走了」的意思是什麼？（有人答話，聽不清楚）大聲一點！就是死掉了。所以上一世張三來了，老了死了走掉，接著換李四來住在如來藏旅館，可是上一世的張三跟這一世的李四不是同一個人，是兩個人，因為五陰是完全不同的；甚至於可能張三是個人身，李四是一條狗，都不一定。如果他還算不錯，下一世還繼續當人，那麼住進這個旅店來的人換成李四，李四是這一世。可是李四幾十年後，大不了一百多年後也是要離開，無法永遠住在這個如來藏旅店裡；那麼李四走了，下輩子換王五住進來。

同一個如來藏永遠不變，而如來藏中住著的五陰是一世又一世改換的有情，所以說如來藏是亭主，一切的有情是客；客人來來去去，這一世誰來了住上一天（一世），接著走了；下一世又換另一個人住進來又走了，就這樣來來去去，所以「五陰是客，如來藏才是主」。可是每一個如來藏旅館中同樣都只住一個有情，因此大家都顛倒說：我才是主，然後把如來藏旅館據爲己有。所以天童宏智說：「就好比一個三歲孩兒對著那八十歲的老婆，成日索喚個不停。」就是這樣子，一天到晚要那個、要這個，如來藏就供應。可是說這個三歲孩兒向八十歲老婆一天到晚索喚，這說得還是客氣，其實這八十歲老婆不止八十歲，根本不知道祂幾歲；因爲不能用歲數來計算祂，也不能用劫爲單位來計算祂的壽算。

祂的壽期是無法計算的，沒有壽算。世間法中排命盤的相命師，他們說人都有一個壽算，壽命有多少年是可以計算出來的（當然你修行到一個程度以後那個命盤就不準了）。也許你拿了某人的生辰八字去說：「某某人！幫我算算看他的吉凶。」「這個人早死了，不用算啦！」可是明明這個人還在，還很健康、活蹦亂跳啊！這就是說：因為你轉依如來藏以後，知道如來藏是主，自己是客，跟眾生不一樣，壽命就跟著改變了（當然，抵制正法或在正法中營私或盤算的人例外）。眾生是反客為主，最後死時還是由如來藏主人來跟他算帳；算好了帳以後：「你分裂僧團，下輩子要去無間地獄。」「你殺人放火，下一輩子得要去一般地獄。」「你持五戒修十善而不學佛，下一輩子應該去欲界天享福。」這都是由如來藏來算帳的。可是眾生不知道，眾生心行一向顛倒。不但眾生不知道，末法時代連大法師們都不知道這個眞理。

所以這種經典是很難理解的，是我們正覺同修會弘法以後才一點一滴慢慢講出來。以前沒有人敢講大乘經，頂多是拿般若系的經典來作一些科判，出來講一些科判的內容，不敢直接講。有誰敢公開講《心經》？有誰敢公開講《金剛經》而心裡覺得很踏實、不覺得虛？沒有！也就是說，這些本來都是可以實證的法，可是那些大法師們不懂；他們講時自己也在猜測，一面講也一面懷疑說：「我講的對不對？」所以他們不太敢講，乾脆用寫的，寫好了照著稿子一個字、一個字唸出來。不可能像我這樣連個簡單的講稿都沒有，就直接從自心中現觀而講出來。

所以這個佛藏大法本來就難理解，舍利弗很清楚這一點，因此他站起來讚歎 世尊：「世尊眞是太稀有了！一般人認為一切諸法有生有滅有相有為，二乘聖者也如是認為，斷見外道也如是認為，可是世尊竟然說一切諸法無生無滅無相無為，這實在太難瞭解了；在這麼難瞭解之中，世尊說到可以令人信受，不但令人信受而且還可以使人得勝解！」「勝解」最難了，「信受」，往往是因為 佛的威德力攝受了大眾，所以大眾心中信受；可是信受了以後還是聽不懂，一定得要經由實證「此經」妙法蓮花，也就是「此經」「金剛經」如來藏，然後來聽 佛演說「一切諸法無生無滅無相無為」，才能夠生起勝解。所以勝解是很難的。

二乘菩提的勝解，相對於大乘菩提就很容易了，但對於末法時代的凡夫大法師、大居士們依舊是很難，然而相對於大乘法的實證者來講已經是很容易了。所以說，能實證二乘菩提的人很多，因為只要他曾經降伏了攀緣心，有了定心以後聽聞正確的二乘菩提，自己如實思惟觀察之後，他就可以生起勝解；可是大乘法，如果沒有 世尊施設教外別傳，幫助大眾證得「此經」如來藏，不論怎麼聽都是不得勝解。可是 世尊竟然可以講到讓人家信受，而且有不少弟子們能夠勝解，眞的不容易啊！

所以世尊在第二轉法輪時期講般若時，有一天大梵天王來了，奉上一朵青蓮花供養，世尊就拿了起來看著大家，沒有任何言語；單單這樣就有人生起勝解，就是大迦葉。摩訶迦葉就這樣勝解了，他知道 世尊在幹啥。所以他臉上就有了笑顏，世尊一看當然知道他懂了，所以當眾傳法；其實是拈起青蓮時已經傳了，不是口頭上講時才傳的。所以迦葉微笑時，世尊才說：「我有正法眼藏，涅槃妙心，實相無相……。」等，當眾說：「今方付囑摩訶迦葉。」其實這時何曾傳？根本就沒有傳。佛拈起青蓮花時就已經傳給迦葉了，不是講了言語時才傳的；所以當 如來說傳法時，其實沒有傳。因此，無門慧開在《無門關》中拈得好，說 世尊當時是掛羊頭、賣狗肉。羊頭是指什麼？就是那朵青蓮花；狗肉呢？就是指如來藏。這樣也有人生起勝解，因此說，教外別傳傳了下來。

世尊有很多的機鋒，那其實都是眞的，不是後人杜撰的；只是傳那些機鋒時，並不是用經典的形式記錄下來，所以教外別傳本來是沒有文字的，都是言語傳說之後有人記錄下來成爲文字而流傳至今；那根本不像經典正經八百的記錄，卻如實記載下來了，因此不能說禪宗的教外別傳不存在。所以像釋印順他們說：拈花微笑是無頭公案，都是自由心證。其實錯得一塌糊塗，當他們這麼講時，已經成就了謗菩薩藏的大惡業，成一闡提；可是很多人造了大惡業時，一點都不知道，一點點警覺都沒有。

佛門中有很多事情都被大眾所忽略，所以造了大惡業時自己根本沒感覺。有幸遇到明師或者高人幫他指點了，他還不信，退轉去意識境界或我所之中，這就是五濁惡世的眾生最可悲哀的地方。這些事情到後面〈淨戒品〉，我們還會從事相來談，讓大家在佛道上可以走得更順利一些。因爲成爲一闡提人，其實只要一句話就夠了。譬如說，人家講解「一切諸法莫非實相，實相即是如來藏」，有人聽了當場就抵制說：「如來藏是自性見外道，那是外道法。」只要這麼一句，他就成爲一闡提人了；因爲這是謗菩薩藏，就是一闡提人。

一闡提的意思叫作「善根斷盡」；有的人下墮於地獄之後曾經有一念之善，世尊還垂下蜘蛛絲來救他；他只管爬上來就好，結果他一看大眾跟著他也拉著上來，心想：「我還在這邊，還沒離開地獄；他們在下面繼續拉著上來，這絲會不會斷掉？」便叫人家下去，不要跟著爬上來，還踢下方正在爬上來的人。就因爲這一念惡，所以絲立刻斷掉，他又掉下去了。

一念之善很好，一念之惡就很不好。可是這種一念之惡，它之所以不好，是因爲謗了天下最重要的法——謗了菩薩藏。菩薩藏是以如來藏爲中心而開演出來的，是萬法的實相，三乘菩提莫不依之而有；結果他們把菩薩藏的根本毀謗了，當時就成爲一闡提人。可是他們有警覺到自己成爲一闡提嗎？都沒有。那我們在《楞伽經詳解》寫出來流通了，他們也讀過，心中有接受嗎？沒有！沒有接受就不會懺悔，沒有懺悔就沒有滅罪，結果等到他們捨報時，如來藏要跟他們算總帳：下去三惡道。如來藏不跟誰談感情的，祂不會說：「好歹這個張三跟我相處也有八十年了，我來幫幫他吧！」如來藏不管這個，祂也不會起惡心所而說：「這個傢伙一天到晚造惡業，把我的臉給丟了。」如來藏不會起這個念頭。

如來藏沒有臉，祂沒有面子，無背無面、無左無右、無高無下，祂沒有面子的問題，所以祂是秉公處理，完全不會動心，不會起一絲的喜歡：「哇！這一世這個張三是大善人。」祂不會起一念歡喜心說：「送他去欲界天享福吧，好快樂！」不會，完全不動心。至於李四這一世盡幹一些暗地裡算計人家的事，雖然不至於害命，但他的心陰沉毒辣，該去當毒蛇，於是就投胎讓他當毒蛇，不叫投胎叫「投卵」，這時如來藏不會起一念惋惜說：「唉呀！好可憐喔！」也不會起一念惡心說：「你這一世心腸這麼歹毒，就是要你當毒蛇。」祂也不會，該怎麼作就怎麼作，始終不動其心。

不動其心，表示祂的心是無所住的，心無所住之中祂是那麼運作，所以叫作「應無所住而生其心」。凡是和實相法界有關的行爲與言語，都是世間最大的因果，但很多人並不瞭解，因爲這個法是十方三世一切世間的根源，是最究竟的無上法。這個實相法界所關聯到的一切事情、一切言語，背後都是多麼重大的因果，很多人都沒有瞭解到這一點，實在很可憐，也是很可憂！我們只能盡量爲他們說明。

那麼《佛藏經》在這部分講很多，而我們選《佛藏經》宣講的目的也在這裡。所以在《佛藏經》中會講到非常多這部分的法，大家聽了以後都能小心謹愼。我講個譬喻：即使你受了菩薩戒，出去外面要吃滷肉飯也行，回到家趕快刷牙洗臉、漱漱口，嘴裡噴一點薄荷然後去佛像前懺悔都行，就是不要講這一句話：「如來藏是自性見外道。」因爲那個亂吃眾生肉的罪，懺悔就過去了；責心懺就好，因爲嘴饞，一時改不過來，學佛也沒幾年，無妨作完一次就懺悔一次吧！總而言之，小過不斷、大過不犯就行，至少保住菩薩戒，至少保住人身，未來世還有實證佛法的因緣。可是一旦謗菩薩藏——謗如來藏，立刻成爲一闡提人，下一世就不會繼續生在人間。斷盡善根者下地獄是到什麼地獄去？（有人答話，聽不清楚。）無間地獄還算客氣，《楞嚴經》講的是阿鼻地獄，那才慘，眞是難以翻身啊！所以如來藏這個無上法的因果很大。在了義正法的教團中，每一句話、每一件事的因果都很大；不論那一件事多麼小，因果都很大。很多人沒有注意到這一點，所以有些事情作了以後都還不知不覺，若有機會我們再來談。

由此可見，一切諸法明明看起來就是有生有滅有相有爲，可是 世尊竟然說「一切諸法無生無滅無相無爲」，這眞的很難令人信受，更難令人勝解；舍利弗就是想到這一點，所以讚歎：「世尊實在稀有啊！」那麼 佛陀當然要問他。佛陀常常明知故問，作爲說法的緣起。明知故問的事情，將來諸位成佛後當然也是家常便飯；人家來到你面前，還沒開口你已經知道他要問什麼了，可是他問了以後，你還是要問他：「你爲什麼要這樣問啊？」其實你都知道了，但是也要問，爲什麼呢？因爲你知道只是你知道，可是旁邊的大眾並不知道。這得要先給大眾知道，一定要有個因由，那個因由弄清楚了以後才好演說下去。俗話也說「事有本末輕重」，也有人說「凡事都有個來龍去脈」，道理在此，都一樣要問。

所以 佛陀也問他：「你到底看見什麼樣的利益，而感歎讚歎的說『稀有，如來所說一切諸法無生無滅無相無爲，令人信解呢』？」當然要問，舍利弗就向 佛陀稟白說：「世尊！我在安靜之處，常常都是這樣子想：『世尊竟然能在這個沒有名相的法上面施設名相，而爲大眾解說；把這個沒有語言的法，用語言爲大家說明出來。』我思惟這一件事情時，就會生起很稀有的想法出來，我心中就覺得世尊實在太稀有了！」

這是不是奉承？當然不是奉承，奉承是說有五十分把它說上六十分或五百分，可是 世尊所說、所開示、所爲，一切全都如實，你要是把 如來的一百分再增加一百分，也無助於祂的分數，因爲祂的分數本來就不曉得多少分，你再加上去根本看不見、也用不著，這就是法界實相的如實語。因此讚佛的話講再多、再美、再偉大、再神聖都沒有關係，都可以講，因為 世尊都有這個格！其實不應該說「格」，應該叫「格外」，因為 世尊沒有格可以限制。

神有神格，人有人格，鬼有鬼格。同樣的，狗有狗格，所以狗若沒有狗格時，就會被主人放逐。狗的格是什麼？陌生人進家裡來了要叫，主人如果喝令：「住嘴！」牠就趕快停，表示這是朋友。那朋友在家裡，這狗要注意他有沒有偷東西，但不許亂叫。如果親人來了，牠分不清楚，咬上一口，牠就失掉狗格，就要被放逐；如果閒雜人等在自家圍牆外面都不進來，沒有來探頭探腦，牠都可以不理會；可是一旦探頭進來，牠就得開始叫，這就是牠有狗格。狗如果沒有狗格的話，不然就是被放逐，也許不久就變成三腿狗。就是這樣啊！當牠被主人放逐了以後，還一天到晚在路上追著要咬人，那牠就失掉流浪狗的格了；當牠被放逐以後身分是野狗，野狗不應該隨便咬人，所以當牠隨便咬人，遲早要變成三條腿，這是難免的。所以在野外看見三條腿的狗，我不憐憫，因為我知道牠通常是已經失掉牠的格，才會成為三腿狗。所以一切人有格，可是佛在格外，沒有格可以限制。

那麼話說回來，也就是說 世尊太稀有！你用任何美妙的話來讚歎 世尊都無過失。只有不理解什麼是「佛」的無智人，才會說：「天下好話佛說盡。」其實他講那句話時已經有因果了，可是他並不瞭解。還有，世俗人往往跟著別人說：「人爭一口氣，佛爭一爐香。」這也有因果！很多事情，特別是對於神聖之法，最好少加以評論，否則那個惡因存在之時，他自己都不知道，未來世就可憐了。想想看，一個人八萬大劫前爬到樹上躲避老虎，雖然還是被咬死了，但他那時大聲呼喚：「歸依佛！」這麼一句話，八萬大劫後，他竟有因緣在應身佛的佛法中出家，當然後來也能證果，想想看那個因果有多大！

所以，對於三界中至聖之法、對於一切賢聖，都不能隨意加以月旦；「月旦」懂嗎？就是隨意加以評論。那個果報不可思議，可是很少有人知道。那麼《佛藏經》中就是開示這個道理，而舍利弗所稟白的眞有道理，他說：「我在閑靜之處，常常這樣子想，我想到這個事情時就覺得世尊實在是太稀有了！」那他想到的是什麼？想到的是說「無名相之法，而世尊能以名相來爲人演說」，這是第一個部分；第二個部分，「無語言之法，世尊可以用語言來爲人解說」，所以太稀有！

那麼「**無名相法**」究竟是什麼？就是「**此經**」如來藏，《妙法蓮華經》中說的「**此經**」、《金剛經》中說的「**此經**」，都是講如來藏；祂沒有名相，不論你把祂安上什麼名字，祂永遠不會跟你接收說：「**你給我這個名字眞好啊！**」祂永遠不動其心，可是祂時時生其心、不斷運行，而祂不是有名相之法。不是有名相的法，意思是說，一切的名相無法套在祂身上去；所以禪宗中說「說似一物即不中」，不管你用什麼來指稱祂，其實都已經不是祂。那麼這個法是沒有名字的，而且也沒有任何法相；不管是什麼樣的法相，祂統統沒有。

假使勉強要說祂有法相，那就只有一個，叫作「眞如」，因爲祂眞實而如如；所以在增上慧學中說「眞如亦是識之相分」，說眞如就是這個第八阿賴耶識所顯示出來的行相。祂在運行過程中所顯示出來的一個法相，就是眞實而如如，所以眞如是祂的相分。所以當你說眞如時，已經不足以去顯示祂的相分，因爲你所說的眞如，畢竟只是語言而不是眞如。談到這個眞如就想起來，在我們弘法以前好像沒有聽過什麼道場在講眞如，甚至於很多法師出家十幾年了，沒聽過眞如兩個字，眞的很奇怪；各個都說開悟了，又說是大乘佛法，也都在講實相，竟然不懂眞如，也沒聽過這兩個字。

話說回來，這個第八識如來藏沒有名也沒有相，祂無相，可是這個無相之法卻是實相，所以經論中才說「實相無相」。那麼 世尊掛羊頭賣狗肉，當眾傳法給大迦葉時也說：「**我有正法眼藏涅槃妙心，實相無相微妙法門，不立文字教外別傳，……今方付囑摩訶迦葉。**」也說「實相無相」而傳法給摩訶迦葉。這樣看來，顯然祂是無相的。那麼實相既然無形無相，到底要怎麼樣讓大家瞭解？這眞的很難。祂又沒有名字，如果你說：「**那個人就是張三。**」人家問來問去：「**哪個是張三？**」「**原來他就是張三。**」問過別人以後也懂了，對不對？可是祂沒有名字，因爲無名無相，難以說明，世尊竟然可以用名相來爲大家說明，令人生信而且勝解，所以這眞的稀有！

可是話說回來，正因爲祂無名無相，所以不得不用名相來說。怪不怪？好怪喔！是好怪，可是當你勝解了以後就不怪了。爲什麼呢？譬如說，兩個同樣證得如來藏的人，那麼如果他們沒有互相約定說：「**這個如來藏心，我們用什麼名相來指稱祂。**」那麼互相之間要去討論祂的自性時，該怎麼討論？

即使互相約定說：「我們就把如來藏說是『祂』好了。」那這個「祂」是不是名相？依舊是名相；兩個人互相討論時一定要有一個名相代表或指稱如來藏，才能互相談說，否則要怎麼說？

諸位想想要怎麼說？沒有施設名相時，你們沒有辦法互相溝通的，那你所觀察到的部分就沒有辦法告訴對方；對方觀察到而你沒有觀察到的部分，他也無法告訴你，那雙方之間又要怎麼說？所以一定要施設一個名相才能夠說祂，「所以我說世尊稀有難得」。於「無名相法」不得不用名相說，為什麼我說不得不？正是為了眾生！這也是「為人悉檀」。所以說一個無名無相無形無色的法，假藉名相的施設而演說，讓眾生瞭解那個無名無相的法，眞的很稀有！

談到這裡又要談到印順學派，他們老是說：「這個大乘佛法都沒有一個次第，說悟了就悟了，都是禪宗祖師們自由心證，沒有一個標準啦！」他們講的好像很有道理。為什麼有道理？我舉例給諸位聽。某甲來了，問：「如何是佛法？」禪師說：「喫茶去！」某甲喫茶完了，又上來問：「如何是佛法？」禪師說：「這就是佛法。」某甲不會，禪師一棒就打出去了！然後某乙又來問了：「如何是佛法？」「喫茶去！」某乙去喫了茶，上來不問佛法，禮拜了就走，禪師說：「且喜這漢子，會也。」然後接著某丙又上來了：「如何是佛法？」禪師也說：「喫茶去！」那某丙喫了茶，上來他也禮拜然後離開了，禪師卻說：「且仔細！」你看三個人各各不同，是不是？可是三個人表現都一樣，爲什麼兩個人不行、一個人卻可以？最難思議的是第三個人上來，跟第二個人上來完全一模一樣，爲什麼一個肯、一個不肯？所以你看，他們批評中國禪宗似乎還批評對了呢：「你看！都是禪師自由心證啊！」

可是他們只懂得看熱鬧，不懂得看門道。然而，話說回來，天下有幾個人能看到門道？諸位可以檢點看看啊！海峽兩岸全球五大洲所謂的佛教，在正覺出來弘法以前，誰看到門道了？都沒有！可是我就要教你們懂得看門道，看懂門道時，從那個門道來看熱鬧，那才是眞的會看熱鬧。否則看來看去，人家熱鬧歸熱鬧，自己依舊空歡喜一場，什麼都不懂。好不容易參與了佛教的第三次復興運動，自己參與其中了，結果只能看熱鬧，看不清門道，那多喪氣。所以印順派的僧人們對禪宗的否定，其實沒來由，一點道理都沒有，因爲他們根本不懂。而這個無名相之法，世尊有種種的方便善巧，所以施設了種種名相來爲大家說，令大家易於實證，易於生起勝解。

生起勝解時是什麼位？叫作「勝解行位」。對眞如還沒有勝解之前都是修資糧，只是在培植福德資糧；不管他六度多麼努力的修行，終究還是在資糧位中修六度。等到他實證眞如、勝解了六度，就沒有六度了，六度就不存在了。雖然他繼續行於六度，可是已經沒有六度可說，是不是這樣？是啊！怎麼可能不是？我講《法華經》時最後在〈法華大義〉告訴大家「從有入空，從空入假」；當你從有入空時，有沒有六度？連三十七道品都不存在，五陰十八界都不存在，還有哪來的六度？那時六度全是假有的，卻無妨「六度繼續行，心中無六度」，這時只是依於實相法界的功德與智慧，繼續去行六度，但是心中不作六度之想；因緣到了該作什麼就作什麼，該布施的布施、該持戒的持戒、該精進就精進、該修定就修定、該靜慮就靜慮……等，這就是「從假入中」，雙照空、假兩邊而住於中道，繼續修行菩薩道。那麼這時都沒有名相，可是爲了幫助大家信受以及生起勝解，卻必須要用名相來爲眾生解說。

所以，不懂的人一天到晚批評禪宗說「那個叫自由心證」，可是問題來了，當他們說禪宗是自由心證時，禪師們爲什麼不肯？我們爲什麼一樣不肯?但是,同樣證悟的禪師往往講出來不一樣的話,為什麼卻都被所有證悟的禪師們認可,其中當然有原因啊!所以說這些禪師們眞稀有!可是禪師們能這樣稀有,也是從 佛陀那裡學來的,沒有誰是很厲害的,全都是從 佛那裡學來的。

「『**無名相法**』**以名相說**」,就是施設了名相。譬如說有時叫作「**此經**」,有時叫作「**妙法蓮華經**」,有時叫作「**金剛經**」,有時叫作「**如來藏**」;可是還有其他的名字,有時說祂「阿賴耶識」,有時又叫「異熟識」,有時又稱為「無垢識」,因為成佛了!有時稱為「阿陀那識」,有時稱為「心」,有時又稱為「非心心」,又稱為「不念心」,又稱為「無住心」、「無心相心」;可是還有很多名詞,你看《楞伽經》中 世尊說了:乃至外道講的所謂的能生有情眾生的祖父、大梵天、造物主、冥性……等,其實就是指如來藏,只是他們不知不證,所以推給想像出來的那些造物主……等名稱。

所以那些一神教徒一天到晚口中說著「造物主、上帝」,你就問他:「你見過造物主沒有?」他一定說沒有;如果他有見過眞正的造物主,他就不會說:「**我信耶穌,就可以撿到鑽石。**」(編案:說此法時,臺灣新聞報導基督教某牧師說：「我信主耶穌，就撿到鑽石。」）那你如果信耶穌可以撿到鑽石，別人信為什麼撿不到？沒道理啊！這表示他不知道眞正的造物主。他一定問你說：「你們佛教徒也講造物主啊？」你告訴他：「有啊！我們也講，只是名稱不一樣而已。你們講造物主是叫作耶和華，你們說你們都是耶和華所生的；我們也講造物主，我們說的造物主叫作如來藏。請問你看見造物主了沒有？」他說：「沒有啊！我每天祈禱，但沒有看見耶和華。」你告訴他：「我不用祈禱，每天都看見我的造物主如來藏。」

外道不懂，所以有種種的妄想，因此施設了很多很多想像的名詞出來。所以婆羅門教說「祖父就是造物主」，有的說「大梵天才是造物主」，有的說是冥性：「有一個冥性出生了我們的五陰。」例如勝性外道、數論外道……等一大堆，也有極微外道；很多外道的主張，都想要探究出生命的本源，都知道眾生身心之外另有一個根本，只是都弄錯了。甚至也有自然外道，說有情都是自然生的；其實那個「自然」是什麼？就是「無名相法」如來藏！這才是眞正的造物主。所以這個「無名相法」，世尊藉著種種名相來說。

那麼禪宗祖師可就施設更多了，連魚腸劍也可以拿來比喻，又如莫邪劍、干將劍、玄靈寶劍，都可以拿來指涉。有時又講一些奇奇怪怪讓你聽不懂的話：「如何是佛？」「石上無根樹」，又創造另一個名詞了；至於本地風光，就已經很平常了。所以佛門中有種種的名詞來指稱這個如來藏，只是因爲眾生無明遮障，所以產生許多的妄想；基於那些妄想，就施設了很多很多的想像之法。

例如佛教還沒有傳入中國之前，中國人說盤古開天闢地，也有一些道理。說盤古開天之前本來有個人名叫混沌，他每天都是混混沌沌、不辨東西；後來好朋友說：「你老是混混沌沌，這樣不好吧？我幫你弄聰明伶俐一點。」於是幫他在頭部開了兩個孔叫作眼睛，於是可以看，不那麼混沌了；又幫他在左右開了兩個孔，叫作耳朵；乃至後來開了鼻子……等，身上總共有七孔了以後，不再混沌而能了知一切境界，結果就是混沌死了！對啊！不再混沌就沒有混沌存在了，那混沌不是就死了？怎麼還沒想通呢？因爲他聰明伶俐就不混沌，混沌不存在了。但那個說法都叫作妄想。可是，那個妄想和能覺能知的心，當你把祂們收攝到如來藏來看時，是不是全都是如來藏？是呀！混沌就是如來藏啊！混沌如果不是像混沌，而是像你現在這樣清清楚楚、明明白，祂就會自己作決定，那我告訴你：你倒大楣了！明天早上一起床就得去精神病院，祂還不讓你去呢。

所以其實有很多很多名相所說的造物主或是生命的本源，其實本來就是如來藏；只是外道因無明妄想所遮障的緣故，因此他們施設出許許多多的名相來，而那個造物主的本質，所講的就是出生有情的根本大法；能出生有情的根本大法就是只有一個——如來藏，放之於十方三世諸佛世界而皆準。

所以你去到極樂世界時，看見阿彌陀佛這麼偉大，又這麼高大、這麼莊嚴；欸！還是如來藏，跟你無異。如果覺得有懷疑，說：「阿彌陀佛！拜託您加持我，不要等到明天早上；您現在加持我，讓我先去禮拜藥師如來。」那是回到娑婆世界再往東方過去了，好遠呢！彌陀世尊問你說：「你爲什麼現在就要去？明天早上帶花去供養就好了。」你說：「不好，我還有個疑問沒解決。」你心裡說：「我來到極樂世界看見您也是如來藏，我在想，那東方琉璃光如來是否也是如來藏？」因爲不死心，就想知道；彌陀世尊也許腦袋給你一槌：「傻孩子！去到哪裡都是這個心，你還要去那邊看什麼？」反正被槌就槌了（當然是不會槌的），就求了：「拜託！讓我死了心，讓我去看一看，我回來就死心了。」「好啦！」佛陀也許就加持你。藉 彌陀世尊之力，回過這個娑婆世界再到東方那邊去，終於拜見了 琉璃光如來；一看：「嗯！還是如來藏！」無法否定的。

所以這個法放之於十方三世諸佛世界而皆準，不會有所改變的，所以祂才叫「實相」。既然這一品講的〈諸法實相品〉，當然這個實相要說給諸位聽啊！乃至未來諸位成佛時也是會如此講給所有弟子聽，終不改易；就以種種的名相來說這個無名相的如來藏，這個眞是稀有。可是話說回來，如果不以種種的名相來說也還眞難以言說。

接著第二句說「『無語言法』以語言說」。無語言之法，諸位一定會聯想到一句「言語道斷」，也就是說如來藏這個法自始至終—也就是無量劫假使有開始（其實是「無始」）；從無始以來一直到最後假使有個終結（其實是沒有「終結」）—祂是無始無終之法，卻是永遠都離語言。你要等待祂有一剎那與語言相應是不可能的，祂是個無語言之法；因此才說來到如來藏的境界中，也就是說你這個五陰，設想五陰住在如來藏的境界裡來看時，如來藏自己的境界中是沒有語言之法的；所以一切言語之道，來到了如來藏這裡就斷絕了，這樣才是正確的「言語道斷」——就是言語之道來到這裡就斷了。很多人不瞭解言語道斷，我們正覺弘法以前，他們都說：開悟就是要離念、一念不生，如果兩個鐘頭一念不生——小悟，半天一念不生——中悟，三天都一念不生——大悟徹底。好了！恭喜！那些外道應該全部都開悟了。但是，古時候外道證得四禪八定多的是，住在定境中長達一個月、二個月的，都是一念不生啊！然而爲什麼 佛陀一個一個指明說：這個是初禪，不是涅槃；這是二禪，不是涅槃；乃至非非想定都不是涅槃，都沒證悟，都是外道。爲什麼？因爲只是定境，都是有語言之道的境界。

爲什麼我說定境仍是有語言之道的境界呢？雖然他一念不生，可是一念不生的心是意識，意識永遠都跟語言之道相應，語言之道不斷。語言之道來到意識的境界中永遠通行無阻，你可別否定我這句話。也許有人想：「那你看看那狗，牠有語言嗎？」我告訴你：「有。」只是牠的語言跟我們的語言不一樣，所以牠生氣時有生氣的語言，被別的大狗咬時有被大狗咬的語言，肚子餓時有肚子餓的語言，歡喜時有歡喜的語言，跟主人要食物時也有不同的語言。所以主人一聽就知道牠想要幹什麼，對不對？而且每天時候到了，牠會纏著主人、發出一個聲音，主人就知道要拉牠出門，對不對？要去遛狗啊！然後要戴著狗圈套上繩子，帶著鏟子、袋子出去，這主人一聽就知道，表示牠有語言。貓也有不同的語言，鳥或什麼動物都一樣，只是牠們的語言之道不同而已。

同樣都有語言，因爲都是意識，所以進入較淺的未到地定中也能聽懂別人說的話，住在定中一念不生時的意識與定外說話的意識是同一個，不離語言之道。可是來到如來藏的境界中，語言之道永遠不通。所以在我們弘法以前，很多的禪宗道場，當你說到開悟時，他會告訴你：「你一開口就沒有悟了。」「爲什麼？」「因爲開悟的境界言語道斷啊！你才一開口就有言語，你就是離開悟境了。」我們北方這個鄰居始終也是這樣，對不對？雖然他過世了，也是一樣：「當你講開悟時就不是開悟，所以你們不要問師父我有沒有悟啊！因爲師父我如果告訴你我有悟時，我就變成沒有悟了，所以我一念不生來應對你就對了。」原來，世尊踞坐默然，他是這樣解釋的。如果由他來解釋的話，譬如說那個外道來問：「不問有言，不問無言。」世尊踞坐默然，過一會兒，外道很歡喜，就讚歎說：「世尊大慈大悲開我迷雲。」然後禮佛三拜、歡喜而去。那他的解釋就會是說：開悟就是要一念不生，所以要踞坐默然。原來他把張三的境界套到李四頭上去，叫作張冠李戴。

如來藏的離語言境，與意識覺知心的不離語言境是並行的，不是分段的。像他們那個修法就是分段，怎麼分段呢？剛才有語言文字所以沒有開悟，現在離語言文字所以開悟，等一下有語言文字時又離開悟境了。那一個人變成現在有悟、等一下說話時沒悟，後來悟了又會沒悟，所以會退失。這是什麼說法？這叫作大法師的說法，不過要加上兩個字——末法。所以當初我幫助某一些同修，那是很早期、很早期我幫他們證悟了以後，有一天他們回去報告師父：「人家蕭師兄教我們實證，有一個眞心還有一個妄心，我們找到眞心了，所以現在《般若經》讀懂了。」師父質問說：「那你不是有兩個心了嗎？哪有這回事！人都是只有一個心。」後來他們舉給我聽，我說：「人何止兩個心？人總共八個心。」

所以說，這個「無語言法」、「無名相法」在正覺同修會弘法之前，大家一向都說要靜坐、要離念；離念時就是開悟了，有念時又退失了，然後再修、再離念又變開悟。也就是悟了退了、退了悟了、悟了退了，就這樣反覆不斷的在那邊輪迴，那就是輪迴；只是他們這是前後三念的輪迴，跟人的五陰前後三世的輪迴有小差異，但同樣是輪迴。爲什麼那叫輪迴？因爲當他這樣不斷地轉易時，那就是具足的一念無明；那個一念無明不斷的現前，所以就永遠不斷的輪迴。但是他們不知道藉著無始無明的打破，也就是藉著證「無名相法」如來藏而破了無始無明，可以漸次修斷而把一念無明斷除，但他們不懂。他們不曉得這個實相法、這個無名相的實相法，祂跟有名相的五陰是並行而同時在運作的——祂們是同時同處、同時存在，猶如俗話說的焦不離孟、秤不離鉈，而不是要把意識妄心修成離念變成眞心叫作開悟。

可是名聞四海、足跡遍及五大洲的大禪師、大法師，竟然對這個也不懂，所以都誤會了這個「無語言法」，因此看到經中說言語道斷，他就想：「那我就把言語之道斷了，沒有言語時就叫作開悟。」就變成這樣。所以他聽到我們有些師兄弟說：「有眞心，眞心叫如來藏；也有妄心，就是這個見聞覺知、處處作主的心。」他聽了不能接受，便指責說：「那你們就是有兩個心。」我說，有兩個心還不夠好，應該要有八個心才好，兩個心太少了！我們是把那見聞覺知、時時作主的七個識合起來，夯不隆咚說祂叫作妄心，其實就是七轉識。所以這個「無語言法」還眞的難意會，你看這三、四百年來，中國佛教多少人誤會；但是這麼難意會的法，世尊竟然可以藉著各種語言來說明這個離語言之法，當然非常稀有啊！

有時候有些同修會讚歎說：「欸！老師您怎麼會這樣講？唉呀！眞難得！」我才只值得他「難得」兩個字，爲什麼呢？因爲我覺得很滿足了。「稀有」是世尊的事情，不是我的事情；而我這個「難得」還是從 世尊的稀有來的，否則哪有可能擁有這個「難得」。那麼當諸位懂得告訴我說：「老師！您很難得。」那我就說：「你眞的很難得，因爲你懂得欣賞，是我的知音。」

剛開始弘法時我一直抱著一個心態，我希望出來弘揚佛法時看看哪裡有個知音，我要去拜訪他、讚歎他！結果人家介紹我去，去到三重聽他講課，我特地坐在最後面人家沒注意的地方。等他講完了，人家介紹我給他認識：「這位是某某老師，在某處講課。」互相交流起來，咱們句句讚歎對方，對方卻是句句壓抑咱們。怎麼會這樣呢？我們是抱著尋求知音的心態而相見，結果他在我們讚歎時，爲了處處要佔上風，所以處處……那叫什麼？也不完全是諷刺，而是每一句話中帶一點又酸又諷刺的味道。打從那一次以後，我就說：「你們誰都不要介紹我去見誰了，這一次就夠了。」因爲我後來想：大概要找到個知音是很難的，不如自己設法多弄出一些人來當知音，不是更好嗎？對不對？求人不如求己！

所以我就設法努力生產，因此就開始有人不斷證悟出來，這一些知音才是眞知音啊！因爲是不是眞正的法，是不是如實證得眞如，自己可以檢驗，這樣的知音才值得我交陪啦！「交陪」聽懂嗎？（編案：「交陪」是臺灣語，意謂互相交往陪伴。）所以後來外面的人要來見我，原則上盡量不見；如果眞的要見，週二來聽我講經完了，我撥個時間給他見一見。特地要約出來見，我就不見了，因爲早知道會外不會有知音，我也沒有那個時間。

老實講，他們不管是什麼大師來，我也沒有辦法跟他互相「交陪」，那就算了！因爲這個法是「無語言法」，若是要幫他證得這個「無語言法」，他必須要按部就班來學；特別是現在，我總是要求大家要先學次法，如果他沒有先把那一些次法學好而說他開悟了，打死我也不信。鋼刀拿來架在我脖子上說：「你不信，我就殺了你。」我還是會說：「不信。」因爲他在次法上面還沒有修學，沒有修學次法的人，知道密意了又如何？不過是個「名相外道」

而已，他終究不會有智慧生起，更不會有功德受用，那我度了這個人，我接待了這個人沒有意義。

所以他如果想要證得這個「無語言法」，得要進同修會來學，那我可以接待一下。假使對方貴為總統、轉輪聖王，我可以接待一下，在週二講經圓滿時。但是對方若要實證的話，一樣要來同修會從禪淨班開始，我們有很多次法，他可以次第學上來。如果這個次法沒有學好，我幫他開悟了，只會是幫他在將來產生謗法的惡業而已，那我還得要負共業，何苦來哉？所以這個「無語言法」的實修就是要他按部就班來學。

那我們把這個「無語言法」講了二十來年。在我參禪那段時間不談，我的實證是在一九九○年，我在一九八九年去朝禮聖地，一九九○年破參，現在是二○一三年底；二○一四？還沒有！還有幾個鐘頭才到二○一四年；那這樣子是幾年？二十三年，前後二十四年了，講了那麼多的法都是講「無語言法」。除了《阿含正義》偶然帶幾句以外，其他都是講這個「無語言法」，可是有多少人可以實證？真的很難！所以萬一有大師來了，就得要他們按部就班，來到同修會中把該修的次法先修好，次法沒有修好以前別指望我幫他；因爲幫了他會使他將來謗法，謗法之後成一闡提，怎麼辦？那豈不是我害了他？所以我的想法就是，這個「無語言法」我盡量用語言來爲大家說明，幫大家把正知見一部分又一部分次第安排好、建立好，然後次法該修的部分也修好了，去到禪三那就簡單了；那時我只要腿抬起來往他屁股狠狠一踹就好了，這不就是很輕鬆的事。可是在這之前以語言說，就要講上一大堆了。

你們看　世尊爲了講這個「無語言法」，大家無法信受的情況下，只好幫大家先去證二乘菩提，這就花了十幾年時光。證得二乘菩提以後來講「無語言法」，大家才會信，因爲對　佛具足信心了。然後來講實相般若，般若講了幾年？二十二年吧？這「無語言法」整整講二十二年，人天至尊都講二十二年；然後終於很多人實證了，可以轉入第三轉法輪來講方廣諸經——就是唯識增上慧學，也還是講這個「無語言法」啊！那諸位想一想，舍利弗看到世尊把這個「無名相法」施設種種名相而說，又看到　世尊把這個「無語言法」藉種種的語言來說，讓大家可以理解，理解之後又可以實證，生起了勝解，實在是太稀有了！

舍利弗這個讚歎可不可信？當然可信。看看我們同修會弘法，我個人加上同修會成立以後，這樣總共前後二十四年，講的還是這個「無語言法」、「無名相法」；而我們藉著很多的名相、很多的語言文字，來為大家講解；講解後又印成書籍流通，這樣二十四年佛教界才算接受了！我還眞的需要對佛教界讚歎一句說：「難得啊！」因為在整個佛教界被邪說籠罩的情況下，而佛教界能夠開始轉變，這眞的難得。可是這個難得背後是有功臣的，諸位一定想：「功臣就是我們啊！」當然是你們。但你們不是全部，還有很重要的功臣就是謗法離開的那三批人；正因為他們作為試金石來檢驗我們，或者作為冶煉的大火與鉗錘來鍛鍊我們，讓佛教界看清楚這個法是如實而不可壞的；由於這個緣故，所以佛教界才漸漸認同。如果不是會裡前後三批人的否定，我們要寫那一些書其實也是師出無名；師出無名而寫出來的書，人家不太相信的，因為都不是正面挑戰，而是你據理而說的。所幸有人正面來挑戰，而且是在我的調教下親證了以後來挑戰我，這個時候人家才會相信。

所以一次又一次的法難，我都是從正面來看待，特別是第三次法難時。那時他們推動法難也眞的是轟轟烈烈，但是在親教師會議中，那時親教師人數還很少，只有十幾位；我說：「大家不要生氣，要把它當作一個試驗，要把它當作是我們來說服佛教界的一個好機會。」我當時作了一個比喻，我說：「就像一條河流，河水一直在流著，突然有人去弄個三夾板把水擋住；那個河水雖然不大，他們用三夾板把它擋住，能擋多久呢？擋到水高了以後，一定會沖垮，那時水量是不是更大？沒有人不會去注意那一陣大水。那時就證明說，平常這樣潺潺而流的這個水，是眞正的清水，大家就看清楚了。」後來果然也證明如此，因此，以後再有法難也都不會是什麼大事了。

所以反而是第三次的法難，讓我們正覺同修會被臺灣佛教界普遍的認同。自從那一次我們出了五、六本書圓滿了這一場佛事之後，佛教界就開始有話傳出來了，人家去問法師說：「師父！我想要求開悟，師父能不能幫我？」師父說：「那你去正覺，但別說是我講的。」臺灣佛教界這個現象，就是從那時候開始的。這是我們奮鬥很久而沒有達到的一個里程碑，藉著他們第三批人發動法難而得到。所以諸位護法有功，他們護法也有功。因此我要勸請他們，捨報前要懂得迴向：「我以作逆行菩薩的功德迴向如何、如何、如何……。」要懂得如此迴向，那麼當這個逆行菩薩就當對了，既可滅罪還可以獲得不少功德。

所以這個「無語言法」眞的很難讓眾生理解，因爲你不能爲他明講；當你爲他明講時他也無法信受，你爲他明講以後他縱然懂了，但他的智慧不會生起；爲什麼呢？有兩個原因，第一個原因就是他應該先修的次法還沒有完成，第二個原因是因爲他沒有那個參究的過程，也就是說他沒有經由參禪的鍛鍊過程，所以他的智慧不能出生。就好像一顆寶石，你要它成爲一顆璀璨的寶石而能鑲在皇冠上面，一定要先有次法的過程，就是去挖、去尋找，那便是修學次法的過程；尋找到了以後還要切割、打磨、拋光等，這才是鍛鍊兩個部分都需要。

所以這個「無語言法」，世尊就特別告誡不許明說，因爲明說只會害人。而我自己弘法的經驗也證實如此，所以剛開始弘法時，那時還沒有正覺同修會，我辦禪三；打三到了第三天，若是還參不出來，第四天早上統統叫來，凡是參不出來的都叫到小參室來明講。第一次在瑞芳行陀禪寺主三時，甚至連佛性的部分也明講：佛性就是什麼、要怎麼看。教他們怎麼看，這樣子看、這樣子看……，教他們；有的當場能看見，有的看不見，有的人回去以後是去銀行辦事時才看見的，有的人則是永遠都看不見的。這種方式叫作荒唐，這眞要叫作少年一段荒唐事，不是風流事；如今不是「只許佳人獨自知」，而是與諸位共知。

爲什麼要這樣自己暴露糗事？因爲眞的不能再害人了。所以當年明講的人，百分之九十九都死掉了。如果是四、五個月懷胎的早產，現在有保溫箱才養得活；如果是兩個月就早產了呢？何況他們還不到兩個月。所以 世尊就告誡不許明說，甚至於在《阿含經》中說：汝等當隱覆密意而說。原因就是眾生必須經過次法的修學過程，把定力、知見、福德修好，性障也降伏了，再讓他斷了身見以後才能幫他證悟，否則一定無法信受，也無法生起智慧，因爲他次法方面沒有具足圓滿；即使次法具足圓滿之後明講也不行，因爲他沒有經過參禪的鍛鍊過程，所以你跟他明講後，他縱使知道什麼是密意也沒有用，反而時間久了以後心中生疑，然後一定加以否定。

否定以後只有兩條路可走，第一就是頭上安頭，八個識想像變成九個識，自己另外建立而加上一個識，其實是想像來的，那就是落入虛妄想之中。可是時間久了以後他會走到第二條路去，就是回到意識境界去，落入有念靈知或離念靈知。如果他有好的因緣，遇到善知識教導了一段很長的時間，他慢慢會偷偷的回歸到正路來，只是不敢聲張，這算是好的；只要捨壽前懂得懺悔，來世無妨仍然是菩薩。但是如果沒有善知識攝受很長一段時間，他沒有修次法也沒有參禪鍛鍊的過程，那他聽到這個密意的結果就會是大妄語；加上爲了私心去造作惡業，甚至於得的太容易以後，想要自己當法主，不接受根本上師的教誨，於是自己另立僧團、另立菩薩教團，成爲破和合僧。

所以世尊特別告誡說這個法不能明說，而世尊說這個叫作「法毗奈耶」。毗奈耶就是戒，這個戒沒有另外施設聲聞戒、菩薩戒來約束，這個戒就叫作「法戒」。依於這個法而施設這個戒，違背法戒的人就是虧損法事，就是虧損如來。爲什麼 世尊要這樣施設？因爲這是「無語言法」，眾生很難信受，而舍利弗看到的就是：這個是「無語言法」，但 世尊竟然可以施設種種的語言而爲大眾說明，讓未證者、未生起勝解者也可以信受；讓已生起勝解者可以次第增上他的智慧，所以這個事情很稀有。

那麼舍利弗尊者就是思惟到這個事情時，生起稀有心。我也曾經生起稀有心，我當年的稀有心不是讚歎 世尊，而是讚歎「法」。有一天，那是二十來年前，差不多二十年整了，有一天騎著摩托車；那時我還有一輛金旺九十，騎著要到士林美崙街去，在文林路口剛好遇到紅綠燈停下來；我當時正在思惟這八個識各個不同，然後想到這八個識正好要各個不同，如果有兩個相同就完蛋了；八識各各不同，能合作無間，配合得恰到好處，太奇妙了。想著想著好歡喜就笑了起來，旁邊有人可能想：「奇怪！這個人到底在笑什麼？」他們就在看我。

眞的！這八個識很稀有、很難得！可是能這樣把這個「無語言法」用語言來說明給大家信受、勝解而且可以增上，這是 世尊才能夠作到；我們不過是效法學習，依著祂的腳步一步一步來接引眾生，所以我這個人是什麼？是承先啓後者，對不對？在儒家，承先啓後就說不得了；可是在佛法中承先啓後不過是個小菩薩，不算什麼，不應當居功。因爲這本來就是個任務，這是我應該要作的義務，才能把 佛的了義法傳承下去。所以承先啓後是大家應該要作到的事，現在作不到，你未來也要作到，這樣才是眞正的紹隆佛種。所以舍利弗對 世尊生稀有心，就是因爲思惟到這個事情；那麼從舍利弗尊者的身行口行上面看到了，我們也要學到這一點。好！今天講到這裡。

《佛藏經》卷上，〈諸法實相品〉第一，上週剛好講完第一頁的第二段，今天要從第三段開始。

經文：【佛告舍利弗：「如是如是，是事稀有，第一稀有，謂是諸佛阿耨多羅三藐三菩提。舍利弗！譬如巧畫師，畫於虛空現種種色相。於意云何，是畫師者爲稀有不？」「稀有，世尊！」「舍利弗！如來所得阿耨多羅三藐三菩提，說一切法無生無滅無相無爲，令人信解倍爲稀有。所以者何？無名相法，無念無得，亦無有修，不可思議，非心所依；無有戲論，非是戲論所可依止，無覺無觀無有所攝。不在於心，非得所得；無此無彼，無有分別；無動無靜，本來自空；不可念，不可出，一切世間所不能信。如是無名相法以名相說。如是，舍利弗！一切諸法無生無滅無相無爲，令人信解倍爲稀有。」】

語譯：【佛陀告訴舍利弗說：「就像你所說的這樣子，就像是你所說的這個樣子，這個事情非常的稀有，而且是第一稀有，這就是在說明諸佛的無上正等正覺。舍利弗啊！譬如很有善巧的畫師，他在虛空中作畫而顯現出種種不同的色相，在你的意下認爲如何呢？這位畫師作這樣的事情是不是很稀有呢？」舍利弗回答說：「非常的稀有啊！世尊！」世尊就開示說：「舍利弗！

如來所得到的無上正等正覺，爲眾生說的是一切法無生無滅無相也無爲，而能夠使得眾人信受和理解，這是加倍的稀有。爲何是這樣呢？這個沒有名相的法，祂永遠都沒有妄想雜念也沒有所得，而且祂也沒有修行，沒有辦法讓眾生用思惟議論而能夠了知；而這個『無名相法』也不是一般人的覺知心所能夠依止的；這個『無名相法』永遠都沒有戲論，所以也不是戲論所能夠依止的；而祂的境界中無覺無觀，沒有任何境界是祂所攝受的。這個『無名相法』不在於我們眾生所知道的那個心中，而這個『無名相法』也不是修行才能夠得到的，修行以後證得了也不是從外而得的；這個『無名相法』沒有此也沒有彼，祂無始劫以來就不分別一切法；而這個『無名相法』沒有動也沒有靜，本來就是自己已經存在的空性；這個『無名相法』沒有辦法由眾生之所憶念而得，而這個『無名相法』也不會從任何境界中跑出來，所以是一切世間所沒有辦法相信的。像這樣的『無名相法』，我釋迦如來卻以名相而爲大眾解說。就像是這個樣子，舍利弗啊！我說一切諸法無生無滅無相也無爲，而能夠令人信受和理解，比起那個畫師來是加倍地稀有。」】

講義：這一段經文仍然是有許多的法義藏在裡頭，在這部《佛藏經》中所說的，既然稱爲「佛藏」，當然都是「諸佛密要之法藏」，所以不是一般人所能知道；乃至已經成爲三明六通的大阿羅漢也一樣無法思議，必須要迴入菩薩道中實修實證以後才有辦法理解。所以這部經中說的法不是解脫道的實證者所能理解的，因爲這是菩薩專有的法，只教給菩薩，不教給聲聞、緣覺，除非他們已經迴心入菩薩道中。

這一段經文中 世尊隨順舍利弗尊者的話就說：「如是如是，是事稀有，第一稀有。」因爲這個事情確實稀有，而且是一切世間之中最爲稀有的事情。這不是普通的稀有，不管有什麼樣稀有之法，都無法和 世尊所證的無上正等正覺相提並論，也無法與 世尊所作的用名相之法來爲大眾演說「無名相法」來得稀有，所以說是「第一稀有」。那麼這個「第一稀有」就是 世尊所說的內涵，這內涵就是諸佛所證的無上正等正覺，「無上」就表示世出世間無有一個人可以超越於諸佛境界。「阿耨多羅三藐三菩提」直譯或者意譯過來，叫作「無上正等正覺」；可是有許多外道他們把佛教的經典讀過了，也知道諸佛是無上正等正覺，可是他們顯然讀不懂，連「無上」兩個字都讀不懂，是顧名思義都不懂，當然更不可能理解佛的境界究竟是什麼。

既然說諸佛所證是「無上」，就表示一切有情不可能比諸佛的境界更高。可是他們有時候竊盜佛法去爲眾生解說：「**釋迦牟尼佛是無上正等正覺，**」卻又回過頭來說：「**我的證量比釋迦牟尼佛高，而且高兩級。**」這就是標準的外道。知道這是誰講的嗎？法輪功的李洪志；可見他連佛法都還沒有入門啊！既然是「無上」就表示諸佛的境界是最高的，沒有誰可以上於諸佛；那他還可以比諸佛如來高兩級，那他應該叫作什麼佛？「佛上佛」？不能這樣封給他，因爲他沒有那個格，那要叫作「妄語佛」，就是地獄種性。我這番話，將來整理在書中流通出去，他們讀了一定氣死了。附佛外道還會恐嚇人家說：「**所有人如果毀謗我，會下地獄。**」我說：「**我公開說他是妄語佛，是地獄種性，這是救他。**」不但無罪，而且有大功德。他那個邪見實在不下於密宗假藏傳佛教，絕對不輸給達賴喇嘛。如果想要知道詳情，可以讀正安法師上下兩冊的《認清邪法輪》，就概略可以瞭解（編案：本書於二〇一二年出版，只在大陸流通，預計不久即將在臺灣地區也梓行流通）。依於「無上」兩個字來說，沒有誰可以超越任何一尊如來的境界。所以每一個人修行以後成佛了，都一樣平等平等；所以無上的道理應該要瞭解，否則被外道誤導了走上邁向三塗之路，還自以爲增上，那就愚不可及了。

那個自稱比 釋迦如來高兩級的人，我們不必檢驗他有沒有見性、有沒有明心，單單看他有沒有斷我見就得了；假使有一個沒有斷我見的人而可以成爲佛的話，那麼我們就說那樣的人是在製作一張申請書，名爲入住地獄申請書。因爲連一個明心的菩薩都不可能沒斷我見，而那個自稱比 釋迦如來高兩級的李洪志竟然連我見都沒有斷，也可以自稱爲佛，顯然是大妄語者。犯下大妄語業時，可不管他有沒有受菩薩戒、受五戒，都得下地獄。大妄語這個業本身就有性罪，如果套一句一貫道的話，叫作「犯了天條」；其實天也管不著這個事，因爲這屬於法戒，又名「法毘奈耶」，諸天天主管不著這個事，而世間因果律最重的就是這個。

「無上」之所以無上，一定有它的原因；先要看他對於五陰、十八界在三界六道中的狀況有沒有瞭解，這是一個還沒有斷我見的人就必須要先修學的法；如果他對於五陰、十八界在三界六道中的狀況沒有具足理解，表示他對於生天之道完全不懂；在解脫道中應該要修行的法之前，有次法必須先修，這些次法我也曾經講過，在這部經中不妨再來講一遍「施論、戒論、生天之論」，這裡還只講到欲界爲止。施論、戒論、生天之論，接著總得要超越欲界天去瞭解色界天的情況，瞭解了以後還得要知道色界天叫作「上漏爲患」；即使當上了色界天的天主，已不是人間天主教、基督教的天主、天神所能比擬的，因爲他們那一些天主、天神境界不會高過四王天，但「上漏爲患」是色界天的過失境界。色界雖然是梵行的清淨境界，然而畢竟仍是有漏的境界，仍然不離生死輪迴，所以 世尊說「上漏爲患」。那麼瞭解了色界五陰、十八界到底剩下多少法以後，接著還得要往上理解，還有無色界的境界；在無色界的境界中雖然無「色」法，但仍然有「名」，所以雖然已經超越了「上漏爲患」的境界，但這無色界的境界仍然不是離開生死的境界，不能到達不生不死的涅槃境界，所以應該要出離，不要被無色界的境界所繫縛，因此 世尊就說「出要爲上」。

瞭解了這一些以後，才只是一個將來有可能斷我見、證初果的凡夫。但是咱們來看李洪志懂不懂這些次法呢？完全不懂。我這個指控雖然很嚴厲，但我是爲了救他，講得心平氣和。不曉得他們法輪功在臺灣的協會主席有沒有換人？有一段時間是我的同班同學（當年在學時坐在我隔壁桌），搞不好哪一天同學會他找上我；他很有修養，是當教授的人，現在先不談他。因為有的人說：「我明明是外道，跟你們佛門無涉，你為什麼要評論我們？」我說：「很簡單呀！因為你貶抑了釋迦如來，你也說你講的是佛法。既然你說的是佛法，應該同於諸佛所說；但你說的不同於諸佛所說，又說比釋迦如來更高兩級，那顯然你不是佛；既然你不是佛，那你說的法就不是佛法了，可是你偏要騙人家說你說的是佛法，說你是在轉法輪。你練氣功就練氣功、打拳就打拳吧！別扯上佛法的法輪來；你既然扯上來了，而且胡說一氣，那我當然要指說你呀！」這話講了，我想他也不會有意見。

接著我們別老講外道，講講我們佛門內好了；也不談對岸，因為對岸太遠了，子彈打到那邊都涼了，談談我們臺灣好了。臺灣後山有一尊佛，她叫作「宇宙大覺者」；既是宇宙大覺者，不可能有佛弟子說那不叫作佛，因為她不只是說人間，她說的是宇宙中的大覺者。宇宙的意思是說超過娑婆世界，也就是說包括十方世界都歸於她所度化；她是講宇宙，不只是講娑婆世界裡的如來。好了，我們當然也要問一問：「妳懂不懂無上正等正覺？這『無上』兩字妳懂不懂呢？」無上兩個字為什麼無上，我們先不談，先看看她們。

現在這位宇宙大覺者現前所見，既沒有未到地定，也沒有五停心觀實修的什麼成績；然後我見具在，又沒有明心，更不可能眼見佛性；換句話說，三賢位裡的十住位之中，她的第六住位熏習還沒有完成，第五住位應該修得的未到地定她也沒有得到；這樣稱爲佛，應該用南部有些法師在罵信徒的話（淨土宗的），都罵信徒說：「你都在唸『帕』佛（閩南語）。」意思說：「你唸這佛都唸不實在，都是唸空殼子的佛！」因爲如果念佛觀修得好，就會有未到地定；就像我們無相念佛那十個層次，修成了就是動中的未到地定。

好了，這位宇宙大覺者，沒有未到地定，初禪就不必提了；也沒有斷我見、沒有明心、沒有見性，禪定與般若的正知見也沒有，顯然還沒有圓滿第五住位；別說入地，想要進入第七住位都還早著呢！這樣一個人而自認爲是佛，誰會相信呢？只有愚癡人才會相信。你可別告訴她們說：「妳們騙鬼。」我告訴你，連鬼都不信。因爲鬼也會看，他們會看這個人自說有證量、成佛了，看她身上的光明是怎麼樣，一看就懂了，不必有證量就看清楚了！從世間的身光表相來看就知道了。那麼像她這樣的佛，其來有自，因爲她有個傳承從釋印順而來；而釋印順也自稱成佛了，因爲他死前四、五年發行的傳記，由他自己潤色修改錯別字，然後人家擬了一個書名是他同意的，叫作《看見佛陀在人間》，顯然釋印順也是以佛自居；那他其實是在謗佛，後山那比丘尼也是跟著謗佛，爲什麼？他們的意思等於是說：「**釋迦老子那個授記不正確，我們先成佛了，雖然彌勒佛都還沒有來。**」他們的意思是如此。然而如來是實語者、不二語者，怎麼可能預記錯誤呢？兩千五百多年前的預記，到現在都還在應驗。

所以他們其實是在謗佛，他們既然主張成佛了，我們得要檢查一下了：那釋印順有沒有斷我見？沒有。因爲他認爲禪宗開悟就是悟個直覺，「那我印順現在也知道直覺，所以我已開悟，開悟就是成佛了」，所以他認爲他成佛了。可是禪宗的開悟，悟的是第八識如來藏，是證眞如，他卻是公然否定如來藏的，那顯然他連明心都沒有。而且他落在直覺中，直覺只不過是七識心王的心所法運作出來的一個現象而已，那直覺不外於七轉識的功能，只是七轉識的內我所，在增上慧學中說那不過是七轉識的親所緣緣，都還不是妄心自體。所以釋印順是沒有斷我見的人，他也敢自稱成佛。而他們就這樣以凡夫知見「佛佛」相傳，當然是一個虛妄佛傳給另一個虛妄佛；所以當他成佛捨報「涅槃」去了，然後她接上來就自稱「宇宙大覺者」。這已充分顯示他們對於「無上」這兩個字是完全不懂的。

「無上」這兩個字得要從「三藐三菩提」的「三菩提」來說，也就是「正覺」，我們同修會就名爲「正覺」。其實我們本來剛開始時叫作「內明共修會」；但是被人家把這個內明共修會拿走了，所以我們離開，另外成立這個正覺同修會。大家覺得這個名字反而好，以前那個名稱就給他們，我們不要了；我說：「**好吧！就這樣。**」才有今天的正覺同修會。那什麼叫作「正覺」？很多人自稱學佛修道，他們一天到晚打坐要求一念不生，說坐到離念時成爲離念靈知，不會落入無記，因爲那時沒有昏沉也沒有妄想，這時候就叫作開悟，又說開悟就是成佛了。那我們就要檢討：他們那個覺悟到底是眞覺還是妄覺？他們所覺悟的那個離念靈知，離念的境界有知有覺，縱使一坐十年都離念，那個知覺依舊是有生之法。爲什麼是有生之法？因爲是他出了娘胎才有這一個知覺，他剛入胎住在母胎時有沒有這個知覺？沒有啦！入胎以後最快也要三個半月才會有一點點的知覺，而那個知覺是什麼都不懂的，那個知覺就跟「混沌」差不多；然後漸漸生長，終於出了母胎哇哇大哭，知道冷、知道苦樂了，才算具足基本的知覺，所以是後天出生的知覺，是有生滅的。

但宗喀巴認爲這就是眞正的覺，可是他都沒想到晚上睡著了，這個知覺還在不在呢？他是完全不懂佛法的。諸位進了同修會以後，兩年半禪淨班學完了，各個都知道這個知覺會在五位時斷滅，全都知道，可是宗喀巴完全不知道。而那一些學《廣論》、修《廣論》的大法師們所謂的開悟離念靈知，或是修學《密宗道次第廣論》雙身法的大法師們，連這些知覺全都是妄覺的道理，竟然一點也不知道，所以他們認爲那就是眞正的覺悟。可是那兩類的覺悟卻是虛妄的，因爲落入識陰六識的知覺中，就是有生有滅的妄覺。

如果人在世間修道是要把語言文字滅除掉而成爲離念靈知，那我勸他不如每天去禮拜他家廚房爬來爬去的蟑螂或螞蟻，因爲牠們的離念靈知比他們修行五十年的離念境界更好，覺知心中從來沒有生起過一句話。也許他想那螞蟻、蟑螂太下賤了，那不然這樣好了，去動物園禮拜那一頭大象也好；大象總比他們雄壯、比他們有力氣，而且牠比他們高貴，牠不必朝九晚五，人家每天會來供養牠，而牠一天到晚沒有起過任何語言文字妄想，牠的離念靈知絕對不會輸給大師們，因爲牠打從出生以來都沒有起過語言文字。牠低沉的聲音大師們聽不到，牠卻能夠聽得清清楚楚，而大師們所能聽到的牠全都聽得到，那牠的知覺豈不更勝於大師們？這一下他們可沒話說了。

可是有的人不信邪，那我們請馬鳴菩薩告訴他們。《大乘起信論》有說過：「一般人前念生起，然後加以制伏，使後念不會再生起，說這樣叫作覺悟，這樣的覺就稱為不覺。」馬鳴菩薩講得很清楚，這就招惹來那一些六識論的大法師們一天到晚否定《起信論》，說那是僞論。但這個都不必再議論或打筆仗，因為日本人早就打過了，討論得很完整了；現代人所能講的理由日本人都講過了，他們古時候的兩派人早就已經論戰過了，我們不必再提。那我們從實證上面來證明日本兩派之中，支持《起信論》才是正法的那一派所說是正確的，因為如來藏是可以實證的。

馬鳴菩薩說：「去制伏了語言文字妄念，住在一念不生的清清楚楚、明明白白的境界中時，說叫作覺悟，那樣的覺悟叫作不覺。」那麼眞知眞覺是什麼呢？是如來藏的本覺心，如來藏的知覺是超越於六塵的，祂那一種知覺不在六塵中運作；只有證得專屬如來藏的知覺時，才能夠說所證的知覺是本覺。如來藏的知覺就是本覺，當你證得如來藏時，觀察到如來藏跟你相應，對你的意志與五陰世間是有所了知的，祂不是完全無覺無知；但祂的識知不在六塵中運作，不與六塵相應，不對六塵起憎厭或喜樂。當你證得如來藏時，這時你就知道什麼是本覺；證得這個本覺時，你就是始覺位的菩薩，就是剛剛覺悟本覺的人，正要開始修行。悟後起修對如來藏的本覺瞭解更多了，悟後修行越久便對祂瞭解越多，那就叫作「隨分覺」；有些祖師們說有「漸覺」，就是「始覺」悟後漸次進修而漸漸覺悟佛地的知覺之前，是漸漸進修到妙覺位。一直到成佛時，對如來藏的知覺無所不知，八識心王乃至一一心所法都可以獨立運作時，叫作「究竟覺」。

那麼那一些大法師們都落在意識覺知心中，甚至於是六識具足的覺知心中，那是出生以後才有的知覺，是後天的有生之法，有生有滅，以那個知覺作爲覺悟之標的，我們就說他悟錯了，馬鳴菩薩說他們那樣叫作「不覺」，說他們完全沒有覺悟。那麼證得如來藏時，現前觀察到如來藏跟自己是如何相應的，了知祂有知有覺，但不是六塵中的知覺，這樣的覺悟才叫作「正覺」。所以來正覺同修會學法，可不要拿覺知心意識心的覺悟說那個叫作正覺；誰要來我面前就這樣自稱開悟了，我會一棒打了他，罵說：「這個叫作妄覺。」

那麼這個正覺，你已經實證了以後，要次第漸修進入漸覺位，一直到究竟位的佛地才能叫作「正等」。這時才能叫作正等，因爲與諸佛完全平等平等；但是在因地也無妨叫作正等，因爲這是眞正而無可相提並論的法，所以叫作「正等」。有情世間，上從無色界的非想非非想天，下至地獄，沒有任何一法可以與祂相提並論，因爲所有一切法都從祂而生；所以你悟得這個如來藏時是正等，因爲諸佛之所悟也是這個「**無名相法**」如來藏，同樣是這個「**無語言法**」如來藏。

所以當你證得這個如來藏時，下一輩子去到西方極樂世界拜見阿彌陀佛，因爲你是上品上生，那時一看，心想：「**阿彌陀佛跟我一樣也是『此經』如來藏。**」到了隔天早上，阿彌陀佛吩咐了：「**你們諸位菩薩各以衣襟盛滿眾寶蓮花……。**」就用衣襟把眾寶蓮花盛了，盛好大一袋高高興興親歷諸佛世界，這一尊佛供養了一朵蓮花，阿彌陀佛得了大部分的福德，你也得一分，也不錯；又到另一個世界去，拜見另一尊佛……，就這樣一個早上親歷諸佛世界，一一禮拜供養時，凡是你所見到的諸佛莫不是這個本覺如來藏：「**啊！原來我悟的是如來藏，諸佛也是如來藏。**」好極了！這一下可以安下心來。

所以 阿彌陀佛施設這個方便善巧，讓這些已經出離蓮苞，或是聽祂說法以後證悟的菩薩們，到十方世界去供養諸佛回來以後，他們對 阿彌陀佛就不會再有疑心了；所以 彌陀世尊說如來藏如何、如何……，大家都信了，因爲十方諸佛都是這個如來藏。那麼十方諸佛如是，你現在所證也如是，完全沒有差異，這就是「正等」——都是眞正的、都是相等沒有差別的。

有了正覺、有了正等，要怎麼樣才能夠到達「無上」的境界？那得要次第進修，不能夠坐在蒲團上打妄想，企圖一悟成佛。祖師有時候大悲救護眾生，鼓勵大眾，所以說「一悟即至佛地」；咱們有智慧，可別當眞，要知道那是人家施設方便，因爲六祖惠能得要推廣禪宗之法，他必須這樣說。達摩大師那麼辛苦來到東土傳法，一代一代都還沒有遇到可以廣弘的時節，所以一代一代就單傳下來；偶然傳個旁支，也不能努力去傳法，因爲緣還沒有熟。這樣傳法以後，達摩大師離開東土，作了一個預記：將來一花開五葉。這個擔子就落在六祖惠能頭上，他又不識字，如果不這樣講，他要等哪時候開出五葉？搞不好最後他那一朵花就只有一瓣，就叫作一葉，那可不行啊！所以他得要這樣講：「一悟即至佛地。」大家聽了：「太棒了！此時不學更待何時。」

但那畢竟只是方便說。

所以他有時候也會請人誦經給他聽，多少學一學，所以也會對別人講：「六七因中轉，五八果上轉。」有沒有？爲什麼要講這個？就是告訴你說：「我講的『一悟即至佛地』是方便說，你們可別當眞；到時候犯下大妄語業別怪我。」所以悟了以後得要次第進修，從始覺位轉入漸覺位，次第進修到達佛地，才能眞的叫作「無上」。可是問題來了，這「無上」的道理這樣簡單的說明就能夠理解嗎？還不能完全理解，得要先說明前面該學的、該修的、該證的，次法得要修學啊！至少要有個相對應的實證，然後悟了才會懂得「漸覺」的道理，才不會大妄語。

懂道理以後，接著修好未到地定，可以斷我見了；我見斷了次第進修再求禪宗的開悟，成爲「始覺位」的菩薩。繼續好好進修不但不退轉，還要越來越勝妙，然後繼續修到了眼見佛性；於山河大地上親眼看見佛性時，貪、瞋、癡就淡薄了。那麼貪、瞋、癡淡薄時，可以繼續再進修，那就是在《妙法蓮華經》中我跟各位講過的三賢位的修法，一直到第十迴向位最後心，解脫果也成就，得到慧解脫了，也有很勝妙圓滿的初禪，或者可能也有二禪的實證，然後依於十無盡願的增上意樂進入初地；接著修十度波羅蜜多，在無生法忍上面用功，同時還要修除三界愛的習氣種子；到了七地滿心念念入滅盡定，得　佛加持授給了「引發如來無量妙智三昧」，轉入八地心；然後「願波羅蜜多」、「力波羅蜜多」、「智波羅蜜多」好好修學；最後終於滿足了十地心，把行陰習氣種子滅盡了，具足「智波羅蜜多」，進入等覺位中專修福德，無一時非捨命時，無一處非捨身處，百劫修相好；在這百劫的最後位，看見人間的因緣成熟了，來下生成佛，識陰習氣種子滅盡，度過「識陰區宇」，這才能夠稱爲「無上」。

所以成佛之道要先從「正覺」開始：因地的覺悟必須如實眞正。如果因地的覺悟就錯了，那麼想要跟三大阿僧祇劫以後果地、佛地的覺悟來相應就不可能。所以《楞嚴經》告訴我們說：應當要觀察因地心與果地覺有沒有相同。如果因地所悟的所謂眞實心是意識心，而果地覺是第八無垢識，那就不能相應。換句話說，他就是悟錯了。但這個修學次法與參禪證悟，得有個過程。而末法時代那些大法師們所謂的成佛者，且不談習氣種子的滅除，更不必談八地以上異熟法種的滅除（那個種子變易情況的滅除），都不必跟他談，單單說最粗淺的第六住位斷我見後還應當熏習的「唯識觀」，也就是「現前立少物，謂是唯識性」，如果他連聽都沒聽過，還說他成佛了，那可就太荒唐了！

可是末法時代普遍見到的好多、好多的「佛」，都是沒有斷我見，也沒有明心的；所以有人說：「你們只要一天到晚跟著我捐錢來作善事，好幾年都是很快樂的來捐錢作善事，永遠都用歡喜心來作，那你就是『歡喜地』的菩薩。」不必斷我見也不必明心，眼見佛性更不必提，說只要這樣歡喜布施就是初地歡喜地了。那我想，她們慈濟功德會應該有非常、非常多的歡喜地菩薩了，可是那個「歡喜」二字前面要加一個字，叫作「空」。對呀！所以她們的初地菩薩們只要好好讀了正覺的書，都會發覺原來只是空歡喜一場。那時只有懊惱沒有歡喜了，不是空歡喜嗎？哪有人以凡夫身而可以當歡喜地菩薩的！所以「無上正等正覺」這個道理，已經沒有多少人知道了。站在檯面上的大法師都還是不知道，所以檯面上的大法師反而不如檯面下的小師父們。名不見經傳的小師父們，反而比他們懂得多了，這是事實啊！所以這個時代當然要叫作五濁惡世末法時代。

這樣子就是在告訴我們說，這個「無名相法」可以使人證得「無上正等正覺」；可是「無上正等正覺」的證得，就是因為證得「無語言法、無名相法」，而這個境界是「第一稀有」。但這個「第一稀有」的境界所證的「無名相法」，卻是要用有名相的各種方便善巧來為大家解說，令大眾信受、理解，而且後面跟著可以實證，這眞是太稀有了！那麼 世尊在這一部經中就講了十個譬喻，這一段經文是講第一個譬喻。諸位有時候讀到人家寫佛學學術論文講到「十喻」有沒有？十喻講的就是《佛藏經》這十個譬喻。當然，有時也許是《大方等如來藏經》中說的十喻。

這一段講的就是第一個「譬如巧畫師，畫於虛空現種種色相。於意云何，是畫師者為稀有不？」世尊先說第一種譬喻，用畫師作譬喻：「假使有一個方便善巧非常好的畫師，他在虛空中作畫，就在虛空中顯示種種的色相出來。」請問世間有誰能作得到？所以問舍利弗尊者說：「你的意下如何，這樣的畫師是不是很稀有呢？」因為三界世間沒有一個人能夠作得到，把諸天天主請了來，他們也辦不到啊！可是這一個畫師；我現在先離題來說一下，諸位各個都有這麼一位「御用畫師」，都是你專用的畫師；為什麼是你專用的呢？因爲祂無始劫來就是要來爲你服務的，祂壽命無始劫，雖然你可能活一百歲，祂就一百歲來專門爲你服務；你可別跟我反對說：「欸！蕭老師！您別亂講，我沒有請什麼畫師，何況是御用的。」我說：「你有。」而且你每天晚上都接受祂的服務，白天等等我們就不談祂，整個一世都不談祂，單說晚上就好；有沒有誰不曾作夢的？請舉手！我要拜他爲師。懂得佛法的人不敢說他沒作過夢；不懂得佛法的人而且是個大老粗，有時候他會說「我從來不作夢」，其實他是健忘，夢到一場糊塗醒來都忘光光，然後卻來跟我說他沒作過夢。

你作夢時，那個夢境是不是伊士曼天然彩色？好天然欸！你有沒有吩咐如來藏說：「欸！你在顏色上要幫我弄眞實一點，不然我會覺得那個是假夢。」沒有啊！你沒交代祂；可是祂跟你畫得好好的。而且祂幫你畫出來的境界遠遠超過工畫師——工筆畫的畫師境界。中國古來有一個畫工筆畫的，畫花鳥畫得很像的人是誰？當皇帝的宋徽宗。所以他最後亡國而被敵人綁去當人質了。他畫的工筆畫來到我們每一個人的御用畫師面前，可就羞愧到不敢抬頭，桌上的畫筆他連看都不敢看，因爲自愧弗如啊！

諸位想想看，諸位每天受用那個夢境時，你們有沒有注意到那個夢境有多麼勝妙！大概都是好的夢境享受，不好的夢境逃避，都沒有注意那裡面的細節。你們要注意看看，在夢境中，有山有水，或者有時候在家中、有時候在道場等等；通常不會只有你一個人，有時候是一大群人，那一大群人不管是幾百人、幾十人，甚至於五人、六人，夢境中那一些人都會跟你互動，對不對？這個人如此跟你互動，那個人那樣跟你互動，另一個人又是另一種互動的態度以及言語和內容，各不相同！你們想想看，人家玩那個電動遊戲，據說現在可以同時有幾個對象互動了，可是那發展了幾年才成功？那是要電腦的運算很強大時才作得到；但是即使如此還是很有侷限的，你看不到一次幾十個人同時跟你互動的；可是你的夢境中那幾十個人，不要談幾百個，說幾十個人就好；那幾十個人，每一個人的臉都不一樣，誰畫出來的？厲害不厲害？都沒有想到喔！

祂在夢境裡爲你畫出來時，那幾十個人的臉各不相同，年歲、樣貌、性別，當官的、經商的身分各不相同，心性……等也都不同，全都是祂爲你畫出來的，然後每一個人都在跟你互動。我請問：「你有沒有辦法這樣操作？」

就算雕好十個木偶好了，你每一個手指套一個，你這十個木偶能夠同時跟人家生動地互動嗎？能同時又生動嗎？眞不行欸！可是如來藏就安排好他們同時跟你互動。祂就這樣畫給你，在夢中畫出來，一一不同、各各相應。而且每一個人說的言語各不相同，有時兩個人同時跟你談，有時三個人同時跟你談，有臺語、國語、英語；夢中你還對他們說：「**你們一位一位來，不要一次這麼多人說話，我聽不來。**」對不對？你看看如來藏畫得妙不妙？

在夢境中，該是個五十歲的人就讓他頭髮白了三分之一、四分之一，六、七十歲的人讓他頭髮白掉一半，八、九十歲的人就讓他全白，小孩子就讓他黃頭髮；你看！祂都幫你畫得好好的，你都不必吩咐祂，好厲害！所以這個畫師才是眞正的工畫師，所畫的人物、山水環境是鉅細靡遺；而且祂不但如此，還把那個境界該如何演變的狀況也都幫你畫出來，還是動畫呢！那個動畫裡的背景要次第移動轉變，祂還幫你全部畫得好好地。夢中如是，在清醒位中該如何運作而改變有情的色身樣貌、如何改變山河大地的樣貌，也都畫得一一不差，所以《華嚴經》這樣說如來藏：「**心如工畫師，能畫諸世間。**」假使哪一天你該夢見地獄的境界，祂也畫出地獄的境界讓你瞧一瞧，幫助你說：「欸！小心，別下去喔！」如果這個人應該要鼓舞一下，就畫個欲界天的境界給他瞧一瞧，讓這個人知道，欲界天是這麼好；所以要設法生天，他就會去探究要怎麼樣作才能生欲界天。

那麼眞正的工畫師是如來藏，所有的畫師都比不上。我們再舉個例來說，譬如剛剛所講的都是在影像上說，可是你想一想那些最會畫動畫的，即使是電影、錄影機好了，那也只是影像，最後加上聲音；可是在夢境中如來藏爲你畫出來的境界，不但有影像、有聲音、還有香味。譬如你到了寺院裡來就聞到沉香的味道、花香的味道；你夢到進入一個不乾淨的地方，就聞到屍臭味等等，都是身歷其境的香塵；走著走著不小心踢到了石頭：「唉呀！痛死了！」還有痛覺呢；回到家吃了東西，心想：「好好吃喔。」全部都有，六塵具足。人間的最妙畫師能夠畫出幾塵？不過一塵。假使是那一種曾經流行過的、有香味的電影，若加上聲塵跟香塵，那也不過三塵，但如來藏可是六塵具足送給你。而且祂畫得不辛苦、很輕鬆，所以如來藏心才是眞正的工畫師。

那麼拉回主題來說「譬如巧畫師，畫於虛空現種種色相」，實際上不可能，因爲這只有如來藏作得到。從夢境來說，夢境有什麼實質？沒有啊！就像虛空一樣本來無一法，然後就幫你「惹塵埃」，就爲你弄出夢境中的六塵具足，那不是在虛空畫的嗎？是！祂就是在虛空畫的，世間人都作不到。

那麼從夢境拉回來人間，你在人間的一世之中與很多有情同在這個人間，而這樣的一個人間，你個人這個五陰世間由你的如來藏爲你「畫」出來，父母無法爲你「畫」出來；父母只是提供資源、提供環境而已，是你自己的如來藏幫你「畫」出來，每一個人都由各人自己的如來藏「畫」出來。可不要跟我抗議說：「**沒有啊！我也沒有看到什麼畫筆在畫我。**」那一枝畫筆無形無色，就這樣每天在幫你「畫」，你應該老掉一天祂就幫你老掉一天重「畫」一遍，每天重「畫」一遍；今天的你已經比昨天老一天，有些微的不同你感覺不到，祂都幫你「畫」好了。然後，咱們大家在這一世一定要有個生活的場所，於是這個山河大地器世間，祂們就幫大家「畫」好了，大家就在這裡生活。所以都是祂「畫」出來的。

這樣，這個畫師如來藏是不是在虛空中作畫？正是在虛空中作畫。你的夢境中本應一無所有，祂幫你畫出來，讓你在其中苦、樂、憂、喜、捨，五種覺受都有。回到清醒位來，也是由祂「畫」出來的；然後大家一起來互動，都是藉如來藏才能互動。那麼這樣子當然也是在虛空中作畫，因爲你本來就不存在；上一世死了以後投胎，祂就開始幫你「畫」了：「畫」到什麼時候？「畫」到捨報還不中止，還要「畫」到中陰身去；所以不必發愁說：「唉呦！死了若是沒有中陰身，我怎麼去投胎？」不用發愁，祂會幫你「畫」好好的。所以祂是眞正的畫師。

這位畫師誰請得起？你不要說：「我請不起，祂太厲害了！」你不用請，你有業隨身，就可以請得動祂了。對啊！有善業、淨業，或者有梵行之業，祂就幫你「畫」一個色界天身；如果有的人去造善惡業，祂也幫著「畫」出天身或惡道身，義務幫有情「畫」，都不收費。所以有的人該下三惡道，該去當毒蛇，祂就畫一條毒蛇，該去地獄受苦就幫他畫一個廣大地獄身，祂從來不收費。祂很容易被聘請，就是三界業；只要有三界中的業，就請得動祂，祂什麼都不計較，一直畫下去。所以說，這才是眞正的「畫師」，眞的在虛空中作畫。

可是拉回到經文來，講的是說：「假使人間有一個很工巧的畫師，能夠在虛空中作畫，顯現出山河大地平臺樓閣、一切人物仕女花鳥等等，全都具足畫在虛空中，太厲害了，那麼這樣的畫師是不是很稀有呢？」當然舍利弗尊者要說：「是啊，很稀有！」所以就回答說：「稀有，世尊！」

這個譬喻講過，佛陀接著又開示：「舍利弗！如來所得阿耨多羅三藐三菩提，說一切法無生無滅無相無爲，令人信解倍爲稀有。」就是重新再講一遍：「如來所得到的無上正等正覺，這個內容演說出來時，是說一切諸法都是本來就沒有生也沒有滅，本來都是無相所以也都是無爲的，而如來這樣爲人演說使人信解，比那個在虛空中作畫的畫師的稀有性，是加倍的稀有。」

然後 如來接著就開示：「所以者何？『無名相法』，無念無得，亦無有修，不可思議，非心所依。」我們先來談這幾句。世尊解釋說：「爲什麼我這樣說呢？」因爲凡有所說一定有個依據，一定是有個道理，不能沒有依據、沒有道理而說那個主張是正確的。就像我們弘法一樣，人家說我們不對，我們就得說明我們對，爲什麼對，我們必須要有聖教量的依據，還要有現量上的現觀，再加上我們作各種譬喻、比喻，從比量上面來讓佛教界瞭解。

那麼 如來說法一定會運用方便善巧讓大眾瞭解，所以 如來就開示說：

「無上正等正覺所證的這個無名相之法，祂沒有念也沒有得。」先來談談這個「無念無得」。在同修會弘法以前，大家凡是求開悟都是靜坐求離念——要坐到無念，說沒有念時就算開悟。那麼這都誤會經中所說的道理，然後斷章取義的認爲佛法開悟就是如此。假使佛法眞的如此，那佛法就不是求智慧了！因爲想要有智慧，就應該用很多言語思辨繼續去分析、去理解啊！可是一天到晚坐在那邊一念不生，不會有智慧生起的，那跟木頭有什麼兩樣？

以前有一位教禪聞名的大法師，在講禪時他講過一件事情，很有趣喔！說來與諸位分享。他有一次星期天的下午禪坐會上開示：「打坐會讓人生起智慧，譬如說你坐著、坐著，坐很久了以後你會突然記起來：『張三欠我十萬元還沒有還。』你都忘記了，結果二十年後你突然又想起來，那你不就可以跟他要回來了嗎？這就是智慧啊！」喔，原來佛法的智慧是這樣，我倒不如買一臺電腦或者用一本筆記本把它記下來，弄個帳本記下來永遠都不會忘記，這不就是智慧了嗎？還得要打坐才會記起來，這麼笨！智慧在哪兒？

話說回來，很多人都想：「我們要追求開悟的境界，那就是一念不生！」好了，問題來了，一念不生時就是開悟，那麼妄想雜念生起時當然就是離開悟境了，所以他就公開主張：「開悟，沒有人是不退的。」喔！妄想生起了就是離開悟境，所以開悟會有退失。好像有道理，其實沒道理。因爲開悟是智慧，智慧生起時，一直到老死都不會遺失的。打個比方好了，牛頓在樹下讀書，蘋果掉下來砸了頭，他想：「爲什麼蘋果會掉下來？」然後他發現一個道理——原來有地心引力。當他知道有地心引力時這個智慧生起了，但他會再把它忘掉嗎？不會啊！人家再來跟他辯論否定以後，他會忘掉這個理論嗎？不會啊！所以智慧生起以後不會再遺失的，哪有開悟了會忘失的事。所謂悟後退轉，是指悟後又起疑心，改認意識的本身或意識的變相爲開悟的境界，是身見未斷而又復萌了，才叫作退轉；但他之前所悟入的第八識內容還是不會忘失的，只是不敢承擔罷了，因此說他退轉了，不是忘記內容了。

所以他們誤會了經中說的「離念」的意思，經中說的「離念、無念、不念」，那是打從無始劫以來就無念、現在也無念、未來無量劫以後依舊是無念，這樣才是眞的無念。所以你悟了以後，人家跟你談打坐時誇口說：「我可以一次入定三天一念不生，你行不行？」你就告訴他：「唉呀！你那個定力太差了。」他一定會質問你：「你從來都沒打坐，你怎麼可能定力比我好？」

你說：「我現在也在定中啊！」你還要告訴他說：「我從來沒有起過一次念。你這個定有出有入，我這個定無出亦無入，永遠不起念。」他一定會質問你：「那你現在跟我講話不就起了念？」你說：「我現在跟你講話時，還是不起念。」他弄不懂的，可是他不會信服你，他會這樣說你：「不死矯亂！」說你狡辯，想要惱亂人家的正知見。那你往他頭上就給一個五斤槌，告訴他：「三十年後說給行家聽去。」等到三十年後他才終於知道要去請教行家，因爲他不信邪，根本不問；後來想一想：「不對！我還是得要問清楚。」問到一個行家，沒想到行家罵他：「哼！你那個好朋友這樣入泥入水爲你，現在才來問！」等到他苦苦央求人家務必告訴他時，沒想到人家給他一巴掌就走了，依舊是丈二金剛摸不著頭腦。

所以他們都錯會佛法了——以定爲禪。他們把般若修行的方法「靜慮」，誤會是純粹修禪定，還罵人家說：「有許多人都是以定爲禪。」其實他自己正是以定爲禪，這就是末法時代的正常現象，不能稱爲怪象。所以「無念」這兩個字還眞不容易理解。

在《大品般若經》、《小品般若經》中，說到「無念心」，有說到「不念心」，也說到「言語道斷」，所以他們誤會了就以爲：想要求開悟就是要保持一念不生。卻不知道開悟是要去找到如來藏，找到了才會開悟，找不到就是永遠沒有悟。但是找到如來藏時還不等於開悟，找到時只是一個現象、一個過程；得要找到以後能夠如實現觀，然後知道祂的自性：原來祂自性無量無邊，可是祂從來不落於三界六塵之中。於是繼續觀察結果才知道：「原來我附屬於祂，我是被祂所生的，祂是主，我不過是個客人。」這時候主客易位，終於知道：「啊！原來這才是實相。以前我都落在現象界中了，被騙了五十年，到現在才知道。」可是我就要罵他：「是你自己騙你自己五十年，祂哪有騙你！」所以都是自己騙自己，不要怪說：「我被騙五十年。」沒有人騙他。這時候開始有智慧生起，這才叫作「開悟」。如果找到如來藏以後，沒有智慧生起，或者他所說的與實相界、現象界不相應、不符合，那就叫作「邪慧」，不是智慧，表示他悟錯了。找到以後不敢承擔，無法現觀祂的各種自性，也無法轉依祂的眞如而住，繼續在人我之中籌謀打轉，就不是開悟。

現在來說「無念」，《般若經》中說的無念不是說修定而得到無念，而是你所證的這個心是「無名相法」，祂從來離各種名相；既然祂從來離名相，就不會有語言文字相應，所以言語之道不能進入祂的境界中，因此祂的境界中叫作「言語道斷」，也就是言語之道無法來到祂的境界中。這個「無念」不是要我們七轉識去修定變成無念，證未到地定而無念不是佛法修行的目的，而是修行的實證之前所要有的功夫，或者叫作工具；你有這個工具，才能夠取得初果，才能與斷三縛結的解脫相應；有未到地定作工具，當你找到如來藏時才能夠與祂的眞如法性相應，才會有智慧生起而轉依祂，才是眞開悟。

所以沒有與未到地定相應的斷結或開悟，全都是假的，頂多只是解悟。縱使你告訴了他實相法界的密意也沒有用，仍然不是開悟。更何況末法時代佛教界所謂的開悟，一百個人有九十九點九九人都是錯誤。這個且不談它，回來再說「無念」，《大般若經》中說「不念心」，這個不念心不單單是說沒有語言文字妄念，而是說祂「不會憶念某一些事情」，因爲祂所憶念的是過去無始劫跟未來無量劫；未來無量劫該怎麼作祂就怎麼作。過去無始劫以來所造的一切業種祂可都記著，但祂不會告訴你。

而我們人的五陰、十八界，在人類來說常會想東想西，一切凡聖俱皆不免。你可別說：「您已經到八地了，會不會再生起念頭？」「會啊！怎麼不會？」如果不起念頭，他怎麼能利益眾生？他想要利益眾生時必須要規劃一下：「要怎麼樣去弘法？眾生的煩惱我要怎麼樣對治？眾生有了惡業將來會下惡道，我要怎麼樣救？眾生的因緣成熟了，他應該要悟了，我該怎麼幫他開悟？他悟了以後道業要怎麼增長？我要如何去施設方便？」他當然要有念，可是這個念的存在，卻無妨他所證的如來藏妙心永遠無念。所以即使是八地菩薩來到人間，也常常要構想明天應該怎麼作，明年應該怎麼作，十年後應該怎麼作，二十年後該怎麼作，甚至於他構想到下一輩子該怎麼作，一定有！這就是菩薩在人間同樣會起念。

然後他可能會憶念過去世如何如何，所以未來不該犯同樣的過失，他也會起念。他會起念：過去曾經發生過重大的事相，要作為殷鑑，未來避開那種情況。一定會有念。所以他會憶念起某些事情，然後也許到了中午他又會想起來：「明天應該要再作一件什麼事情。」他又會想起來，有念。但這個念不是妄想雜念那種念，而是憶念以及記起什麼事情應該要如何作，都屬於利樂有情的事。可是他所證的如來藏妙心——諸佛的妙藏這個「無名相法」

永遠不滅，而且打從無始劫以來就不會起過念，這才是《般若經》中所說的眞正「無念」。

所以，當有人證得一個所謂的如來妙心，結果是離念靈知，那其實是凡夫有情所認知的「自我」；以那個作爲開悟的標的，表示他的我見還沒有斷。假使以這個覺知心所顯現出來的直覺作爲所悟之標的，那就是落入「內我所」去了——那不過是意根與六識覺知心的心所法，叫作「直覺」。但是這些心永遠與「念」相應，所以這些心有時候會想起昨天的事情、前年的事情，乃至小時候七、八歲曾經發生過什麼印象深刻的事情，都會想起來；然後也許他在打坐時突然想起來：「我讀大學時張三跟我借了五萬元還沒還我。」有所憶念；而且他也會想：「下一回遇見他，我要跟他提一提。」這也是念。可是如來藏從來不起念，既不會回憶而有憶念，也不會起作意去施設說：「未來即將要作的什麼事情該怎麼作。」不會起那個念，所以祂永遠無念，這樣的「無念」才是《佛藏經》說的「無念」。

這樣的「無念」證得了，永遠不必再跟人家比較說：「我可以保持離念多久。」因爲你盡管起念都沒關係，而你所證的那個眞實心「無名相法」實相心，祂依舊保持無念。所以是有念的覺知心跟無念的「無名相法」並行在運作，不知道的人就說：「我剛才無念是眞心，現在有念才變成妄心。」那就是眞心、妄心輪替了，那麼一時眞、一時妄，成何體統？就好像說上座當皇帝，下座又忽然當庶民，等一下上座又當皇帝，世間沒這回事啊！皇帝是永遠當皇帝的，庶民就是永遠庶民，頂多當官，不會有時成爲皇帝，否則他們之間就要打仗了。但我們五陰處在如來藏中有沒有打過仗？沒有啦！所以如來藏永遠是如來藏，不要企圖要把我們的妄心意識去修行變成眞心如來藏；假使有人不信，偏偏要這樣去變，我告訴你：天上下了紅雨也不會變出來。所以不要妄想，驢年、貓年到來也不可能！

就是說如來藏「無名相法」與妄心同時並行存在，無念的眞心永遠無念，有念的妄心可以繼續有念，但也無妨有念的妄心有時候入定而無念，都不相妨礙，這樣才是眞正的佛法。

《佛藏經》上週講到第二頁第三行的第二個字，說到：「『無名相法』，無念無得，亦無有修」，講到無念；今天要講這句「無名相法無得」。關於「無名相法」無念，這個道理幾百年來，佛教界一直都是錯誤的說法，都是落在意識上面，主張修行就是要意識離念，一直到我們正覺同修會出來弘法以後，才把他們的說法全盤推翻；所以他們不斷地抗拒著，抗拒了二十來年，慢慢地終於發覺無法抗拒，所以現在算是心不甘、情不願地接受。是因為不得不接受，但是接受了也是很勉強，所以到現在為止還沒有一個道場（不論大小道場）出來承認說：「意識離念稱為開悟是錯誤的。」事實是意識可以有念，藉著修定的功夫和學習參禪的方法，後來可以證得本來離念的如來藏。因為他們沒有出來公開承認，所以我說他們接受得心不甘、情不願。但是估計未來幾百年內，他們沒有機會再復辟，也就是說他們沒有辦法再翻案成功的；除非正覺同修會一代又一代的傳人已經消失了，否則他們沒有機會成功。

接著要來講這個「無得」。「無名相法」永遠無得。「得」的涵義當然有廣狹之別，那麼我們就把應該說的全部都說一說。對於世間人來講，在人間生活就是要「得」，所以打從出了娘胎，就是先要找吃的；不必找穿的，父母準備好了，但是哇哇大哭的目的大部分為了吃，肚子餓了。所以不必父母教他，他就懂得吃；你只要把奶瓶塞進他嘴裡他就開始吸了，這個不必教，這就是初分的「得」。可是眞要追究起來，往前推溯，「得」的習慣豈不是在上一輩子死後中陰身就去「得」了嗎？否則怎麼投胎成功？正是爲了要「得」來世的五陰。

這也是一個本能，這個本能不論是一般的世俗凡夫，或者是外道那一些所謂證阿羅漢的人都一樣；所以自認爲一念不生、安住不動，死了就這樣了分明而不起語言妄念而安住，說就是無餘涅槃，就是出三界了。沒想到死時呼吸剛剛斷了、心跳剛剛停了，然後他發覺不對勁，因爲一念不生的覺知越來越模糊，最後抵抗不了而消失了！等到中陰身出現，他看見說：「我又有覺知了，啊！原來涅槃是這樣，還有這個身體可以飛來飛去。」可是那個中陰身的壽命只有七天，他一時還不知道；才剛剛到了第七天，中陰身開始不行了，然後才發覺：「唉呀！這也不是涅槃！」最後中陰身消失了，然後第二個中陰身生起，他比較了一下，發覺第二個中陰身不如第一個，覺得差多了；這時他會知道這不是恆常的涅槃，於是在第二個中陰身的階段，看見有因緣的父母時，他急急忙忙飛過去就投胎了，一點都不考慮，這也是「得」。因爲是意識的境界，所以有「得」。投胎就是爲了得下一世的人身，出生了以後，不一定能說「二十年後又是一條好漢」，也許他已經投胎作女人了。

如果個性不改，不叫作好漢，應該叫什麼？譬如古時的章回小說《十三太妹》，她可以說二十年後又是一位太妹。但不管怎麼樣終究是「得」。

為何有「得」？因為是意識的境界、識陰的境界，當然有得。那現在問題來了，有得必有失，凡是曾經「得」，所得的東西，不管是身體、或是心、或是財等，最後都會壞失，所以得失一定合在一起講。世間人總是說得失之間該怎麼衡量，沒有人告訴你說：「得時該怎麼衡量？」總是告訴你「得失之間」。這樣的得，將來一定會有失，就表示不是恆常的、永恆的、本住的、不壞的法，當然不是涅槃啊！

那麼開始在人間成長學習，學習的也都是有所得，都是為了在世間如何獲得美好的生活，也許後來很有權力、地位，或者獲得好名聲等；等而下之就是為了得而無惡不作，殺人越貨、燒殺擄掠，這些事情的目的也都是為了得。如果在世間法上學了很多而如法謀利，譬如說經商好了，逐什一之利，這算是很有良心的商人；現在有些商人不是逐什一之利，他一百塊錢成本卻是賺一千塊錢，那就等而下之。正當的商人逐什一之利，這也是得，努力經營然後得到很多的錢財；接著他希望家族興盛，所以又為家族作了很多事，也都是得。綜而言之，之所以有得，都因為是五陰境界的緣故，或是落在意識境界中。

那麼世間的「得」太多了，咱們不談它，有的人不是講「我們要好好昇華心靈」？原來心靈還可以昇華，那昇華以後應該不叫心靈，得要叫什麼才好？因為昇華以後就不是原來的了，對不對？所以是應該說：「心靈來加以改變，使它變得清淨和解脫。」所以不應該叫心靈的昇華。不過他們講的也對，因為他們所謂的心靈昇華，譬如說陶冶性情，所以學習琴棋書畫；甚至於練武之人也講武道，練武也要有道，不能有武無道，所以他們也是有昇華；因此日本人講武士道，拿著武士刀到處去跟人家拼鬥時，他們也講道，叫作武士道。學武士道的人不殺女人、孩子，但是如果遇見對方是武士時就要比個高下，懲奸除惡，所以叫作武士道。但這一些道也都是「得」，從一個不懂的、一個軟弱無力幾乎如同書生一樣，然後練就一身的功夫，也是得；那麼那一些琴棋書畫，也一樣是得。

我們就把話鋒轉到修行上來講，你看看那些外道修行人，例如塗灰外道、五熱炙身外道、臥荊棘外道、常坐不臥外道或者常立不坐外道、泡水外道、食自落果外道……等，非常多的外道，你根本想像不到的那些外道；所以最近新聞報導中，看見一個外道修行者，渾身都塗了白灰，有沒有看到？赤裸身體塗了白灰，那叫作「塗灰外道」。這些外道從古時就沿襲下來，他們古時的前輩都自稱證得涅槃成阿羅漢了，那麼他們所謂證得涅槃是不是「得」？對啊！是得。但是 佛說證得涅槃是無所得，他們卻是有所得，所以也是得。既然是有得，那他們得的所謂涅槃一定後來會失去，因爲有得必有失。所以涅槃是應該本來就在的，是無得而得，才能說是涅槃；如果是本來沒有而現在得的涅槃，一定是假的，因爲將來必定有失，有得必有失。

講了外道，佛門中也要自己反省一下。末法時代我們自己佛門中也有好多大師，這三、四百年來看見好多好多的大師，有的自稱成佛了，有的自稱成爲阿羅漢了，林林總總不一而足；那他們所證的涅槃是有得或是無得呢？咱們可以跟他們合計合計。他們說的證涅槃就是打坐，要抑除一切的妄想雜念；當一切妄想雜念消失時，他們說這就是「回復我們本來澄明的清淨心」，說是「回復」而不是「得」。講得很好聽，問題是他們這個境界，所謂的涅槃是誰的境界？（大眾答：意識心。）對啊！是意識心的境界。問題來了，既然是意識心自己的境界，是離開妄想雜念以後自己的境界，那這個境界是因爲意識心自己而有，既然是意識心所有，那麼意識心消失了，這個境界也就跟著消失了。這就表示說，當意識心消失時，他所得的涅槃也就消失了；這麼一來，涅槃不成爲斷滅空了嗎？

也許他們說：「我不接受你這個說法，因爲我這個意識是無始劫以來就存在的。」好了，我們就得問他：「既然你這個意識是無始劫以來就存在，那麼一世一世都是同一個意識，請問上一輩子你姓甚名誰？你的父母親又是誰？你上輩子的妻子也許很美，來到這一世的現在，正年輕，你爲什麼不去找她呢？」他一想：「是啊！我眞的記不得上輩子幹了什麼？姓甚名誰？生在何家？上一世幹甚麼事業都不記得。」可是他嘴裡依舊不肯接受，硬要跟你說：「雖然我忘了，可是我這個意識是從上一輩子來的。」那我就要問：「唉呀！你好笨，爲什麼要去喝孟婆湯？」一定是喝孟婆湯所以忘了？不是喔？所以中國人很聰明，有想到這一點；外國人就是笨，不懂得解釋這一點。如果這個覺知心是從上一世來的一定會記得。這個問題必須要解決的，就是上一世跟這一世的連結。這個連結被中斷了，要怎麼連結？所以中國人就發明孟婆湯的說法。這個發明好，有智慧！你看全球沒有一個宗教懂得發明這一點，沒有一個國家的人們能發明這個說法，就只有中國人厲害。所以發明孟婆湯，眞的很厲害！因爲從世間法的層面來看，以這個說法來解決三世意識不能連結的問題，是最高層次的講法。

至於一神教講的，根本是狗屁不通！爲什麼呢？因爲人若都是上帝創造的，本來不存在；上帝創造了人以後生到了人間，然後上帝分靈下來的人造惡業，又再把人打入地獄永不超生；可是被打入地獄永不超生的那些人，卻是上帝自己製造出來而由上帝再分靈給他們；那意謂著上帝是個傻瓜，把自己的靈分出來然後誘惑他吃了蘋果，趕出伊甸園，也許又造惡，又把自己分出去的靈打下地獄處罰他們，那就是處罰上帝自己。天下哪有這種笨蛋天神？眞叫作愚不可及！

那麼問題來了，就算他說的是眞的，所以亞當、夏娃是他創造的，是他所生的，那麼亞當、夏娃是沒有前世的，但是卻可以有後世；所以亞當、夏娃後來在人間懂得懺悔作善事，終於可以回到上帝的天國，那就有下一世。問題來了，既然這一世可以去到下一世，表示這一世一定是從上一世來的，不是你上帝創造的，因爲邏輯得要這樣子。而那個《聖經》不論《新約》、《舊約》，講的都不合邏輯。《舊約》裡的說法就更荒唐，所以他們要修改，才會有現在的《新約》。能夠修改的經典，所說就不是眞理，可以叫《聖經》嗎？所以他們眞的荒唐。

他們都是打妄想，自己想怎麼樣就認爲應該是怎麼樣，自己想說應該是如此就是如此，所以以前講的內容是不好的，就把那個環節剪掉，就斷除了，道理就沒有連貫性了。那我們也可以說「我現在要成佛」、「我現在要成爲上帝」，立刻就成了。行不行？不行！因爲必須要有那個實質，不是嘴裡說了就算數。所以有些牧師說要砍掉異教徒，就往空中一砍，說異教徒已經死了；但他再怎麼砍，都是砍在虛空中，了無一物，沒有實質。但那樣也會有人信，我想是愚癡人才會信。譬如說最近有牧師說：「**信上帝就會撿到鑽石**。」行啊！那麼應該這些信徒跟著你信上帝之後，大家出門都會撿到鑽石，這才對！否則就是不平等；上帝怎麼眷顧你而不眷顧我們？那麼就說：「**你一個人信上帝就好了**。**上帝又不眷顧我們，信他幹嘛？**」所以那個理、那個邏輯是不通的。現在話題拉回來，既然人可以從這一世去到下一世，就一定是從上一世來到這一世，因爲理一定是如此，不可能違背的。

那這一些人其實全部都在意識的境界中，既然住在意識境界中，當意識消失時境界就不存在了，境界不存在時離念靈知也就消失了，這表示意識不是從上一世來的，因爲意識如果是從上一世來的，那麼你一定記得上一世的事情。譬如今天的意識跟昨天的意識有所連結，是因爲有這一個色身、勝義根和如來藏存在不斷而共同在運作，所以你今天的意識可以跟昨天的意識連結，今天的意識也可以跟明天的意識連結，不會因爲眠熟中斷而失去連結。這樣便成爲同一個人，可以繼續完成一期生死。

可是從上一世來到這一世時，上一世的色身與勝義根都沒帶過來，這就中斷連結了。所以入了母胎以後只有那麼一個受精卵，連意識都不存在；意識到什麼時候才出現？最快也要住胎四個月；而且四個月的意識是什麼都不懂的，主要是在觸覺上面，所以在母胎中主要就是依據觸覺來長養意識，然後漸漸的聽覺等等開始出現，這時意識所懂得的也就只有這麼一點點，只知道住胎時的境界，其餘什麼都不懂。表示這個意識是全新的，不從上一世來。如果意識是從前一世來的，請問你住在母胎中什麼事都幹不了，當你想睡覺時，媽媽走來走去、動來動去，你沒辦法睡；當你不想睡覺時，偏偏媽媽睡覺了，一動也不動，讓你覺得好無聊。尤其是到了七個月、八個月時，伸手動腳都有困難，是不是很悶啊？有沒有想過這個問題？

他們那些所謂的阿羅漢都沒想過這個問題，人家來果禪師倒是有想到，所以我在《公案拈提》第一輯最後一則，就是提他講的開示。他說這個心不在內、不在外、不在中間，然後就說：「這個心如果在內的話，那這個覺知心一天到晚在身體中，這樣束縛著會不會很悶？」他都有想到這個問題，可見他蠻聰明的。可是那一些所謂的阿羅漢們，竟沒有一個人會想到這個問題。所以說，只有什麼都不懂的、很粗糙的意識，才有可能住在母胎中不會抗議。如果像你現在已經長養而懂很多法的意識，住在母胎中一定會抗議：「我要睡覺了，媽媽妳不要動啊！」一定要抗議的。

有時候覺得這樣靜靜的沒意思，因爲醒過來後就會想要動一動了，所以他會抗議的，抗議時會怎麼樣？拳打腳踢啊！對不對？妳們當過媽媽的人都體驗過，有的孩子比較不乖就會拳打腳踢；有的孩子從來不跟妳踢肚子，他出生以後都很乖，對不對？這表示，只有什麼都不懂的意識才能住在母胎中。那每一個人在母胎中都能安住十個月出生，除非早產，可見這個意識是什麼都不懂的，是全新的，還沒有經歷學習的階段。

譬如你買了全新的機器，得要先試轉。試轉就是讓它轉順，然後你才可以用。一樣的意思，你這個意識得要全新的才能住胎，所以出生以後開始學習就是試轉，然後正式運轉，到幼稚園時開始越學越多了；這表示意識是一世住，不是從前世來的。

那麼如果說眞的有孟婆湯，又有個問題來了：誰能證明？誰能證明？自古以來沒有一個人能證明過有孟婆湯，所以那只是一個說法。什麼人的說法？道士的說法。他們得要這樣作才能賺得了錢，不這樣說就說服不了人家，賺不了銀兩。不過這個說法很聰明，全球宗教沒有一個能像中國道士這麼聰明的。

因此說意識是一世住，每一世的意識都是全新的。既然如此，那些大法師們所謂的「離念靈知說」，那個涅槃境界是依意識而有的，當命終之時意識壞了，他們所謂的涅槃也就壞了；所以這仍然是「得」的境界，不能夠說這樣不是「得」。因爲意識本身就是得來的，是這一世投胎以後漸漸才得到這個意識，這意識不是本來就有的。意識是怎麼出生的，跟如來藏不一樣；如來藏叫作「法爾如是」，但意識是根塵觸三個法合在一起而從如來藏心中出生的。也就是說，有意根、有法塵，還要這兩個法相觸，有這三法和合才能夠有意識，顯然意識不是本然而有。既然意識不是本然而有，那麼意識所住的那個離念境界所謂的涅槃，當然不是涅槃，因爲必壞。這個境界是有「得」，因爲意識永遠都是有「得」的，所以那個涅槃就變成有「得」，有得的未來必定有失，所以將來死時意識中斷了，那個所謂的涅槃就跟著中斷，他又得要再去投胎進入下一世。當他那個「涅槃」又告中斷時，就不是涅槃了；因爲涅槃是不生不滅的，所以那也是有得。

那麼這樣講來講去全部都是有「得」，而這「無名相法無得」，這「無得」到底是怎麼回事？這就很難想像了！對不對？當然是很難想像，因爲祂不可思議啊！如來已經在下一句告訴你「亦無有修，不可思議」，如果可以思議的話，也就不必　佛陀來人間那麼辛苦說法了。因爲容易得的法，容易證的法，在古天竺好多外道努力修行都是早就得了。可是偏偏沒有一個人能「得」涅槃，得要等到　釋迦如來特地來人間辛苦這麼一趟，這樣子投胎度眾生；

在母胎中也度眾生，這就是諸佛的威德力；然後才示現出胎，出胎以後就要示現如同一個凡夫一樣，這樣才能鼓舞人類說：一個凡夫修行可以成佛。接著就是要經歷那麼多年成長的過程，因為在這種人壽不滿百歲的五濁惡世，你不能夠用一個兩歲、三歲孩童之身來說法度眾啊！

所以得要示現給大家看，而且對於這個五濁惡世的人，還得要示現六年的苦行，忍人之所不能忍，然後放棄了苦行而參禪成佛，這樣眾生才會接受，才會信受。可是等到 釋迦如來告訴大家所證的涅槃，大家終於能證了，外道們投入 如來座下成為弟子，各個成為阿羅漢，有的成為大阿羅漢，大阿羅漢們又各度了一般弟子成為阿羅漢。這些阿羅漢們成就解脫果了以後，十幾年過去了，佛陀第二轉法輪開講實相般若，所以你可以看到《大品般若》、《小品般若》中都說：「**我證涅槃其實沒有證、沒有得，如果我證涅槃是有所證、有所得，就不是證涅槃。**」這一類的字句太多了。那你想想看，既然有這麼多的阿羅漢聖弟子證得涅槃，那就是有證有得，才叫作「證得」，不然怎麼叫作證得？這兩個字都告訴你「有所證、有所得」。然而這只是從世間凡夫的層次來說他們有證有得，可是真要談到般若時，得要講真相——涅槃的眞相、法界的眞相。十方三世一切諸法的眞相都得要講出來，講出來的結果，原來所證的這個涅槃其實沒有證、沒有得，沒有證、沒有得之中才說你已經證得。所得的這個不生不滅的涅槃，其實無得；無得的才是眞得，就在無得之中恁麼得。

這個道理，三、四百年來已經淹沒不聞了，直到我出來弘法，十幾年前我講的《邪見與佛法》就說：「阿羅漢證涅槃其實沒有證、沒有得。」因爲我的所見是如此，說完以後有一位同修問我說：「老師！您怎麼會想到這一點？」我說：「我的所見不就是如此嗎？難道要把它推翻嗎？」「那老師您有沒有根據？」「要根據喔？糟糕！我沒讀過什麼根據，我只有現量。我的現量所見是這樣，根據卻沒有，目前沒有讀到。」後來證明眞的有，似乎是在《百論》吧？我有讀到這樣一個說法，菩薩早就講過了，只是大家沒有去讀到而已，所以這個正確的涅槃正見其實已經淹沒不聞了。但是我們依於現量講了出來，過了五、六年以後有一天閒著，把《百論》讀讀看，讀了一下，心想：啊！其中都有講啊！我記得好像是《百論》，如果我講錯了誰再跟我更正一下，我記得是這樣。

那麼爲何說「無得」？這個無得，我們先從世間法來講無得，再來講佛法中的無得。也許有人想：「啊！您講了老半天無得，現在才眞要講喔？」對啊！因爲層面不同。剛剛講的是那些外道跟凡夫的得與無得，現在我們要從實際理地來談這個「無名相法」的無得，現在算是進入主題了。

譬如我們在世間生活，每天一定要飲食，飲食時你吃的食物是不是有得？你這個身體吃的食物一定有得。你吃時的舌根嚐於那個味道，是不是有得？有。你總不能夠說：「我吃了早餐，可是沒味道。」不可能！因爲沒有味道也是一種味道，何況你的早餐色香味俱美，怎能沒有味道？這也是得。當你正在吃時，你也聽到聲塵；譬如你早上烤麵包，吃了脆脆的，也有聲音，你有聽到；在嘴中咀嚼也有聲音，你耳根也有得。那你正在烤、正在準備那一些材料時，鼻子都沒有嗅到嗎？你很清楚知道這可以吃的，因爲你沒有聞到酸腐味，聞到的是香味；那鼻根有沒有得？有！所以你鼻識知道香味。

問題是推溯到更早時，你難道都沒有看到自己是怎麼去拿、去處理來吃的？你都閉著眼睛摸索的嗎？所以你是很清醒、很瞭解那一些材料怎麼去處理它，終於弄得色香味俱美，可以吃了；那你眼睛瞧到時，還沒有吃就已經口水在分泌了，對不對？那你眼根、眼識有沒有得？有啊！然後意識在這裡面分別：「唉喲！我今天把早餐做得這麼漂亮，女兒！妳來看，看我今天做出這個卡通麵包，妳看好不好吃？」她一看，胃口來了，對不對？那表示因爲有這個法塵，這是意識的得，然後加上前五塵的得，全部都是得；能得的都是你的妄心。

可是你在整個運作過程中，如來藏都跟你和合運作，沒有停止過一剎那，而你的如來藏「不見、不聞、不嗅、不嚐、不覺、不知」，所以你吃了很好吃：「唉呀！不錯！今天手藝進步了。」可是你悟了以後要問問如來藏：「如來藏老哥！你看我今天這樣是不是很進步？」祂不回答你。爲什麼不回答你？不是高傲，而是因爲祂沒聽見。你說：「這顏色好不好看？是不是做得很美？你看！我女兒都很喜歡呢。」祂也不答腔，爲什麼？因爲祂沒看見。那你說：「你看！我按起來又鬆又軟，這個吃起來太棒了，你看好不好？」祂也不答腔，因爲祂沒有觸覺。好奇怪的心喔？是啊！祂就是這樣啊！

也許你生氣起來：「如來藏老哥！爲什麼你都不理我？你是個聾子啊？」祂不會跟你說：「我就是個聾子。」因爲祂根本沒聽見，怎麼答你？祂眞的叫「不覺不知」。後覺後知已經很慘了，祂可是不覺不知而且不見、不聞、不嗅、不嚐、不觸，什麼都不知。所以你在那個吃早餐的境界中，有很多的「得」，祂卻一點都無得。吃飽了你飽，祂也沒有飽，所以祂完全無得。

好了，這只是一個早餐的事情講這麼多。且不談這個早餐，你說：「我自從來到正覺學這麼多法，現在出去天下無敵了，除非遇到我們親教師。」問題又來了，你都開悟了，現在好有智慧，回頭來問如來藏老哥：「我這麼有智慧，你爲什麼不跟我褒獎一下？因爲我的智慧是從你來的啊！我這麼有智慧，你應該很認同我啊！」結果祂根本沒聽見，原來祂什麼智慧都沒有，也不懂要怎麼跟你回應。老實說不是不懂得如何跟你回應，而是祂根本不會跟你回應。因爲你在心裡面這樣想、邀請祂、請求祂，祂根本不知道，祂要怎麼跟你回應？就好像你遇見一個石頭說：「石頭老哥啊！我今天來看你，你要高興一點喔！」它不會跟你回應，就像是這樣，怪不怪？怪！

可是其實不怪，因爲這就是法界的實相；祂一切無所得，所以你非常有智慧，天下無敵了，誇口說：「從此以後，全球各大道場任我行！」武俠小說不是有個人叫作任我行嗎？你現在可以到處去，諸方大師只要一聽到說你是正覺被印證的，大約會說「我沒空，不見你」了，省得麻煩。否則萬一跟你一對談，洩了底，結果你把他世諦流布，他可就倒楣了。好了，當你這時好厲害、好有智慧，這個智慧不是本有的，你是來到正覺修學實證了以後智慧起來了；這智慧本來沒有，現在有了，是有所得；你有得到這個智慧，你得到智慧固然是因為找到如來藏而有，可是如來藏不會這樣就跟著你生起智慧；智慧是你的，如來藏自己依然沒有智慧。所以你證悟後得到了智慧，如來藏沒有得。法界就是這樣子，聽起來很怪。

我們這一些說法其實散見於很多的書中，講了出來以後，把這三百多年來佛教界所謂的開悟、所謂的涅槃、所謂的實相般若，全都推翻了；可是我們說的法無可推翻，沒有人能推翻。沒有實證的人不知己、不知彼，當然無法推翻；實證的人知道法界中的事實的確是這樣，他更沒有辦法推翻，所以就沒有人能推翻。因此說，無所得法無得，這是本然如此。如果有人所證的涅槃是有得的，那麼那個涅槃就是因修而有，不是本來涅槃；如果不是本來涅槃，是因修而有，那麼這個涅槃是藉著種種助緣來修成的，那些助緣未來終究會壞，這個因修而得的涅槃就會隨著毀壞了。可是我們十幾年前講《邪見與佛法》時（那有幾年了？十五、六年，公元兩千年講的，十三年了），我覺得好像很久了，因爲事情太多了，都覺得時間已經過很久了。我們那時說：「阿羅漢沒有證涅槃，雖然他們可以入涅槃，可是他們沒有證涅槃。」我們當時只是依據自己的所見來說，我們當時簡單幾句話就把它講了。

我們說涅槃是如來藏本來涅槃，阿羅漢證的涅槃是把自己五陰十八界全部滅掉，死後不再受生，後有永盡；當五陰十八界全部滅掉以後，阿羅漢不在了呀！這樣叫作無餘涅槃。那麼阿羅漢五蘊都不在時，是誰證涅槃？沒有人證啊！可是阿羅漢入了涅槃沒有？入了！他們不受後有就是涅槃，他們眞的入了無餘涅槃，可是入了無餘涅槃是蘊處界永滅，又有誰入涅槃中住？所以說一切法永滅不起，就叫作無餘涅槃。爲什麼如此？因爲阿羅漢所證的涅槃是本來就涅槃；如果阿羅漢所證的涅槃是因爲修行才有的，不是本來存在的涅槃，那麼阿羅漢死掉時，涅槃就會消失了，不能稱爲涅槃了，一定會跟著消失啊！

可是阿羅漢證的涅槃，其實仍然是菩薩所證的本來自性清淨涅槃，簡稱爲「性淨涅槃」。這個涅槃指的是如來藏本來就是涅槃，所以阿羅漢把自己滅了以後剩下他的如來藏，無形無色而不在三界中示現，那就是無餘涅槃。那個如來藏涅槃是本來就這樣，本來就存在，本來就不生不滅。所以阿羅漢死了以後不再受生，剩下他的如來藏不生不滅、不生不死、不來不去，這便叫作無餘涅槃。所以這個涅槃是本來就在的啊！因爲阿羅漢的如來藏本來就有，而他的如來藏本來就是涅槃，所以阿羅漢的涅槃才不會成爲斷滅，才不會成爲因修而有的涅槃，才是眞的不生不滅的涅槃。

雖然不修阿羅漢道就無法證無餘涅槃，可是阿羅漢們所證的無餘涅槃卻是本有的，不是修行以後才有的。你如果找到如來藏，聽我這麼一說，一面聽聞一面觀察，一定說：果然如此，無可非議。這樣到底阿羅漢所證得的涅槃，是有得或是無得？無得嘛！因爲涅槃是他的如來藏不生不滅，是本來就有的，不是修行以後才變成有涅槃。所以從阿羅漢所證的涅槃來看，依舊是無得；那個涅槃之所以稱無得，就是因爲那個「無名相法」如來藏的緣故。阿羅漢證涅槃是如此，緣覺所證的涅槃亦復如此，也是如來藏的本來涅槃，只是修行的方法不一樣，法門不同、內涵不同，但是入了無餘涅槃時還是一樣，同樣是他的如來藏不生不滅、無生無死。

那麼如果是菩薩，他的菩薩種性沒有很具足，而他已經證得阿羅漢果，也許因爲他的聲聞種性非常濃厚，有一天突然想：「算了！這些眾生好可惡，好好教導他們、幫他們，還要來毀謗我，氣死了！不度了，我乾脆入涅槃算了！」於是他入了涅槃。雖然他是菩薩，也眞的悟了，仍然有可能死時入涅槃。可是他入了涅槃，跟阿羅漢、跟辟支佛入了涅槃一模一樣，沒有任何差別。假設十地菩薩有一天會入無餘涅槃，他入的無餘涅槃仍然跟阿羅漢入的一模一樣，因爲同樣是第八識的本來不生不死，是本來就在的無生無死的境界，所以這個涅槃不是有所得。

雖然你不修行就無法證得涅槃，會繼續輪轉生死；可是等你證得涅槃時，那個涅槃其實是本來就有的，因爲祂是你的如來藏本來不生不死的境界，祂是「無境界」啊！你在人間有任何的境界，無量無數，總而言之，不外於六塵；你的智慧也是在六塵中才能現前，但是如來藏自住境界中沒有六塵，所以祂沒有生滅可說。有六塵就有生滅，而祂沒有六塵就沒有生滅。三法印中不是也講「涅槃寂靜」嗎？

這就是說，涅槃是無所得法；雖然不修也不能得，但是修行而證得涅槃以後，那個涅槃其實還是自己的如來藏本來就有的不生不滅、不生不死的境界；而那個境界不是修來的，是祂本來就如此，所以說這個「無名相法無得」。

那麼無念與無得講過了，接著是「亦無有修」。「亦無有修」剛才我已經講過了，阿羅漢努力修行把我執斷盡了，我所執也全部斷盡，不管內我所、外我所的執著全部斷盡；斷盡之後，他捨報時不再受生，所以阿羅漢都會這麼說：「我生已盡，不受後有。」表示他不會再受生了，不論三界中哪一個境界他都不會去受生，就是永遠斷滅了；可是他的永遠斷滅是指五陰斷滅，但五陰斷滅之後並不是空無，而是剩下他的第八識如來藏獨存，所以他所證得的涅槃仍然是如來藏本來的不生不滅境界。

但這個無生無死的境界，不透過修行是不能證得的。甚至，即使透過修行也不一定能證得，而且應該說是大多數人透過修行仍然不能證得。所以末法時代好多的大法師，各個都說他們證得阿羅漢果了；等到正覺同修會的書籍流通出來以後，各個都閉嘴不說了；其中有的人就唆使一些小嘍囉出來罵：「正覺的人都是邪魔外道。」問題立刻來了，正覺這個邪魔外道所說的法跟諸佛說的完全一樣，那他們的意思是什麼？是指責諸佛也都是邪魔外道嗎？就變成這樣了。所以他們後來發覺越罵越糟糕，越罵越無法收拾，現在就不太罵了。現在只剩西藏密宗假藏傳佛教喇嘛教那些外道罵，佛門那些大法師們不罵了。剩下那些繼續罵的外道就是密宗假藏傳佛教，他們完全不懂佛法，那咱們就不用跟他們計較。

以前這些所謂的阿羅漢們，原來他們所證得的涅槃都是有修，因爲都是修行以後去轉變成的，從妄想雜念一大堆去轉變成沒有妄想雜念；然後他們說：「這個離念靈知是本有的，出生時就這樣，父母未生我以前也是一樣。」問題是投胎之前，所謂的離念靈知這個涅槃境界在不在？不在啊！是出生了以後、修行以後才有的！當他們投胎以前，這個涅槃在不在？不在啊！可是人家阿羅漢們眞正的涅槃，是不管投胎前、投胎後乃至出生以後始終都在，而且都如一不變，那才是眞正的「亦無有修」，而他們所謂的那一些涅槃都是修來的。

可是在大乘道中往往不講涅槃，就說證悟：要明心、要生起般若智慧、要懂得實相法界。那麼當我們在弘法的過程中，講經時或者書籍整理出來流通時，常常說那一些凡夫大法師們所謂的開悟明心，全都是意識境界，都不離識陰的境界；但意識或者全部識陰六個識，都是有生之法。可是有人異想天開，竟然還嗆我們說：「你所謂的如來藏阿賴耶識，祂是怎麼出生的？」還來質問呢！我們如果學世俗人的說法，就是：「笨蛋！已經告訴你無生了。」結果竟然有人自作聰明質問你說：「欸！你說無生，無生就是沒有嘛！」聽起來好像對，「因爲既然還沒有出生就不存在，無生是你自己說的！」質疑起來振振有詞！可是他講的是世間邏輯，咱們講的是出世間邏輯；因爲無始劫來本來就存在時就不必有生呀！當我們說本來就存在，不必有生，所以叫作「無生」；並不是有一個法即將要出生，在還沒有出生時叫作無生。這一說，他們聽著就傻眼了，不知道該怎麼回答。

所以當你想要去實證，就應該要弄清楚，你將要實證的法是有生的，還是無生的？凡是有生的法，在佛菩提道中不應該是禪宗裡求證的法，因爲那樣證了一定是有名相法。凡是有生的法一定是有名相之法；有的人也許不懂得「名相」，因此提出抗議：「我抗議、抗議！因爲我離念靈知的境界中沒有任何語言文字，哪來的名相？」講得好像對，拿來矇三歲小孩子就對了，可是眞要到佛法中來談，可就不對了。

「名之相」到底是什麼東西？名與色到底是什麼？名是受、想、行、識，色是色蘊十一個法，或者說眼、耳、鼻、舌、身五根。至於名「受、想、行、識」在運作的過程中，一定有一些運作的行相，那不叫作相嗎？同樣一個人，也許某甲長得很醜陋，可是他動作、講話都很斯文，你就說這個人很斯文；也許另外一個某乙，他長得很俊俏，可是動作說話都很粗魯，你就說這個人很粗魯。如果他們兩個人都不動作，讓大眾來判斷誰粗魯、誰文雅，大家會說那個醜的一定很粗魯，那個俊俏的一定很斯文。等到手指一彈：「你們可以開始說話了。」結果那兩個人話一講出來，「欸！怎麼變成這樣？」結果大家馬上改變看法：「不、不、不！長得醜的某甲才斯文，生得俊的某乙才粗魯。」為什麼？因為他們的受、想、行、識在運作過程中有一些法相出現了，所以你觀察出來：這個人斯文，那個人粗魯。那就是「名相」啊！

有名相之法，一定是生滅法。那請問：那一些人所謂的開悟，悟得的是離念靈知，落在意識境界中，還狡辯說這個離念靈知是本有的，不是有生的。原來都吃了宗喀巴的臭口水，大家都同聲一氣這樣說。問題來了：他們離念靈知有沒有「名相」？有啊！有受、想、行、識在不斷的運作過程中生出來，所以那個叫作「有名相法」。宗喀巴更是糊塗，樂空雙運中的離念靈知竟然說祂是本住法，說是「俱生」樂。那請問：「那時候有沒有名相？」名相具足啊！怎麼沒有？既然是有名相法，就一定是有得之法。

但 釋迦如來告訴我們的實相法是「無名相法」，就是異熟識如來藏；這個「無名相法」不是修行得來的，因爲不管是一隻螞蟻、一隻昆蟲、一條惡毒的蛇、一條凶狠的惡狗，乃至一個大善人或者菩薩，這一些有情各個如來藏都是「無名相法」，都沒有「名相」，因此沒有任何人可以說：「你的如來藏好粗魯，你的如來藏好文雅，你的如來藏好俊逸，他的如來藏好醜陋。」沒有人能這樣說，因爲每一個人、每一個有情的如來藏都是沒有「名相」的，沒有「名相」的法才是「亦無有修」，一定是本然而有，非因修得、非不修得。不修就不能證得，那就永遠輪轉。因爲對這個「無名相法」的境界永遠不知道。

所以禪師說「夜夜抱佛眠，朝朝還共起」，有的人聽不懂：「師父啊！您老是這麼開示，我怎麼聽都聽不懂；然後我每天晚上睡覺時，就好好看看自己到底是抱的什麼佛？可是我看來看去空空如也，我兩手空空，哪有抱著什麼佛？您總不能說我抱著棉被叫作佛吧！」可是禪師不理他：「好好去參禪，別問我啦。」後來忍不住，因爲在禪師座下每天出坡很辛苦，忍了好幾年終於忍不住了，上到方丈室來：「師父！您今天再不跟我講，我要告假了。」師父還是不跟他講，他說：「師父！那您既不講，我就告假了！」那師父跟他說：「你既然告假，到哪裡去啊？」徒弟說：「我諸方參訪善知識去。」「好！」師父就准假啦！就說：「好！你過來，我告訴你，不然出去外面丟了我面子。」徒弟就走過來，他就把徒弟耳朵拉過來：「我告訴你，出去不可以告訴別人喔！」然後一把就把他推出去了！

這徒弟說：「奇怪！師父怎麼這樣子？」於是行囊整理好就走了，走著走著，半路上想一想：「不對！」又回來問師父：「師父！您還沒有告訴我，我要怎麼跟人家講？」（大眾笑⋯⋯）對不對？是啊！一般人的想法一定是這樣。他回來抗議時，沒想到師父一棍就打了！打了很疼，當然要跑開，別又繼續挨打；正跑著，師父身後就撂下一句話來：「出去講給行家聽！」就不理他了！好奇怪！對不對？對啊！因爲這個法是沒有「名相」之法，可是卻跟你同在一起，禪師就這樣告訴他了。

這個徒弟等到未來有因緣悟了，他才會知道師父的慈悲，趕快回來禮拜。然後每年一到重陽過後，秋風吹起了，肩膀上隱隱作痛時，就會想起來：「唉呀！我師父對我還眞好，否則哪有我今天的智慧無礙。」爲什麼？犯賤！（大眾笑…）太難悟了！因爲這個法是「無名相法」，所以沒有辦法從名相中把祂變成沒有名相，不可能的。意識覺知心再怎麼修，永遠都是住在名相之中，否則就不能生起，何況存在；因此說這一個法不是修來的，「無名相法」如來藏是本來就在的，從來不曾有生。凡是經由修行而產生的所謂實相、所謂涅槃，其實都是錯誤的，因爲都是有名相的，並不是眞的實相與涅槃。那麼有名相的法就不是「佛藏」，諸佛的寶藏不會、也沒有辦法像世俗法那樣落在「名相」中！落在「名相」中的絕對不是寶藏，都是生滅法，絕對不是《佛藏經》所說的「佛藏」。所以不管誰說他證得涅槃、說他證得實相，一定是無名相之法。凡是有受、想、行、識運行法相的，都不是「佛藏」。

我們就把這四句偈作一個結論說：凡是修來的，就不是「諸佛的寶藏」，一定是非修而得，所以說「亦無有修」；然而不修行也不能證得，因爲不修行便無法證得「無名相法」如來藏，永遠當凡夫。修學佛法以後證得時，卻是本來就存在、本來無生的如來藏心，不是修行以後才成就的。那麼這樣想想看，「無名相法」眞的難以思議，因爲祂從來都無名相。

接著說「無念」而且也「無得」。這個無念，人家說：「我一念三千。」你聽著一棍就把他打了：「什麼一念三千？本來就無念，還要一念三千。」終於瞭解了「無名相法」「無念無得」、非修而得，所以「亦無有修」。你看這個道理多深啊！可是如果我只是依文解義，現在一定呼聲震天，什麼呼聲？打呼的聲音。大家會聽到睡著了。那麼這樣的說明，大家對於諸佛的寶藏「妙法蓮華經」如來藏心，就有了比較深入的瞭解。

接著又說「不可思議」。說到不可思議，很多大師一向以來都說：「般若不可思議。」對不對？諸位以前讀人家的書，這樣的字句都讀多了。又譬如涅槃好了，印順老法師在他的書中講的是說：「涅槃是不可知的、涅槃是不可說的。」大意是如此，對不對？因爲我有讀過。他認爲涅槃不可知也不可說，如果涅槃是不可知的，那麼證涅槃的人對涅槃也應該無知呀！如果對涅槃無知，憑什麼說他證得涅槃？沒這個道理啊！那麼阿羅漢應該也不知道自己確定不受後有囉？同理，菩薩也應該不知道，佛應該也不知道囉？那佛陀憑什麼來傳授涅槃的實證？所以我說釋印順眞的老糊塗。

涅槃如果不可知，阿羅漢爲什麼自知自作證，而且是在 佛陀面前講出已經實證的事？當他昨天晚上證得阿羅漢果，一大早就來 佛陀面前講，就來獻寶：「我某某人，我生已盡，梵行已立，所作已辦，不受後有，知如眞。」這證明他很清楚知道自己可以入無餘涅槃，顯然他也知道入了無餘涅槃是一切永盡，那表示他對涅槃也有知道一部分，只是涅槃的本際不知道而已。但他知道怎麼樣是證得無餘涅槃，當然不可以說涅槃不可知！印順又說涅槃不可證，如果眞的像印順說的涅槃不可證，那阿羅漢究竟是證什麼？菩薩們證涅槃又是證什麼？所以我說他眞的糊塗。可是還有人更糊塗，抱著他的書每天讀，讀不懂還繼續信受，表示這些人比他更糊塗！可憐的是這種糊塗人，還覺得自己很有智慧，那就更糊塗！

所以涅槃這「不可思議」是因爲未證的人想不透，對他而言是不可思議。但涅槃如果是親證的人也不可思議，十幾年前我在《邪見與佛法》中已經這麼幾句話就把祂講出來了，有什麼不可思議的？眞正不可思議的不是涅槃，而是這個「無名相法」，「涅槃」只要實證了就可思可議，所以阿羅漢與阿羅漢之間可以討論有餘涅槃、無餘涅槃，怎麼可以說不可知、不可證呢？那麼菩薩之間都可以互相討論「本來自性清淨涅槃」，當然不能說是不可知、不可證。菩薩入地以後，不但可以互相談論本來自性清淨涅槃，還可以互相討論二乘人所證的有餘、無餘涅槃，也可以討論二乘聖人的涅槃是如何不究竟，所以涅槃絕對是可知可證的。

我們電子報也開始連載《涅槃》了（編案：這是二○一四年元月二十一日所講），我寫的《涅槃》本來是三十六萬九千九百七十個字，為了要登載於《正覺電子報》而校對調整一下，早就超過三十七萬字了；這表示涅槃是可知可證的，才能夠為人說明，不然憑什麼「涅槃」兩個字我寫三十七萬字？我想連載完畢後大概會變成三十八萬字，一定會有校對的親教師或菩薩們告訴我：「**這裡加幾句好不好？那裡加幾句好不好？**」我大概都會說「好」，所以大概會到三十八萬字，連載完了以後將來印成兩本書，成為上下冊（編案：已於二○一八年七月底出版上冊，九月底出版下冊）；如果涅槃是不可知不可證，我就不應該也不可能寫出這麼多內容來。所以，我們就從證涅槃之前應該具備什麼條件開始說起，次第說到有餘、無餘、本來自性清淨涅槃，最後說到無住處涅槃，顯然涅槃是可知的、可證的啊！然而對於未知未證的人來講，就變成不可知不可證；但不能夠說一切人都不可知不可證，一定是可知也可證，世尊才要來人間受生示現而作教導。如果是不可知不可證，世尊何必來教導？所以釋印順的說法是不對的。

對一般人而言，或是對外道而言，涅槃是「不可思議」的，這一點是可以確定的。然而即使你證得二乘聖者的涅槃了，可是你對於這個「無名相法」依舊會覺得不可思議，因爲無法具足了知；只有七住位開始的菩薩們才能稍微了知，什麼時候你可以具足了知？成佛啦！諸位都知道了。所以成佛時對於這個「無名相法」就不再有一點點的不可思議了，但是未成佛之前，即使已經修到妙覺位了，都還認爲這是不可思議的。

先說妙覺跟佛地的差異好了，只說其中的一個差異就好；證得如來藏的人都會發覺：「我證得如來藏以後，我的如來藏還是跟悟前一樣沒有改變。」如何一樣呢？是說悟前如來藏是離見聞覺知的，祂不會與五個別境心所法相應，祂也不會與十一個善心所法相應，悟了以後改變了沒有？依舊一樣，跟悟前的眾生一樣，直到妙覺位都還是如此。可是等到成佛時不一樣了，那時你的如來藏改名「無垢識」了，這時祂跟五個別境心所法相應，還跟十一個善心所法相應，等覺、妙覺菩薩怎麼想也想不通：「那是什麼境界？」無法想通。連妙覺菩薩也想不通，這個差異就很大了，對不對？

所以，這一個「無名相法」，祂一直到無垢識為止，產生的那個功能性的很大變化，妙覺菩薩都還不能想像，何況還沒有悟入的凡夫們能夠思議祂呢？因此說祂「不可思議」。可是這個不可思議的層次範圍仍然有很大的差別，我們先來講第一種，叫作「平凡」；這個「無名相法」很多人在參禪時尋尋覓覓，可是他們公案讀多了，心中都想：「這個『無名相法』一定很神、很神妙。」不過我告訴你，祂就不是神為什麼要叫祂神？祂無見聞覺知怎麼會叫作妙？怎麼可以叫祂「神妙」？只有神通才會有神妙，祂不是鬼、不是神哪來的神妙？所以很多人都想錯了，然後就在那邊幻想：「大概悟了就會飛，不然就是當我悟了以後，你在想什麼我都知道。」就想得很神妙。因為他想：「你看！好厲害，人家未開口，禪師就答了，顯然他知道人家想什麼。」可是他沒想到的是禪師只知道一件事，其他都不知道，那一件事，就是對方還沒有悟（大眾笑…）。

所以他們都只看見禪師的表相，沒有看見禪師的實質。禪師經由實相的智慧看到來者的名相法，就知道他還沒有證得「無名相法」，所以剛進得方丈室都還沒有開口，禪師拈起棍子來一棒就把對方打出去了。有的人會抗議說：「禪師！我都還沒有問，您怎麼就打我？」禪師好整以暇說：「等我打你才知道時，那我度得你能作什麼！」有時候開口說：「待你開口，濟得甚事？」所以一般人都認爲：「祂眞的不可思議，一定很神妙，所以禪師才能如此。」想得越神妙，他就參得越偏，都不知道祂是很平凡的心；由於太平凡了，所以你罵祂說：「你眞不是東西！」祂不回應你，因爲祂本來就不是東西，所以不可思議，不可思議的原因就出在於祂太平凡。

有的人就想得很玄，因爲看見禪師們才一悟了，「哇！不得了，手段出諸方，言語不俗，簡直就是脫胎換骨。」所以他們想著說：「唉呀！這個『無名相法』、這個般若是非常玄的。」而他越想著玄，這個「無名相法」也就眞的越來越玄。玄是什麼？就是黑到讓你看不見，所以他越想越玄時就越看不清楚禪師到底在幹什麼；本來是一個很平凡的東西，不需要想得那麼玄，不需要想得那麼妙；無神無鬼，一味平懷，因爲祂永遠都不改變祂的自性，什麼自性？於一切法都不動其心的自性。這樣，跟眾生所想像的完全不同，所以眾生怎麼想也想不通這個「無名相法」，只好說：「唉呀！我怎麼想都想不通，眞的不可思議！」對啊！對他而言就是「不可思議」，可是對於實證的人，卻是可思也可議了。

所以你看這個「無名相法」才這麼幾個字，我講老半天了，因爲對我來講，我是可以思惟議論祂的；我一面看著祂，一面講給諸位聽，就不必打草稿；等到需要打草稿時，我如今不曉得要翻幾張過去了，所以對我來講，祂是可思的。既然可思，那麼在座也有不少已經證得這個「無名相法」的人，那我們之間就互相可議了；所以如果我說出來是亂講的，下面親教師們、增上班的同修們就會想：「唉！這蕭老師又在胡扯了。」可是沒有人說我是胡扯的，而且將來整理出來，包括親教師都願意爲我校對成書，顯然不是胡扯，只是祂眞的「不可思議」。

對於實證的人而言，是可思可議的；但對於還沒有實證的人來講，祂就變成不可思議。然後讀到經中說「不可思議」，禪師也說「不可思議」，菩薩也說「不可思議」，大家都說「不可思議」，所以他越想就越「不可思議」，因爲被說服了。可是對於實證的人來講，可思亦可議。這時回頭來看還沒有實證的人，就發覺：「他們都被『不可思議』四個字給壞了。」因爲一天到晚想著「不可思議」，所以沒有辦法，連參都參不出來。這都是正常的，所以禪宗那些公案都被六識論者叫作無頭公案，可是親證的人來看時，那些公案有頭有尾啊；因此某一件公案，那個禪師沒有把它結案的話，其他的禪師就會拈提了：「大小某某禪師（大小就是輕視他的意思），」就說：「大小某某禪師，到現在還沒有據款結案。」於是他就來一個狗尾續貂，拈向天下老宿，看有幾個會得其中的道理。所以常常會有某某拈了，最後再加上一句。這是禪宗裡常常有的事，你們去看《景德傳燈錄》中都是這樣子啊！

所以對於實證的人來講，那是可思也可議的；可是對於還沒有實證的人來講，就因爲讀到「不可思議」、聽到「不可思議」，然後自己就想「不可思議」，因此他就越想越玄妙，也因爲他實在沒有辦法想像，所以就變成「不可思議」，於是他的參禪方向就走偏了，都不知道祂其實因爲太平凡所以才不可思議。所以不要把祂想得玄玄妙妙的，也不要神神鬼鬼的，否則就越走越偏了。那這個平凡是「不可思議」的一個原因，因爲大家一定無法想像到

「原來是這麼平凡的東西」；而這個平凡的不是東西的東西，會使你產生非常神妙的智慧；諸佛也都是從此而開始的，然後漸漸修行次第成佛。

「不可思議」的第二個原因叫作「太近」。這個「太近」，我補充一點資料，給諸位加加菜。這有一個公案，光宅慧忠國師的故事。光宅慧忠國師這個公案很多人聽過，當時有一個從西天來的僧人叫作大耳三藏，這個三藏來到京城（那時候京城好像是洛陽或者長安），那麼他宣稱說有他心通，也有慧眼。他心通是五神通之一，是說你心裡想什麼我知道；慧眼是說法界的實相我已經見了，所以我有慧眼。既然他敢這麼說，那麼皇帝當然要勘驗他囉；所以叫他來到這光宅慧忠國師面前，要試驗他有沒有他心通、有沒有慧眼。這個大耳三藏不知道禪師的厲害，假使他沒有慧眼，就算是有他心通來到禪師面前，將會一通也無。

那麼這個大耳三藏來到國師面前，才剛一見馬上就禮拜，禮拜了以後起來，就站在慧忠國師面前的右邊。這是一個禮貌，他應該站在右側邊，因爲人家是國師。這時光宅慧忠就問他：「你得到他心通了嗎？」他說：「不敢。」「不敢」是客氣的說法，就是說「我得了」；然後光宅慧忠當然要勘驗他，光宅慧忠就觀想自己在什麼地方，然後就問他：「那你說說看，老僧我如今在什麼地方？」大耳三藏就說：「和尚您是一國之師，怎麼可以跑去西川看人家競渡呢？」（就是划龍舟比賽，或者划船比賽。）慧忠國師又再觀想另一個地方，就問他：「那你說說看老僧我如今在什麼地方？」這大耳三藏就說：「和尚您是一國之師，怎麼可以跑到天津橋上看人家弄猢猻呢？」（「弄猢猻」閩南語叫「變猴弄」，弄就是玩弄的意思，玩弄給大家看，娛樂的意思。）怎麼可以跑到天津橋上看人家弄猢猻呢？現在慧忠國師確定他有他心通，接著就又問他，仍然同樣問：「你看看老僧我現在在什麼地方？」結果這個三藏好努力、好努力去觀察，很久以後還是觀察不出個所以然；公案中記載說他「罔知去處」，就是不知道慧忠國師如今到哪裡去。

這時慧忠國師就罵他：「你這個野狐精，他心通在哪裡？」其實明明有他心通的，前兩次就已經看出他到哪裡去幹什麼了，對不對？確實有他心通。沒想到這第三回完全看不出來，就被罵了，連他心通都不見了。其實不是沒有他心通，如果沒有他心通的話，他不可能前兩問就指出慧忠國師到哪裡去，顯然是有的；只因爲這第三句問了以後他找不到，所以就被罵沒有他心通了。你看禪師眞狠，對不對？明明人家有他心通，硬要罵說沒有他心通。這大耳三藏也無可奈何，因爲確實看不到慧忠哪裡去呀！禪師問「現在到哪裡去」？他不知道，被禪師騙了。所以這時候慧忠國師就罵他：「你這個野狐精，他心通哪裡去了？」這大耳三藏吃了悶虧，沒有地方可以投訴，你說他慘不慘？慘啊！可是問題來了，接著就有人把這個公案（當代或者說隔沒幾代的事情）拈出來談，有僧問仰山曰：「大耳三藏第三度爲什麼不見國師？」就是那上面講的。這個拈提的說明，時間又到了，下回再見。

《佛藏經》我們上週講到第二頁第三行「不可思議」是不是？上週就講光宅慧忠國師。西天的大耳三藏來了，慧忠國師問他三個問題，最後問他，他不知道國師到哪裡去，所以國師罵他：「你這個野狐精，他心通在什麼地方？」那麼現在我們來看看：第一次國師去西川看競渡，這大耳三藏知道了，顯然是有他心通；國師第二次作意跑到天津橋上看人家耍猴子、弄猢猻，他也知道了，顯然有他心通，否則不可能知道。可是第三次問他時，這大耳三藏弄不清楚，答不出個所以然來，國師就開罵：「你這個野狐精，他心通在什麼地方呢？」就罵他了。想想看，當眾被人家罵野狐精，不只是野狐，還成精喔！你想想看這是多麼大的屈辱！可就是怪，原來屈棒有人願挨；他挨了這個屈棒也只能認了，一點辦法都沒有。

我先講個道理給諸位聽，諸位就知道這個原因。大概三十年前不到，二十六、七年前，那時候還年輕（現在不敢再說年輕，那時候算年輕），可就是胃不好，有人建議我去瑞芳看一位老醫師；但他又不是醫師，他專門幫人家開些食療的方子，吃什麼食物、什麼菜等，要怎樣去煮；我聽說他眼睛看不見、但很厲害，就去了（應該不到三十年，大概二十五、六年前吧？是我出來弘法早期，當時同修會還沒成立）；前面幾個人，他一面把脈一面就問了：「你住哪裡啊？……。」然後就跟你聊：「你們那裡的水質如何，那裡又有什麼東西。」等等。就一個一個這樣聊，全都應驗、都準確。我心中就想：「等一下我考考你。」結果輪到我了，我把心中放空，他就把脈，又問：「你住哪裡啊？」「我住在臺北。」「不是啦！你是南部上來的嗎？你故鄉哪裡？」我說：「在田中鎮。」「田中的水很好啊！……我知道啊！……。」我說：「我知道我們故鄉的水質全省數一數二。」然後他又繼續講，可是他始終弄不清楚一點，後來他忍不住就問：「你是拿香的，還是歸依的？」他的意思是說，你是一貫道的還是佛教的？是問這個。我就答他，我說：「我是佛弟子。」

因爲他始終弄不清我的來歷。人家的來歷他都摸得清清楚楚，輪到我時，我就只有一個放空；我這樣考考他，看他弄不弄得清楚，結果他完全弄不清楚，只好提出來問。他沒有辦法跟我談這方面的事，每一個人他都會跟他談信仰：「你們家信什麼？」等等。爲什麼呢？因爲你如果是一般的信仰，都會有鬼神跟著，他們都瞭解你心中的想法；他會瞭解，是因爲他那個是鬼通。就是他通鬼神，眼睛看不見卻能通鬼神，那麼鬼神會告訴他。等到我上來把脈時，他摸不清我到底是什麼來歷，我也不跟他講。就譬如說，上課或講經時，我有時告訴你們，不管誰有他心通，你們當面可以把他打倒，讓他雖然不服氣，可是會認爲他心通來到你們面前就沒用了。因爲你們不像一般人一樣用語言文字在心中想事情，會了無相念佛、功夫很深厚時，想事情是不需要語言文字的，這時他摸不著，連鬼神都弄不清楚的。你們這種層次，是諸佛菩薩才會弄清楚；他們摸不著頭緒，道理在這裡。

現在回到光宅慧忠這個公案來。光宅慧忠第一次故意動了念，到西川看人家划船比賽；第二次動了念，去天津橋上看人家在耍弄猴子；大耳三藏全都知道，可是第三次光宅慧忠依於自心眞如而住，這時大耳三藏他心通便無所用處了，全無用處；因爲他心通得要依於你的名相法才能運作，也就是你的受、想、行、識一定要在某一個法上面現行時他才能知道；但是你依於眞如而住時是無所住，眞如的境界他又不知道，所以這時他就摸不著頭緒了，當然答不出來，光宅慧忠當然得要罵他啊！此時不罵更待何時，因爲皇帝既然當了他的徒弟，是他的大護法，如果這個皇帝被大耳三藏給拉了去，正法住世可就危險了，所以當然要罵他，讓皇帝看看說：「我光宅慧忠國師雖然沒什麼神通，可是有他心通的大耳三藏根本摸不著我的底，我卻可以把他踏在腳下。」所以當眾罵他：「這野狐精，他心通在什麼處？」

當然，從此以後皇帝只好再繼續跟隨著慧忠國師。那慧忠國師終其一生也沒有把他所悟的教給皇帝，就是跟他講佛法，但不幫他開悟。知道爲什麼嗎？皇帝當了你的徒弟，你千萬別幫他開悟，你幫他悟了就是個大麻煩；而且他悟後會不會繼續護持正法？難說啊！因爲他可能會輕賤佛法，所以最好讓他摸不清你的來路。到底你心裡的住處是什麼？他永遠不曉得，這樣最好，就永遠恭敬的奉侍，至少不敢迫害佛法的弘揚。

關於這慧忠國師的公案，在我的《公案拈提》書中也有拈過一則「湘之南，潭之北，中有黃金充一國」，有沒有？這是慧忠國師的弟子講的，所以慧忠並沒有把「無名相法」傳給皇帝。慧忠國師要捨世了，皇帝問說：「師父你要走了，你走後我要依止誰？」他就推薦自己的徒弟。等到他死了，後事完成了，皇帝又找了他的徒弟耽源應眞來，徒弟當然會遵守慧忠國師的吩咐，跟他賣關子賣到底。這就是說，不該得法的人不應當隨便讓他得法，否則他未來很可能會破壞正法。這個觀念是大家要學的，因爲未來世你們一定有一世會開始當法主，這是遲早的事；每一個人學佛，將來都要走過這個過程，你們要有這個種子在。將來即使是轉輪聖王來當了你的徒弟，要不要幫他證悟？你還得要再思量、思量，不能隨意放手。如果是表相密意就無所謂，不管誰去幫他證悟了，反正來到你這裡一概殺掉，因爲他那只是個表相，不是眞實的密意。

那麼這一個公案諸位想想看，諸佛之密藏就是「妙法蓮華經」、「金剛經」、「此經」，到底可思議或「不可思議」？欸！眞的「不可思議」！所以這個「不可思議」一定有它的道理，不可能是沒有緣由而隨便就說「不可思議」。那麼我為何如是說？是因為這個心真的「太近」。而我剛剛說的「太近」，是不是我自己編派的？不！古時候就已經有這樣的拈提，禪師們總是互相拈提。所以現在來看看「僧問仰山」這個公案：

有個僧人來問仰山說：「大耳三藏第三度為什麼無法看見國師呢？」仰山回答說：「因為前兩度是涉境心，後面第三度，國師入了自受用三昧，所以看不見。」仰山這個回答是有道理的，可是他這個回答如果來講給溈山靈祐的話，溈山靈祐一定給他一棍。這個道理，悟了以後你就知道為什麼要給他一棍。仰山這話到底是什麼意思？跟我講的一樣。

他說國師前面那兩問，因為都是涉入境界中，說國師的心是住在境界法中，那就是有名相之法，有「受、想、行、識」在運作的那個名相，因為落在六塵境中，所以大耳三藏就看見；第三度，他進入自受用三昧，就是住於真如的境界中；當你證悟以後，你依真如的境界而安住，沒有任何一念生起時，那時沒有境界相，沒有六塵相，就只是真如。可是真如自己的境界，對於一般的有情來說，只要是還沒有悟的人，即使他是天主都一樣，就算上至四禪天的天王來了也是一樣無法理解；因為真如是第八識的境界，第八識自身的境界不涉入六塵中，所以對一切異生凡夫來說，是無法思議的境界，所以有時候人家說：「禪門叫作玄門。」爲什麼叫作玄門？因爲玄之又玄。那對一般人來講，就說：「不可說、不可說！」

假使有人來見禪師求悟，開口問到：「禪是什麼？」禪師也許看到這個人弱不禁風，經不起打；或者那個人當上了高官，心性又不是很好，那可不能打，打了對正法的流傳沒有好處，只能跟他耍耍嘴皮，就告訴他：「不可說，不可說。」對方一定會強行逼問：「爲什麼不可說？」禪師當然會編個理由給他：「因爲言語道斷，我講出來的就已經是言語了，所以不可說，說了你也聽不懂。」就這樣，跟他打個迷糊仗交代過去。

可是禪師告訴他「不可說、不可說」時其實已經說了，而且是明說的。有人抗議：「才怪！明明告訴人家不可說，什麼處又是說了？」其實眞的明說了。「這樣明說，我爲什麼聽不懂？」就回他：「所以玄之又玄！」道理就在這裡。因爲眞如的境界是唯證乃知，如果沒有實證，再怎麼樣解說也都沒用。我們以往書中講得夠多了，眞如就是眞實而如如；三界中唯一眞實而如如的法就是如來藏，第八識如來藏的境界就叫作眞如。

在這個境界中是證悟者所住的自受用三昧，這個自受用三昧在《楞嚴經》中叫作什麼三昧？金剛三昧。因爲眞如的境界性如金剛，不可毀壞，已經得決定的人住在眞如境界中，他的心是不會被搖動的，所以就稱「金剛三昧」。所以證得「此經」「妙法蓮華經」、「金剛經」的人，才有資格把自己的宗派叫作「金剛乘」；密宗假藏傳佛教都是亂搞一通，竊盜人家的佛法名相和果證，其實卻是欲界中的生滅流轉法，他們有什麼金剛？惡人從懷裡拿出槍來給他一顆衛生丸，立刻就死掉了，還有金剛？但是這個眞如永遠不可毀壞，沒有誰可以毀壞祂，乃至集合十方諸佛的威神力爲一個超級無法思議的特大威神力，也無法毀滅一隻小螞蟻的金剛心如來藏。祂有這個金剛性，所以證得這個金剛法的人就讀懂《金剛經》；必須證得這個金剛心的人，才有資格宣說：「我在弘揚金剛乘。」他們密宗假藏傳佛教只不過是跳梁小丑竊盜佛教的一些皮毛，就像有一天跑到寺院中躲在梁上或他處，禪師正在講：「這個眞如法，性如金剛。」他們剛好聽到金剛，沒有聽到眞如，回去就宣稱他是金剛乘，就像是這個樣子。

那麼這眞如三昧，也就是金剛三昧的境界，凡夫不知不見，所以仰山依事而說，也沒有過失。那仰山答了以後，世諦流布，有個僧人用這個公案跟仰山的回答，舉出來給玄沙師備聽，那玄沙師備就問他說：「那你說說看，那大耳三藏前兩句問話時，他有看見嗎？」你看，禪師這麼回答箇潔俐落，那個僧人面前依舊是一尊金剛，那尊金剛叫作丈二金剛（大眾笑…）背對著他，他始終摸不著頭腦。結果玄沙師備這話傳啊、傳啊，又傳到玄覺那裡去了，玄覺最愛拈提，凡是有現代公案他就拈提。他又提出來說：「那個大耳三藏前兩度如果是眞的看見，後來第三度爲什麼看不見呢？你倒說說看啊！這佛法的利跟害，到底在什麼地方？」

佛法利與害是很難讓人理解的。你看整個大中國地區大乘佛法，在我們正覺弘法之前，大家說起佛法頭頭是道、口若懸河；可是大家講來講去都是四聖諦、八正道、十二因緣，從來沒有人講眞如。若要論到大乘法實修的證果，那就是初果，不然就是高抬果位說：「我是阿羅漢果。」可怪的是，還沒有一個人敢自稱緣覺，這且不談它；等到正覺開始弘法說起如來藏、阿賴耶識，講起眞如來了，他們個個聞所未聞；我就納悶，既然大家都是說開悟了，爲什麼竟然不懂眞如，連聽都沒聽過？還有文學博士的大法師，還有被日本大學追贈爲榮譽博士的釋某某導師，也有專門在打禪七的大法師等，結果沒有一個人聽懂什麼叫眞如。

這可怪了！可是不怪，因爲連他們的師父也沒聽過眞如啊！當然後來有一些過程，那麼人家開始逼著問師父們：「那蕭平實一天到晚寫書說您不對，您爲什麼不回應？」「哼！他的程度太差了，我懶得理他。」這是最好的藉口，因爲他們講的四聖諦、八正道、十二因緣咱們都懂，他們講的果位咱們也證，可是我們講的阿含正理與緣覺道，詳細解說阿含的聲聞道跟緣覺道，他們竟然沒聽過、沒修過、沒證過。我們又講了：「大乘菩薩證般若就是證眞如，而眞如就是阿賴耶識的眞實如如法性；開悟時所證的不只是聲聞果，而是有五十二個階位中的果位！」這一下大導師、大和尚、大師父們都沒辦法回應，因爲這個領域他們完全沒有涉足過。至少也要進來走一走，走馬看花也算是有所涉足，但他們連走馬看花都沒有過，因爲眞如外面那個大圍牆他們跳不進來，所以大家沒辦法回應我。

後來有人講了一句老實話：「正覺蕭老師他沒有辦法跟佛教界對話啦！」我一聽到了就說：「唉呀！好高興終於有知音了。」不過不是法上的知音，因爲我眞的沒辦法跟他們對話。一個大學教授要跟一個不會講話的嬰兒對話多麼難，很難啊！至少他得要牙牙學語稍微講個幾句吧！可是在大乘法中，他們一句話也沒辦法講，那我又怎麼跟他們對話？所以我還眞的被說對了。我第一次聽到那句話時，當場就接受了，我說：「我眞的沒辦法跟他們對話。」

譬如說，你到會外去時，你想：「我在同修會學了五蘊、十八界，這些東西太好了，增長我好多智慧。」你回到家，拉了隔壁鄰居那位好朋友：「我告訴你五蘊、十八界。」你跟他講了老半天，他問你：「你在講什麼？」他完全無法理解，因爲他都還沒有學佛呢！那你以後還跟他怎麼對話？沒辦法對話嘛！你想要對話也跟他對不上，因爲他講的是世間法，你講的是解脫道，所以眞的無法對話。

無法對話表示這個法是有利有害，佛法眞的有利有害。佛法，大家想說那是利益人天的啊！怎麼會有害？可是諸位想想，自從兩千五百多年前有佛法以來，已經有多少人因爲大妄語下墮地獄？這種事情前仆後繼，那不是不絕如縷，而是滔滔猶如洪流。你們看密宗假藏傳佛教不就是這樣嗎？各個修了雙身法以後都說是修佛法，就公開說：「我們現在成爲報身佛了。」那就兩個人抱著一起下地獄，你看佛法害不害人？害啊！而且大害。可是佛法害人，不是佛法去害他們，是他們自己害自己。就好像說有的人發大心，買了一百輛法拉利來送人，有的人接收以後，每天開著好歡喜，心想有這麼個大善人，我也要學他作作善事，所以他每天開著法拉利去作善事。可是有的人得到法拉利以後亂開一場，不該開的地方他照樣飛奔而行，然後撞得支離破碎喪身捨命，那是不是送車的人害死他？不！送車的人沒有害死他，是他自己害死自己。所以送車時有利有害，佛法就像這樣，佛法利樂無量的人天，可是佛法不會害人，因為法不害人，會害人的是各人自己的問題。

那麼這玄覺聽過就說了：「且道：利、害在什麼處啊？」有利有害。這佛法的利與害在什麼地方？禪師就是這樣用這兩個字直接點出來。凡是自認為證悟的人，對於佛法中的利與害都要瞭解，否則說他開悟了，我看後果堪憂啦！那麼光宅慧忠國師就因為這個開悟，那個大耳三藏雖然精通三藏經律又有他心通，來到他的面前竟然無有用處；明明是眞的有他心通，竟然被光宅慧忠這樣一考就否定了。諸位想想這大耳三藏當時的心情怎麼樣？人家說啞巴壓死了兒子，怎麼樣？歇後語叫什麼？有苦難言。或者說啞巴吃湯圓，心中有數開不得口；明明就知道自己有他心通，可是這時候他無法辯解，眞的無法辯解，這就是佛法的厲害。

所以你看我們出來弘法以後，那一些人不服了二十年以後，後悔了；後悔以後又講不出口，那才苦啊！後悔當初輕易批判第八識妙義。可是由他的行爲來瞭解佛法有利有害時，他其實不是得到利益，他只知道佛法厲害（嚴厲那個厲），所以佛法不是簡單的事。玄覺就問大家：「你們倒是說說看，利、害在什麼處？」這個利害也不難說，哪天要是哪個會外人士聽說了、風聞了上來問我：「利害在什麼處？」也容易答，拎著他的耳朵細聲說：「你不可以跟人家講喔！」就把他推出去！

玄覺這個拈提世諦流布，又傳到某一個僧人那裡去；那個僧人聽了，有一點好事，當然也是想要弄清楚，於是他去參問老趙州：「大耳三藏第三度不見國師，不知道國師在什麼處？」老趙州這個人不好惹，惹得起他的人沒幾個，不過就是投子大同、凌行婆那幾個人；那僧人敢上來捋虎鬚，好啊！老趙州直接答他：「在大耳三藏的鼻孔上！」好有一答！可就這個僧人弄不清楚，於是又傳出去了：「我去問了老趙州，老趙州竟然告訴我說在大耳三藏的鼻孔上，我怎麼想也想不通啊！」大家聚頭商量結果依舊沒個入處。

後來傳呀、傳的，有一個僧人聽到了，他跟玄沙師備熟，於是就去問玄沙（你看這樣繞了一圈又回到玄沙這裡來，古時禪門就是這樣。這倒有點像現在的臺灣與大陸，現在大陸風聲在傳也很快，然後不多久，我們在臺灣的事又從大陸傳回我們會裡來），那麼這個僧人就去問玄沙：「老趙州說佛在三藏的鼻孔上，那麼大耳三藏爲什麼看不見？」沒想到玄沙禪師說：「只爲太近。」眞的太近所以看不見。可是輪到我的話，這幾個僧人每一個上來我都放三頓棒。這樣到底是誰比較老婆？（有人答話，聽不清楚。）老趙州？我不老婆？我每一個人放三頓棒還不夠老婆喔？對嘛！這樣講才對，我最老婆。可怕的是，像我這樣老婆的人，三年後門前草深一丈。所以諸位看看，諸佛的密藏是不是「不可思議」啊？由這裡就瞭解了。

可是諸位不要想說：「唉呀！這些禪師好厲害。」我告訴你沒有一個厲害的，都是跟 佛陀學來的。這些禪師個個孝順得很，都是佛的孝子，因爲大家都吃 佛陀的口水長大的，沒有一個人願意捨棄。那你想，玄沙指點出來說是非常非常的近，近到無法想像的近；老趙州指點出來說：就在大耳三藏自己的鼻子上。可是爲什麼大家都無法去思惟推論而知道這個諸佛的密藏？如果是可思可議的，用那些作學問的方式來研究，那一些哲學系的指導教授們大家早就開悟了。有沒有聽說哪一個哲學系的教授對佛經所講的內涵沒興趣的？我沒聽過，不曉得諸位有沒有聽過？

依他們探討哲學的表相來說叫作眞善美，可是他們有資格談眞嗎？他們在窮究宇宙萬有的眞相，要窮究生命的本源，可是到現代爲止，有哪個哲學家探究出來？沒有。所以他們才會鼓勵說大家要有創見，一旦誰有新的見解大家就很歡喜，恭喜他。可是我們講的佛法都是老生常談，因爲都是 佛陀在經中早就說過的，沒有創見可言。我們只依循著 佛陀的教示一步一腳印去實踐，一階又一階去實證，不好高騖遠；我們就這樣證，然後就這樣子演說。所以這麼一個很簡單的事情，對於還沒有實證的人來講，卻是那麼玄妙，佛陀開示也說「不可思議」；而且我們也證實眞的不可思議，因爲用思惟想像的都不可能瞭解。

所以學術界那麼多人在研究佛學，把佛經拿來作研究，有沒有研究出結果呢？有！但結果是錯誤的。以前他們認爲是他們的研究才正確，所以寫了書，然後到佛學院去教法師們。好多糊塗大法師就派糊塗小法師去佛學院，跟那些哲學界的人士學佛法，然後回寺裡教信眾，那就是三個糊塗。因爲自認爲研究出來的那些哲學界人士自己先糊塗了，沒有弄清楚而自以爲清楚了，是第一個糊塗；然後那些糊塗大法師、糊塗小法師（至於那些信眾我就不說他們糊塗，因爲他們本來就不懂，情有可原）加進來，就是三個糊塗了。

我們看清楚了這些事，爲免大家繼續走岔路，當然要提出來講一講，所以我們就開始了公案拈提。公案拈提很有威力，所以拈提了七輯以後，沒有人再敢出來講正覺的開悟不正確的事，我也就寫不下去了，因爲沒什麼負面教材可寫了。既然人家不再說開悟的事情，咱們就網開一面，於是佛教界不就因此回歸正法了嗎？所以以後如果弟子們說：「師父！請您幫我開悟。」師父說：「你想要開悟，去正覺！」這樣他也省事，我也省事。

那麼問題來了，佛法的利、害在什麼處？玄沙這個拈提繞了一圈，又回到玄沙這裡來。佛法的利、害在什麼處呢？玄沙點了出來：「只為太近。」所以說，佛法眞的叫作「不可思議」。想想看這個不可思議，我們講這麼多東西，還沒有看見誰在打瞌睡，表示佛法是有內涵的，不是膚淺的，不是矛盾或者不合邏輯的，只是難會。因此佛法的「不可思議」是可以證實的，不是誇大之說。

這個佛法的「不可思議」，我們還說祂「寂妙」；爲什麼說「寂妙」？因爲佛法所說的內涵就是宇宙萬有的本源，寂靜而勝妙。既然是宇宙萬有的本源，也就是萬法的根本，所以在《阿含經》中說祂叫作「諸法本母」——一切諸法以祂爲本，從祂而生；祂是母親而生了諸法，所以說是「諸法本母」。既然宇宙萬有都從這個心而生，顯然這個心一定是很妙，妙到祂自己無法思議。

那麼這一個「諸法本母」出生了宇宙萬有、一切有情，講到這一句話，我還得聲明一下：「不是大家共有一個如來藏。」免得又誤會了！就像月溪法師一樣打妄想說：「有一個大我出生了我們很多的小我。」所以他死時誇大口說：「遍滿虛空大自在。」那叫作妄想。可不要有人來跟我抗議說：「你明明說祂出生山河大地，出生了一切有情，那不叫作大我嗎？」我說：「不！」祂出生宇宙萬有當然是「不可思議」的。這一個如來藏妙心又稱爲「妙法蓮華經」、「金剛經」、「此經」，祂出生宇宙山河大地時，並不是單單一個有情的如來藏心來出生，而是許多共業有情的如來藏基於共業因緣成熟而共同變生；所以三界世間一切萬有都是祂所生，這句話並無過失。

可是每一個人的五陰世間就由每一個人各自的「妙法蓮華經」來出生，因為往世的業各個不同，所以這一世出生時，大家也都各不一樣；就像一句俗話說：「人心不同，各如其面。」所以宇宙萬有當然還是「妙法蓮華經」如來藏所生。既然祂能夠出生一切萬法，祂一定是極妙極靜之心。不必說到太遠，單說各人自身好了，你打從出娘胎以來，日子一天一天過去，始從嬰兒沒有辦法翻身，到後來長大可以追趕跑跳碰，一切如意，這個變化多大！然後正年輕享受美好的青春，沒想到才過不久垂垂老矣！我有時候想，學生時代好喜歡玩雙槓，什麼前空翻、後空翻我都會；到四十歲時這個後空翻還敢作，前空翻可不敢再作了；到後來連仰臥上踢也不敢作，現在叫我跑步，我也不敢跑太久、太多步，想來眞是老了。那麼問題是誰讓我老？原來是如來藏。你看祂還眞壞，就讓我老了，可是祂不老不壞，祂不過是執行因果罷了！你該生就讓你出生，你該長大就長大，你該老就老，然後未來還要執行一件大事——就是死。

問題來了，到底祂是怎麼運作的？套一句人家推託的話：「誰知道？」眞的沒有人知道，可是祂知道。祂知道的你不知道，你知道的祂不理會，你說祂妙不妙？妙啊！你不能作的祂都幫你作，你不想作的祂也幫你作；連你沒想到的好事祂也幫你作了，所以一出生就繼承了百億財產；但祂在你出生時有想說「我繼承百億財產」嗎？沒有啊！也許出生在一個窮人家，是個窮光蛋，沒想到他到四十歲時富甲天下，又是誰幫他的？還是他的如來藏執行了因果律。那你說祂到底勝妙不勝妙？甚至於在這個世界生活好苦，所以有的人發願說：「**我要往生極樂世界，聽說去到那邊，我如果想要喝永和豆漿它就來了，我如果想要吃燒餅它就來了，我要吃什麼都有。**」可是他沒有想到說，他想要吃麥當勞就吃不到，因爲那邊不供應葷食（大眾笑⋯⋯）。

去極樂世界太好了，當他要去時，該捨報了，是誰去跟 阿彌陀佛感應？欸！是如來藏，他自己感應不到的。好了，往生到那邊去，在蓮苞中就是一個大寶蓮花宮殿，還沒有開花時，花中方圓十二由旬夠他晃的了，住在其中享受；可有一樣是他不能不享受的，就是要聽苦、空、無我、無常、六度波羅蜜多、十二因緣等。他不能不享受，這是強制享受；享受到他說：「**我要**

怎麼可以花開見佛？我不能老是住在這裡啊！」諸位想一想，如果你去了那邊，一個人住在廣大蓮苞中，雖然方圓十二由旬那麼廣大，可是四望所見（有人說話…），當皇帝？對啊！是當皇帝，皇帝不是都自稱「寡人」嗎？（大眾笑…）對啊！你就是單獨一個人，那你想會不會無聊？（有人說話…）不會喔？可見你得寂滅法了，否則一定會無聊。沒有證得寂滅法的人，一定會無聊。當他無聊時，只好聽聽看吧！看那些聲音在講什麼法？有一天想通了：「啊！一定是要我弄懂了才會讓我出去。」於是他開始努力聽、努力修，漸漸地當他可以證得初果時，或者說當他可以悟得無生忍時，花就開了，誰幫他開花？（大眾回答：如來藏。）對！所以這些都在自心眞如的運作之中。

那麼如果要講這個極勝妙的法，那可多了，講不完；因爲眞要講到完的話，我大概會收很多的科學家、醫學家當弟子，會收很多的各種專家。但是他們證悟的因緣未熟，我度來幹什麼？因此，我們就到這裡打住。我們說祂極勝妙，而這些極勝妙之法中，有一些卻不可爲大家略作敘述；那屬於實相的密意，諸位次第修學，將來實證了以後，我不必爲你說，你也會懂的；所以咱們就省事了，你不必聽，我不必說。因此，爲什麼說祂「不可思議」？

因為祂極妙，這麼妙的法，當然不可能把經典拿來研究研究、思惟思惟、討論討論就可以知道的，否則就不能叫作「不可思議」，否則祂就是淺顯的法。

諸位想想看我們弘法之前，很多道場都說：「佛法我們都知道了，就是四聖諦、八正道、十二因緣。」然後動不動就宣稱說：「我證阿羅漢果，我的幾個徒弟是三果、二果、初果等。」問題來了，當我們說了這個佛菩提以後大家面面相覷，你覷著我，我覷著你，大家相對看，無言。這還不夠倒楣，後來我又出了《阿含正義》，大家一看說：「原來我們連我見都沒有斷。」你們想，是不是很難堪？很難堪啊！但不是我給他們難堪。所以有許多大山頭、小山頭各自組成正覺法義研究小組，就把道場中菁英組合起來，大家來研究正覺的法。這是我很早就料到的，後來明確證實的有一個，有很明確的證據。

那諸位想一想，單單是二乘菩提那麼粗淺的法，他們已經弄不懂了，而這一個「諸佛密藏」遠超過二乘菩提無數倍的勝妙，他們怎麼可能理解？所以對他們而言都是「不可思議」的。但這一個法對於已經證悟的諸位來講，就可思議了嗎？也不盡然，而是思議一部分。對我自己來講呢，也不是完全能思議，也是思議一部分，只有到達佛地才能夠具足了知，所以祂眞的「不可思議」。

那麼第四個「不可思議」的原因是什麼？因爲太深，所以「不可思議」。爲什麼要這樣講？因爲知道了人家證悟的密意，並不等於就是開悟。有很多人認爲知道密意了，認爲他是開悟者，可是我不認爲。因爲如果要知道密意的話，一萬年後非常容易，你只要有電腦連上線打出「眞如」或者「如來藏」，馬上答案都有；那麼這樣知道答案是不是等於開悟了？不是啊！諸位都知道這個道理；是因爲應該有的智慧沒有出來。接著最大的一個原因是他應該有的功德受用都不存在，一點點解脫受用都沒有。

那就好像有的人拜託大學校長偷偷印一張畢業證書給他，叫作某某博士。他拿到這一張博士學位的證書了，但他是不是博士？不是！因爲他沒有博士的實質，博士要有的內涵他都沒有。那麼所謂證悟，是要對這一個法實證之前，先應該要有一些什麼條件；這些條件他都具足了，然後他如實的親證而使他應該有的智慧出生了，應該有的功德受用出現了，才能叫作「證悟」。

打個世俗法的比方好了，有一個二、三歲娃向全世界宣稱說，他在海上打仗非常厲害；為什麼呢？因為人家送他一艘航空母艦加上六十架艦載機，停在他家的港口。請問他能打仗嗎？一個只有二、三歲的娃兒，他連上去那個軍艦都爬得步履蹣跚，軍艦要點火開動引擎，他也碰不到那個按鈕，然後各個部門怎麼操作也不會，就說他是全世界最厲害的海上戰爭者；這就是一個笑話，所以他只有一個表相而沒有那個實質，說話就是假的。

譬如一個人沒有經過小學、中學、大學、碩士班、博士班的學習過程，而花錢去拿到一張文憑時，那張文憑只是個表相。雖然他擁有博士的學位，可是那個花錢買來的學位沒有名實相符的用處，因為沒有實質。所以當人家聘請他到公司來：「因為你是博士，我聘請你幫我在這一個部門作事。」結果他來到公司沒？他根本不敢來。我們假設他真的來了，當他坐上辦公室裡大字識不得一個，因為他沒讀過小學，那中學、大學都別說了，那一張博士文憑的本科他當然更不懂，那他能作什麼？真的不能作什麼，他沒有那個實質。

同樣的道理，菩薩之所以為勝義僧，一定要有他的實質。也就是說，必然要是三寶弟子；眞是佛、法、僧三寶的弟子，不是精、氣、神的弟子，更不是玄關、合同、五字眞言法的弟子。三寶是指佛、法、僧，這是第一個實質。第二個實質，在次法上有實修過來，應該有的次法已具足了，將來出世爲人說法時因爲懂得這一些次法，才能爲人演說。接著終於實證了，實證之後智慧出現了，因爲是經過參禪的過程體究出來的；最好是體究出來的過程中，有人再施加鉗鎚加以鍛鍊，那個本質很好的呈現出來，這樣說是勝義菩薩僧才有道理，否則光知道一個密意有什麼用呢？智慧也沒有，次法的功德也沒有，實相解脫應該有的功德受用也都不存在，就等於一個空殼子！如果有人花了三千萬元去買一輛銀影、或者幻影 Rolls-Royce（勞斯萊斯），手工打造的，那是眞的銀影名車；若有人說：「不用那麼貴啦！給我五十萬就好，我也給你一輛銀影，全新的喔！」五十萬元付了，哪一天來取車，上了車握住方向盤，要用腳踩，那你要不要這車？你五十萬元買那部車子，不如去買國產的車子好；二手車都行，都比它還好。

這意思是說，一定得要有那個本質，才能說是眞的悟了。可是那個本質非常深，並不是知道密意就可以有證悟的本質。知道密意的人不知道這個法的深，有這本質的人才會知道祂的深。說實話，有好多人第一次上去打禪三，自信滿滿都說「我這回上去要連過兩關」，沒想到第一關就拚了六、七次才過去，爲什麼？因爲雜質太多，我們得要施加鉗鎚。鉗鎚知道嗎？打鐵時有一支大鉗子，夾著送進火裡燒紅，再拿鎚子鎚，要去掉雜質，這叫作鉗鎚。被燒、被鎚好不好過？好不好過？有沒有人很喜歡？沒有啦！但是就像黃檗講的：「不是一翻寒徹骨，爭得梅花撲鼻香。」沒有經過這一番火熱以及徹髓的鍛鍊，不可能成爲百鍊精剛。

光去探聽到一個密意，就算聽到的是眞正的密意好了，且不說表相密意，可是沒有那個實證的本質，那倒不如不要。就像那五十萬元臺幣買來假的腳踩的勞斯萊斯，沒有辦法開上高速公路，在平地踩著都累死人了。因此必須是有那個本質，然後終於知道這個法眞的不可思議，這樣的人，我們就把他點了一滴油作記號，說這個人未來可用。所以要看本質，我們不是看誰聰明伶俐，而是看那個本質；也就是說誰有菩薩的本質，誰沒有菩薩的本質，以此區分出來看誰是應該實證、誰不該讓他得證。這意思在告訴我們什麼呢？說知道密意後一定要轉依成功了才叫作開悟。

可是轉依這個法很深，佛教界有沒有人講過轉依的？沒有。我們卻必須告訴大家，因爲《佛藏經》講的內涵，本來就是偏在這個層面。想要把握住它的精神，就得要講這個轉依是否成功的事。轉依如果沒有成功，知道密意時也只是知識。爲什麼要這樣講？因爲有的人附庸風雅，他們的想法是：「既然有人可以開悟，我也要開悟。我要知道開悟是什麼滋味，世間法我不如人家，那我在出世間法上比人家厲害也行。」心理學上叫作補償作用。原來他只要滿足心靈上的空虛，表示這種人知道了般若的密意以後不可能轉依成功。如果他哪一天來了，捧了三億美元來：「請你告訴我，我供養這三億美元。」我說：「行！」可得先寫個切結書說不許反悔，然後三億美元入帳完了，我開始向廣大眾生布施；作了大布施完成，我才要幫他開悟。爲什麼？要藉布施的福德來爲他支撐。

這個等待的過程，他要依照我的要求到同修會來上課，這樣子我拿他三億美元就沒有白拿，他將來悟了也沒有白悟，就有那個本質。如果不想要這個過程，要當場給的話也可以，先下個詛咒：「如果你毀謗我所說的，死後下地獄。」先作個詛咒。老實講，密意洩漏我不怕，因爲那是表相而已，可是眞正的本質，我並沒有給。爲什麼不給？不是不給，而是那要一點一滴的給，如果我一次全都給他，會毒死他。就好像小孩子，剛出生時不能給他吃醍醐一樣。好不容易生了個獨生子，非常疼惜，心想「這醍醐最棒了，遠超過世間最好的母乳」；他認爲遠超過母乳，因爲這是要把牛奶煉成生酥、再煉成熟酥、再提煉才變成醍醐；所以他想：「我把它弄糊了給他吞得下去。」每天只要餵他一湯匙就好，結果一個月後死掉了。他得要每天三十西西、五十西西母乳或牛奶給孩子慢慢地喝、慢慢地長大，然後再餵他喝米汁，再大一點才加上一些其他的食物打成泥，要慢慢地一點一點增長；他偏不，就像愚癡人說「大魚大肉最補了」，每天就往嬰兒嘴裡塞魚、塞肉，三天後便死掉了。

所以佛法並不是知道了就算是實證。譬如二乘菩提，我們《阿含正義》寫出去，他們讀了知道其中的道理就算證果了嗎？沒有！要付諸於實修。特別是佛菩提實修以後還得能夠轉依成功，如果沒有轉依成功，知道了密意也只是知識，不是他自己的。

那麼我們再舉出一個禪宗祖師的開示，這是 克勤圜悟大師，他這麼說：

「然以此根器，更效勤息志，到極深處無深、極妙處無妙，大休歇大安穩，不動纖塵，只守閑閑地；聖凡莫能測，萬德不將來，然後可以分付鉢袋子也。」他要把鉢袋子傳給徒弟前，設下這麼高的門檻。他給你鉢袋子是什麼意思？就是印證你得到他的佛法正宗，所以證得他的法的人，他就寫了一個「正宗記」給徒弟，誰得了？大慧宗杲得了。那虎丘紹隆是大師兄，為什麼 克勤大師不寫給虎丘紹隆？因為他是一隻瞌睡虎，無心於救護眾生，無心於輝弘正法，所以傳法「正宗記」交給了大慧宗杲。他就是依這個標準來說的。也就是說，弟子果真證悟了，可是這個人必須是菩薩根器，如果不是菩薩根器，什麼都別提；既是個菩薩根器，而且又實證了，還不算數，要「更效勤息志」。佛教中說的「勤息」是什麼？問比丘、比丘尼同修們：勤息是什麼？你們知道勤息是什麼啊！勤息就是比丘的別名，那「比丘」的意思就函蓋比丘尼。換句話說，得要是個根器，證悟了以後還得要努力於「勤息志」，勤息之志是什麼？有兩個層面，第一個層面，簡單的說就是三衣一鉢，別無所求；第二個層面，要很努力地繼續深入用功，滅除煩惱，這就是「勤息志」。這樣子繼續努力以後，到極深處而竟然無深，到了極妙處而竟然無妙。

緣何如此？因爲到了極深處時，你已經轉依成功了；轉依成功時，以「妙法蓮華經」如來藏的境界爲所住的境界，那時有什麼法很深？無一法可得了。有法可得才能說極深，無法可得怎麼可能深呢？可是偏偏就告訴你「到極深處無深」，好奇怪！其實不奇怪！他講的就是轉依成功的境界。《般若波羅蜜多經》中的《心經》，我們上回講《妙法蓮華經》最後講完了，大家一起誦過了「無眼耳鼻舌身意」，反正就是一切都無，無到後面去，最後是「無智亦無得」，菩薩正是因爲「無所得」的緣故，所以才能心無罣礙，才能得解脫，才能到達無生無死的彼岸。那麼既然「無智亦無得」，有什麼極深之法可說？所以說就要這樣轉依！轉依於如來藏時，到達極深之處，是說你通達了、轉依成功了、究竟轉依了，你卻說「沒有一法可得」，那時還有什麼法可以說深、說淺？這就是「到極深處無深」。

而且「極妙處無妙」。當你證悟了，你設身處地安住於如來藏的境界中，來看看有什麼是勝妙的？剛才我們說如來藏極妙，現在反過來告訴你說無妙，明明極妙怎麼可能又是無妙？但這個法就是這樣。這一個極妙之法，是從五陰世間實證了以後的智慧來看祂是極妙；可是祂自己不斷的在運行這種種妙法時，祂自己卻沒有妙之可言。你如實瞭解這個極妙以後，將會說原來「極妙無妙」；爲什麼呢？因爲你以祂的境界爲境界，那就是眞如的境界，眞如境界中無一法可得，哪來的妙？所以亦無妙之可言。

這時候眞的叫「**大休歇大安穩**」，這時再叫你回到世間，繼續來賺大錢，你不肯；現成的可以賺大錢機會給你，你也不要了，因爲你已經休歇了；這時心中是大安穩，對於世間的一切法純粹只是爲了利樂眾生而去作，不是爲了自己世間利益而行，因此你心中也沒什麼好牽掛的。唯一的牽掛就是眾生法身慧命能不能被自己救回來？正法能不能久住？只有這些牽掛，沒有世間法可以讓你牽掛，所以你得大安穩了！因此不管什麼樣的境界來，你反正「**不動纖塵**」，一點點的塵灰都不會被吹起來，因爲心如止水，所以這時「**只守閑閑地**」。「**只守閑閑地**」意思是說：「**你把自身內外都放下，這樣才能出離三界生死；以大乘法般若智慧作依憑而出離三界生死，阿羅漢之所得你同樣能得。**」這就是「**只守閑閑地**」之目的所在。

可是你這個境界畢竟不同於阿羅漢，畢竟不同於緣覺，所以「**聖凡莫能測**」。凡夫不能測量你，倒也講得過去；爲什麼連阿羅漢、辟支佛等聖人也不能測量你？因為這是實相法界，不是世間現象界可以憑思議觀察而得，所以那些聲聞、緣覺聖人都無法測量你的智慧。這時候「萬德不將來」，當人家問你說：「菩薩摩訶薩有什麼功德？」你說：「無功德！」也許哪一天剛好你遇見了蕭衍，梁朝那個皇帝，問你說：「我這個皇帝建了多少寺廟，度了多少人出家，有沒有功德？」你告訴他：「無功德。」當然他一定還是不會，因為他只看表相，懂什麼呢？那麼現觀一切修行善事都無功德，才是如實的轉依；有功德的都是有為法，都是世間法，就得要這樣子轉依到這個地步，這時「聖凡莫能測，萬德不將來」；到這個地步，說「我克勤圜悟的這個缽袋子可以分付給他了」。

你想這禪師狂不狂？不狂喔？他不是要求自己，是要求徒弟這樣的。那我們來看虎丘紹隆能不能符合這個條件？不能！因為虎丘紹隆沒有辦法到極深處然後變無深，他也無法到極妙處而變無妙，所以既不能大休歇、大安穩，他就只好小休歇、小安穩，一天到晚瞌睡了，空有智慧卻是一隻瞌睡虎，空有利牙不會用，所以他得不到克勤圜悟的缽袋子。因此克勤圜悟把楊岐方會的祖衣（那是三代傳下來的），分付給大慧宗杲，原因就在這裡。講到這裡，顯示轉依的成功才是重要的關鍵，而知道般若密意並不是關鍵。

接著問題來了，怎麼樣可以轉依成功？爲什麼有的人轉依不成功？因爲未到地定沒有修好。未到地定可以經由五個方法來獲得，叫作「五停心觀」。咱們正覺同修會教的是念佛觀，我們這個念佛觀深奧，對一般佛弟子而言太深，但是我們把它淺化，也開了班級爲大家教導，所以容易實修。在念佛觀的修學過程中，我們經由無相念佛的方法來讓大家把心安止下來，可以發起動中的定力，證悟了才能夠相應而轉依成功；否則知道密意時只是知識，知識不等於實證。那麼沒有五停心觀中的某一觀行實修過程發起未到地定，知道密意也沒用，智慧依舊很差，而解脫功德依舊沒生起，跟世俗人沒有兩樣，那就跟那一些佛學研究者沒有差別。所以悟前一定要有次法的實修發起的成績，也就是要在有未到地定以後證悟了，還要繼續努力轉依成功，這樣才是可用之才。

因此，如果想要瞭解與實證這個法，得要這樣走、這樣修，否則聽來聽去終究只是語言文字，聽進心中去以後只是知識，佛法的實證所應該有的功德與智慧終究不能獲得。那麼這樣來看，這個諸佛的密藏是不是很深？不但是很深，而且是太深了！眞的太深，因爲太深所以「不可思議」。這個「不可思議」法叫作「無名相法」，別名「此經」，或者叫作「妙法蓮華經」、「金剛經」。「此經」有無量名，世尊在《楞伽經》告訴我們說，這個如來藏有無量名，外道不知，說祂叫作大梵天、祖父，說祂叫作造物主，說祂叫作上帝，也有外道叫祂作冥性，有的人迷己逐物就說那是四大的功德。祂有無量名，所以禪宗祖師說祂叫作莫邪劍，有時叫作石上無根樹，接著發明出很多很多的名詞，連狗屎都拿來講，例如乾屎橛。眞的有無量無量之名，所指涉的其實就是同一個造物主。這個造物主的名字不叫耶和華，也不叫阿拉，祂叫作如來藏。而這個如來藏，人人本有，不是從外而得的；因爲祂太平凡，祂和你太近；又因爲祂極勝妙，而且祂太過深奧，所以就變成「不可思議」了。而這個不可思議的「無名相法」「非心所依」，至於爲什麼「非心所依」？且聽下回分解。

今年冬天比較涼快，往年立春以後，一次寒流一次暖，所以有人春聯上貼著「春江水暖鴨先知」；沒想到今年立春過了，竟然這次寒流反而比上回來得冷。冷的意思代表夏天來時會更熱，大家要有心理準備，希望不比去年熱。

回到我們的《佛藏經》來，上週講到第二頁第三行「不可思議」，今天要從「非心所依」開始講。爲什麼「非心所依」？這個「非心所依」講的仍然是那個「無名相法」，當然是指如來藏，諸位都瞭解；但這裡「非心所依」所講的心，卻是講眾生所知的覺知心，就是識陰六個識簡稱爲覺知心，主要是意識心；這一個「無名相法」爲什麼說祂「非心所依」？經上的所說一定不是故弄玄虛，一定是言之有物；不會是拿著箭往虛空亂射，一定有一個標的物，而那個標的物不是物，就叫作「無分別法」。這個無分別法就是第八識如來藏，是我們在《金剛經宗通》講的「此經」，或者講《妙法蓮華經》時講的「此經」，都是指這個「無分別法」、「無名相法」。這個「無名相法」太不可思議了，所以祂不是眾生覺知心之所依。

可是從實際理地來說，卻又要說祂是眾生覺知心所依；但是眾生無法夤緣於這個心，因爲眾生根本不知道這個心何在？就成爲「非心所依」。莫說一般的眾生，即使是學佛幾十年，甚至於佛門中專門學禪的老修行人，一般的稱呼叫作老參的人，包括大法師們也都還不知道這個「無名相法」的所在，如何能夠以祂作爲依止呢？所以自古以來，叢林中好多人少小出家修學佛法以後知道要參禪，可是從年輕參到老，到死爲止，都沒個消息；問他說：「你這一世出家功德很大，有沒有什麼遺憾？」沒想到他一個老和尚竟然說：「我死不瞑目。」人家讚歎他功德好大，出家一生老老實實修行，不求名不求利，功德很大，他竟然說他死不瞑目。

徒弟問師父：「爲什麼您死不瞑目？」「因爲我見不到本來面目。」所以他死不瞑目。可是我們說他死不瞑目是好的，表示他未來世會繼續參禪而有因緣證悟，因爲他不是一個粥飯僧，顯然是個參禪僧，未來世一定有希望可以實證。那你想，少小出家當沙彌，十八歲圓頂，接著受具足戒，沒幾年開始參禪，參到老死都不知道，那你想他怎麼可能以這一個「無名相法」作爲他的所依呢？所以他根本無法依止於這個「無名相法」。

然而，不能依止於這個「無名相法」，我們其實可以分成兩個部分來說；也就是說，這個「無名相法」祂的境界究竟是如何？他們完全不知道。「無名相法」其實分明現前，從來不曾有所遮隱，所以人家問禪師：「如何是佛法大意？」禪師說：「在你眼皮底下。」那這學人覺得奇怪：「既然在我眼皮

底下，我爲什麼看不見？」他就這麼問，禪師答覆說：「**只爲太近！**」因爲太近所以他看不見。每天都在他眼皮下來來去去，只是他看不見。所以我記得是老趙州說的，他說：「**有個賣私鹽漢子，每天在城門下潛過來潛過去，大家都沒看見。**」說這些守門官兵太懈怠。

現在賣鹽不必抽重稅，古時候賣鹽要抽重稅，鹽稅是國家的收入中很大宗的一部分，也許達到十分之一，甚至於三分之一的國家收入；所以古時候賣私鹽逃稅是很嚴重的事情，抓到了就是砍頭；也因爲這樣，所以才有那個鹽幫或漕幫；可見賣私鹽的漢子，人人都應該要抓他。那麼禪門中說的賣私鹽漢子是誰呢？就是如來藏，也就是《佛藏經》講的「**無名相法**」。這個「**無名相法**」每天在你眼皮下來來去去，是每個參禪者都應該想辦法找到的，結果竟然都沒看見祂。所以老趙州說這個賣私鹽漢大家要小心留意著去看祂在哪裡，表示說這個賣私鹽的漢子（也就是這個「無名相法」如來藏），祂潛行密用，大家都沒有察覺到祂的存在。

「**潛行密用**」不是我發明的，是洞山禪師發明的。以前有一位走遍全球五大洲的專門主辦禪七的大法師，解釋那個潛行密用，就說得很離譜了！我在《公案拈提》拈提過了，今天也就不再重提。但洞山那樣講，不是像那位講禪的大法師說的要求人家：「你悟了以後要默默無聞，不要讓人家知道。」如果這樣的話，六祖為什麼站出來公開說他證悟了？又努力弘揚，然後一花開五葉，不是應該讓人家都不知道嗎？大法師說：「你應該潛行密用，自己受用就好了，不要讓人家知道。」那他是要求誰別讓人家知道？他希望我不要出來弘法，別讓人家知道，他的本意是這樣子，只是沒有明講。

但是洞山講的「潛行密用」不是指證悟的這個人，洞山說的是這個「無名相法」如來藏，又名「此經」，祂每天在你眼皮底下「潛行密用」；祂偷偷地幹了很多事情你都不知道，但祂不是害你，祂是為你好，再也沒有誰比祂對你更好了，可是祂不會出來張揚說：「老兄！我今天幫忙你幹了什麼，我等一下還要幫你幹什麼。」祂都不會講，祂都偷偷幫你作，作得好好的，你根本不用去擔心祂。你也不用去吩咐祂，因為祂為你所作的事情都是暗地裡作的。但祂有時候也會配合你，可是祂的作用很神祕、很祕密，所以叫作「密作用」。

因此洞山就說祂「潛行密用」，不是在講我們悟了以後要「潛行密用」，不能讓人家知道你開悟了。如果大家都不知道你開悟了，那誰要來找你求開悟？那你正法血脈要怎麼綿延下去？豈不是要中斷了嗎？那你又如何能夠紹隆佛種？又如何能夠挑起如來家業？難道悟了以後只能隱藏起來依文解義？所以這「潛行密用」講的是如來藏，講的是這個「無名相法」，不是在講證悟的那一個人應該有的心行。那麼這樣看來顯然這個「無名相法」的境界，對於還沒有證悟的人來講，根本無法去揣摩，所以不是一般人的覺知心所依；因爲根本不知道祂在哪裡，如何能夠拿祂作依止？

又譬如從一個學佛的人來說，學佛以後說要證法身，證得法身以後就成爲禪宗說的有主之人，不再是無主之人了。所以有人來參拜禪師時，禪師就會問：「這沙彌是有主或者無主？」無主的意思就是說他沒有一個所依，他不知道自己的主人法身何在、無從依止。如果悟得了法身，也就是悟得這個「無名相法」，他心中很踏實：原來佛法如此這般。腳踏實地，不再是想像的，不再是打高空。所以證悟了以後是很實在的、很腳踏實地的。那麼他以所證悟的「無名相法」作爲所依，這跟一般學佛人不清楚法身何在、無法作爲所依，那差異就太大了。這是從「無名相法」的境界來說祂「非心所依」。

再從智慧來說。禪師參禪之前也許是一個四方聞名的講經師，是一個大座主；譬如夾山善會就是這樣，本來是一個很會講經的大法師，可是後來悟了就不講經了，顯然他比我聰明。我笨啊！所以悟了還來講經。講經最辛苦了，但他聰明，悟了以後不講經了，專門當禪師。現在有個問題：他本來是個很有名的經師，爲什麼後來當禪師當一輩子都不後悔？原因很簡單，因爲他悟了以後知道這個才是諸法的所依，這個是眞實法身，一切的智慧莫不從祂而來，所以他一世當禪師，再也不想當經師了，因此不再開座說法，後來就成爲禪宗史上有名的夾山善會。

他悟後永世當禪師，而且學人來參問，他都可以對答如流，還能爲人指示迷津；並且他還可以把悟前講的錯誤說法加以轉圜，奇怪不奇怪？只要悟了，以前講錯了的也可以變對，這就是禪的妙處啊！所以當人家提出來問：「師父您以前的說法不是這樣。」他以前是怎麼說的？他在悟前解說「無名相法」時說：「目前無法，意在目前，不是目前法，非耳目所到。」意思是法不在眼前。不論他怎麼講，講了一大堆，全都是想像的，都是依文解義想像而說的，可是人家這麼一問：「師父您現在怎麼這樣說？」他依舊開示說：

「目前無法，意在目前，不是目前法……。」等，一樣是悟前講的那個說法，解釋起來卻不同。

可是他悟前那樣講時道吾禪師當場把他笑了，所以他隨順道吾的指點去參訪船子德誠而悟入；但是他悟了一樣講這些話，再也沒有人笑他了，原因何在？因爲智慧生起了，所以他可以轉圜（這二字不讀作轉還，要讀作圓。一般人都唸作「沒有轉還的餘地」，唸錯了，要說是「沒有轉圓的餘地」才對）。他悟後依舊講那一些話，一字不易，但是他已經轉圜了，爲什麼呢？因爲「無名相法」就像他講的「目前無法，意在目前，不是目前法」，還是那幾句話。

但是他講的並沒有錯，這表示他因爲證得這個「無名相法」，所以他的智慧生起了；智慧生起時，就可以把以前講的、想像的那一些說法一轉就圓了。他怎麼轉呢？他一字不易照講一遍就轉圜了。可怪了，悟前講的是想像出來的，用禪宗的名詞堆砌出來一堆字句，被道吾當眾笑了一聲；悟後卻依然那樣講，是什麼地方轉圜了？但他確實轉圜了，天下阿師莫奈何他。這就是說他已經有智慧出生了，所以他能夠這麼作，天下所有的證悟者一聽他這麼講就說：「對了，這回講對了。」可是前後所說的字句竟然完全沒有不同。

這表示他已經有智慧生起，而這個智慧生起是依止於實證的這一個「無名相法」，所以有智慧生起。

這個智慧生起後，「無名相法」就是他的覺知心之所能依。可是對於一般學禪的人而言，對於那一些參不出來的大師們而言，這個智慧就叫作「非心所依」了。所以你看這個「無名相法」厲害不厲害？眞是厲害啊！就只因爲實證跟沒有實證的差別，夾山善會前後簡直是兩個人，眞的變了一個人，從此以後說法就像瘋瘋癲癲的禪師，可是天下所有的禪師們都認同他。所以禪門不是有一句話嗎：「還是舊時人，不是舊行履。」他悟後的說話行事就跟以前不一樣了，但依舊是原來那個人啊！爲什麼呢？因爲他證得「無名相法」以後，他的智慧生起，轉依成功了。

所以這「無名相法」就是諸佛的寶藏，因此《佛藏經》特地要講「無名相法」，因爲一切世出世間法莫不函蓋於這個佛藏之中，這個「佛藏」在這一部經中就叫祂「無名相法」，這個「無名相法」就是諸法的實相。爲什麼稱爲諸法的實相呢？因爲世出世間一切法莫不從祂而來，所以祂是諸法的實相。這個諸法的實相，在《金剛經》、在《妙法蓮華經》中都說祂叫作「此經」，《妙法蓮華經》中還說祂叫「妙法蓮花」，因爲祂沒有名相，不是眾生心之所依，只有實證以後才能夠依止於祂。

可是話說回來，我反過來說，不論眾生悟了或者未悟，不論眾生在天界或者在三惡道，這個「無名相法」都是一切眾生心之所依。也許有人第一次來聽經，心想：「啊！你這個蕭平實竟然敢跟佛的聖教打對臺。」我說：「不。」不是打對臺，而是延伸而說，或者像另一個名詞叫作演繹。其實一切眾生都依於此心而存在，但不知道此心何在，也不知道自己都依於此心。因爲，如果沒有此心作爲眾生的所依，眾生早就不存在了。可是眼前明明看見眾生存在，就表示這一個心成爲眾生心之所依；如果眾生不是以此心作爲所依的話，沒有辦法在人間生存，給他賺得全世界也沒用，因爲他已經沒命了。

如果不是這個心作爲眾生心的所依，因果律也不會存在了；地獄眾生希望變成斷滅空，再也不要自我繼續存在；可是偏偏他們會繼續存在，受不了那種極重的痛苦，死了以後，業風一吹，又活轉過來，立刻又繼續受苦，他們的「無名相法」就作爲地獄一切極苦眾生的所依；但只能夠說不是覺知心認知的所依，因爲大家都不知道祂的存在，而地獄極苦眾生的覺知心也是從這個「無名相法」出生而存在的。但是話說回來，我說的這個意思跟 世尊的聖教並沒有矛盾，因為 世尊這裡「非心所依」的意思是說眾生都不知道這個「無名相法」何在，所以他們的認知都無法依止於此心，都無法觀察這個「無名相法」的境界，也無法依止於這個「無名相法」，因此無法生起學佛所想要獲得的智慧，所以說祂「非心所依」。因此我這個說法並沒有矛盾，我只是把這個道理降低層次，從世間相來說這個「無名相法」的眞實存在。如果沒有這個「無名相法」作為眾生的所依，那麼因果律就不存在，三界也就無法建立，就會變成斷滅空。在法的修學上來說這個「無名相法」「非心所依」，是說一切未證悟者無法依於這個「無名相法」來觀察祂的境界，來生起自己的實相智慧，但是眾生卻不能夠外於這個「無名相法」而生死流轉。

接著說「無有戲論」。說到「無有戲論」當然先要來談「戲論」兩個字。什麼叫戲論？在世間法也常常有人在討論事情時，老是有一個人講一些跟討論的事情無關的東西，人家就會罵他：「你老是言不及義。」問題來了，到底什麼叫作「義」？從世俗法來講，就是他說的都沒有跟所討論的題目相呼應，都不切題，所以說他言不及義。又如臺灣南部鄉親們會罵：「你老是講那些五四三的。」意思就是說人家討論這些事情，他不在這些事情上面來討論，卻老是牽扯一些枝枝葉葉不相干的事情，所以罵他「講一些五四三的」。

世俗人講的言不及義，其實是從佛法中借用的；中國文化中從佛教借用的名詞非常多，甚至於有一個好名字現在也變成壞名字了，譬如「金蓮」，金蓮本來是很好的名字，因爲金蓮是諸佛菩薩之所乘坐、之所立足之處，但後來有人寫了部小說主角叫作潘金蓮，於是金蓮這兩個字就被弄壞了。從佛法中借用的名詞非常多，你要眞正去統計的話可得要費不少時間。言不及義的道理也是一樣，只要有人所說的法沒有觸及到第一義諦，我們就認定他言不及義；那麼如果是在二乘法中他所說的法沒有觸及解脫道的實質，也說他言不及義，但已經不是大乘法中說的言不及義了。也就是說，在佛法中凡有所說，應當要說到第一義諦，這樣才能稱爲言而及義。

言而及義的另一個代名詞就是「無有戲論」這四個字，所以如果在演述佛菩提道時，他所說的無法觸及到第一義諦，那他的說法就叫作「戲論」。「戲論」瞭解了，接著我們要來說「無有戲論」這四個字了。爲什麼說這個「無名相法」「無有戲論」？這就是說，一切世間語言文字之所表達的內涵都不能到達第一義諦，因此那一些語言文字全都稱之為戲論。而這一些戲論都不在「無名相法」自己的境界中，所以祂的境界是沒有戲論的。

有一些學佛人他們自稱為學佛，其實不是眞學佛；因為他們一天到晚想著明天去哪一家素食館，後天再去另一家；不但如此，而且他們堂頭和尚自己書中都說了，說這位大護法有時候打電話給另一位大護法：「明天早上三缺一喔！」還要打麻將欸！那你說這樣叫學佛嗎？那只能叫作「信仰」啦！信佛而在行善的人不是眞學佛，因為沒有眞正在學。這一類人所說當然都是戲論；包括堂頭和尚說的也是戲論，咱們就不提她。

就來談談專門在幫人家打禪七的出家人。有法師自己也許沒有道場，專門為人家主持禪七。臺灣也有這樣的法師，也會有人請他去主持，眞的是天下奇觀。但不管是當代的哪一位大禪師，講來講去、說禪寫禪印禪的書本到處流通，可是其中所說的內涵，有沒有觸及到第一義諦？也就是說他的內涵有沒有觸及到「無名相法」第八識？答案是沒有。既然所說都沒有觸及第一義，都只在識陰的境界範圍之中，都在這個意識心有沒有離念上面用心，全部都是以定為禪，那麼他們的所說，他們的所寫、印出來流通的書，都叫作

「戲論」。這一些「戲論」之言，完全無法觸及第一義諦；也就是完全沒有講到這個「無名相法」，所說都不是第一義諦，與佛菩提眞實義不相干，那就叫作「戲論」。

可是說完別人也得看看自己吧？那我們正覺出了這麼多書、講了那麼多的法，都在講這個「無名相法」，有沒有講到第一義諦？有！是不是「戲論」？不是！那是從你實證者的角度來說祂不是「戲論」，可是換一個角度，換一個立場，從「無名相法」如來藏自己的境界來說，我們正覺所有的書本、所說的法是不是戲論？（大眾說：是！）是啊！諸位厲害！敢答是。如果換了外面的人來聽我講經，這時一定不敢答「是」，對不對？因爲你們很清楚。這是因爲諸位都知道，如來藏自己的境界中連一個字、連一個聲音都不存在，怎麼可能有你書中寫的現在一百多冊那麼多的字？怎麼可能有你每週二在這邊講這麼多法的聲音？當然都是戲論。可是你證得這個「無名相法」以後，說出來、寫出來、告訴人家的法義，就叫作第一義諦。但是第一義諦不是「無名相法」自己的境界，祂不理會什麼第一義、第二義，祂全都不理會；需要理會的是你，實證了這個「無名相法」的你要去理會第一義諦；所以從祂的境界來看你所說的第一義諦，乃至諸佛所說的第一義諦也都是戲論，因爲祂的境界中沒有這一些東西。

也許有人今天第一次來聽經，聽了以後心想：「對嗎？」那我建議您回去以後好好把《心經》再誦一遍，誦到後來你會發覺說《心經》竟然講說「無智亦無得」；第一義諦是智慧呀！可是《心經》又明明告訴你「無智亦無得」，這不就印證我說的道理了嗎？也就是說從祂本身來看，不管諸佛菩薩之所說，不管凡夫或證悟者說的全部都是戲論，因爲祂離見聞覺知，言語道斷，所以從祂的境界來看一切諸法時莫非戲論。

但是從一個想要實證而在參禪或學佛的人來說，前輩實證以後所說的言語和書籍都不是「戲論」；可是等你實證了以後，改依止於「無名相法」自己的境界，來看實證者的所說乃至諸佛菩薩的所說，全部叫作「戲論」，所以說這一個「無名相法」自己的境界中「無有戲論」，一絲一毫都不存在，因此世尊開示說：「非是戲論所可依止。」一切的戲論都無法依止在「無名相法」的境界中存在。因爲「無名相法」的境界中沒有任何語言文字，任何言語之道，只要來到「無名相法」的境界中全部消失了。既然如此，任何「戲論」又豈能依止於「無名相法」的境界而存在？

可是從另一個方面，我又要說了，一切戲論都依止「無名相法」而存在。禪師都這麼幹的啊！所以某甲禪師這樣子說了以後，同樣是證悟的某乙禪師竟然把他顛倒過來說，第三位同樣證悟的禪師卻又說：「他們兩個都對，請問你：問題何在？」禪師就是這樣啊！也就是說一切人所有的「戲論」，如果不是因爲這個「無名相法」，根本不可能有戲論可以發起。「戲論」之所以發起是由意識心，但意識心之所以發起「戲論」，是因爲祂藉著意根、藉著「無名相法」，也藉著所有的六塵與前五識，去作各種的觀察，與人家接觸或者自己思惟，所以祂發起了很多的「戲論」；可是這些戲論的由來都歸之於意識心，但是意識心發起戲論的根據卻是前五識、第七識以及六塵；可是這一些法全部在十八界中，而十八界法都從「無名相法」而來。那請問這戲論是不是依於「無名相法」而有？不能不依啊！因爲假使沒有「無名相法」，連意識都不可能存在了，何況能有戲論；所以我又反過來說「一切戲論」所可依止。

但是經文說的跟我說的立場不同，也就是說經文是從「無名相法」自己的境界來說，所以不是「戲論」所可依止，那原因何在？世尊就畫龍點睛點了出來「無覺無觀無有所攝」。諸位可以想像一下，假使有一個法，不管那個法叫作心或者叫作物，假使有一個法是「無覺無觀」的，祂會不會有「戲論」？石頭無覺無觀，樹木也無覺無觀，它們不會有戲論；所以哪一天石頭跟你講話，你會嚇死了；樹木跟你講話，你就準備要把它砍掉，因爲你會認爲這是妖怪。假使有一天你去到醫院，有一個病房住的都稱之爲植物人，因爲腦死了；（其實大部分的植物人不能稱爲植物人，他們是知道你在說什麼，他聽得見而懂得你的意思，只是無法表示意思，那不能稱爲植物人，醫師亂判定是不對的。只有腦壞掉了而使意識無法現起了，才能稱爲植物人。）既然被定義爲植物人，在他的勝義根還沒有恢復以前，還沒有被修復以前，他有沒有「戲論」？眞的沒有「戲論」了。

如果他有「戲論」，你就會很高興：「好啊！你終於醒過來了。」對不對？醒了才會有「戲論」。活著的人睡覺，有時有「戲論」，例如作夢就是「戲論」；可是如果有一個心法是「無覺無觀」的，既然「無覺無觀」就不會有「戲論」，爲什麼呢？因爲祂對六塵「無有所攝」。「無覺無觀」就表示祂對六塵境界都不攝取；既然對六塵境界都不攝取，祂當然就不會有戲論。你們不管有沒有找到這個「無名相法」，至少對自己的十八界都有所瞭解，無妨來觀察看看：假使咱們五陰十八界這個自我是離開覺觀的，想想看這時會不會有「戲論」？不可能！不說睡著無夢時，也不說悶絕時，就說進了二禪等至位就好，依一般學佛人的層次來說，進了二禪等至位就沒有「戲論」了，為什麼呢？因為離開五塵的覺觀了。可是如果要講到微細的「戲論」其實還是有，因為意識還在那邊觀察二禪等至位的定境狀況，所以那還是有「戲論」；只是對一般學佛人來講，方便定位說那已經沒有「戲論」，因為沒有語言文字了，也不攝取五塵了。如果攝取五塵時，即使你修得這個思惟觀或者看話頭的功夫，你還是可以分別；雖然你心中沒有語言文字，但是一樣可以分別青白赤黃，善惡好壞也都能分別出來，所以你無妨看著話頭、沒有任何的語言文字，繼續在路上行走仍然很安全，因為你攝取了五塵，是有所攝；有所攝，你對外境景象就分別完成了，分別就是「戲論」。

但是這個「無名相法」「無覺無觀」，連定境法塵祂都不攝受，所以祂「無有所攝」，既然是這樣，當然沒有任何「戲論」。這樣講起來這個「無名相法」

顯然很玄喔？所以禪門就叫作玄門，玄之又玄。可是等你證悟了，那牆壁上某某大師以前幫你寫的斗大的「禪」字，回家一見便扯下來燒掉，再也不覺得它有什麼禪味了。因爲禪味，是沒有悟的人才會覺得有禪味，悟了以後沒有禪味；因爲參禪所證入的無境界的境界，你已經清楚分明，還有什麼禪味可說呢！也就是說，你已經知道「無名相法」自己的境界中，沒有任何的意味，也沒有任何的韻味，什麼味都沒有。什麼味都沒有，好不好？好！但是爲什麼老婆煮出飯來，嫌那盤菜太淡，都覺得不好吃，就說：「欸！妳今天煮得太淡了。」還能說好？

但是話說回來，還眞是「好」。就因爲你實證了這個「無分別法」以後，知道祂的境界中沒有任何世間味、出世間法味可說，從此以後你說出來的禪語、禪話，人家聽起來就好有禪味！因爲沒有禪味了，所以你說出來就有禪味。所以有人說：「自從讀了蕭平實寫的《公案拈提》以後，別人講公案都讀不下去了，都沒有禪味。」原來蕭平實寫的有禪味，可是從蕭平實自己的境界來看時卻沒有禪味，因爲「無名相法」自己的境界「無覺無觀無有所攝」，什麼都沒有所攝，正因爲這樣所以智慧生起來，講出來的禪理，人家就說很有禪味，可是自己沒有絲毫禪味。這就是「無名相法」之證與未證的差別。

接著說：「不在於心，非得所得；無此無彼，無有分別；無動無靜，本來自空；不可念，不可出，一切世間所不能信。」先來講八個字「不在於心，非得所得；」爲什麼 世尊特地要說「不在於心」呢？這是非常老婆的說法，諸位可以觀察看看，正覺同修會弘法之前的那一些所謂證悟的「聖者」們（要加個引號），他們說的開悟明心是要怎麼樣悟？他們說的不管有多少種說法，都歸到於心；什麼心？覺知心。所以有的大師教導說：「要好好打坐，不要生起妄念；妄念來了不理它，不要隨它而去；它來了就讓它過去，不理它，然後自己把握自己，不要跟它去，能夠這樣就是開悟了。」好！日本也有大師這麼說：「每天只管打坐，坐到煩惱都不見了，什麼都不思不想，好歡喜喔！心花兒朵朵開啊！」然後說：「欸！恭喜你見性了。」這是不是都在心上作文章呢？對啊！都是在自己的覺知心上面用功。

但明明佛法講的就是心啊！可怪的是 世尊告訴我們說「不在於心」。其他的先不再談，講一個最直接的；有一個大法師教人家：「你打坐時什麼都不要想，往自己的覺知心這樣一直觀下去，越深入越好。一直觀下去，觀到後來一切都空，只有心存在，這個覺知了了分明時，這樣就是開悟。」那他是不是在覺知心中？是啊！所以講來講去都在心，可怪的是 世尊現在竟然告訴我們說「不在於心」。

禪門不談，就談佛學泰斗好了。臺灣有個法師被尊稱佛學泰斗，雖然他那個斗是已經被我們把他翻過來了，結果其中空無一物，現在不談這個。這位泰斗說的也是在心，還是意識心。他把意識心再細分出來，叫作細心，他有時又稱之爲「細意識」；那麼細意識是不是意識？是！有沒有覺知？有！而他講的細意識是什麼？是直覺。他認爲：「你們禪宗開悟就是離念的境界，是了了分明離念靈知，就是直覺啊！那我乾脆直接敞明了說，開悟就是證得那個直覺的境界啦！」所以他判定中國禪宗的禪，所悟就是直覺。

問題立刻來了：如果是直覺的話，禪師那一些神頭鬼臉的調子可都錯了。禪師那樣爲人入泥入水撒土撒沙，弄得自己滿身泥濘，他們都不後悔，難道只是爲了這個直覺嗎？顯然不是啊！而且，如果禪宗悟的只是直覺，那麼三乘菩提諸經能否印證呢？答案是「不行」。《維摩詰經》一請出來：「法不可見聞覺知。」這一下就死掉了，因爲印證不得了。所以我們說他死於句下，一句話就把他弄死了！也就是說，不管是直覺或者後知後覺，其實都叫作不覺，因爲這全部都是錯覺。上自佛學泰斗，下至他的所有門徒門孫，全部都是錯覺。只要一絲一毫落在識陰上面，或者落在意根上面，我們就說他們落在「心」中，那樣的所證與「無名相法」完全無涉。

所以 世尊告訴我們「不在於心」，是要我們離開眾生所知的心，而去尋找另外一個「無名相法」，又稱之爲眞如，或稱之爲如來藏，或者叫作「妙法蓮華」、「金剛經」，祂不能是在這個覺知心中去把祂找出來的。所以凡是有大師教導人家要從覺知心中去找出其中的一分，說那個叫作眞實法，那他說的就叫作「戲論」，言不及義。所以不能想要從自己所知的心、眾生所知的心中去找到佛法，因爲 世尊告訴我們「不在於心」，祂是個無名相之法。

世尊又說「非得所得」。既然叫作「非得」，爲何又說「所得」呢？好像很矛盾，其實不矛盾；如果有誰說大乘經典互相矛盾，那我們就說是他自己矛盾，因爲從實證的人看來都沒有矛盾，從佛菩薩看來全都沒有矛盾；法爾如是，法爾如然，永不改變，不能逾越或演變一絲一毫；因爲這是法界的實相，怎麼可能讓人家改變或者演變呢？凡是實相，一定是無始劫以前到現在都不改變；從現在到未來無盡的無量劫以後也是不改變，這才能叫作實相！

可是有一個糊塗蛋活到一百零一歲死掉的佛學泰斗，竟然說大乘佛法如何演變出來的；假使他所說是真，那麼大乘佛法所證的就不是實相了，可是大乘佛法所證的明明都是實相啊！實相是不可能演變的。他去把部派佛教那一些聲聞人揣測大乘法的說法，被實證的菩薩們指戳了以後，一代又一代不得不持續演變的事情，拿來套在大乘法上說，套在菩薩頭上說。可是菩薩們所說，從佛世以來直到二十一世紀的今天都沒有改變，同樣是這個如來藏「無名相法」。他如果要說大乘法有沒有演變，他應該要用菩薩們的所說來比對、來求證有沒有演變，不能把修學二乘法的凡夫論師寫的論當作是菩薩寫的論，來指責大乘法有所演變。就像不該把殺人放火的惡人說的話，拿來說是這個大善人、大員外講的話；但釋印順正好就是這樣，所以我說他這個人居心叵測，老是對菩薩們栽贓嫁禍。

現在話說回來，「不在於心」的這個法「非得所得」。也許有人說：「我來學佛法就是要得佛法啊！你幹嘛說得到佛法是沒有得？那我來這裡學法是要幹什麼？那我不就落空了嗎？」可是，我還是要告訴大家，如果你來學佛時，所得的不是你家本有的寶貝，而是從別人那兒得來的，那表示你得到的那個東西是藉著種種因緣才得到的，將來那些因緣會有散壞時；當因緣散壞時，你得到的東西也就會失去了。如果是你家本有的東西，那麼你挖了出來，那些寶貝全都是你的；即使是夜明珠價值連城，也沒有人敢說話。可是如果是從別人家挖出來的，雖然有的人跟你說：「恭喜，你很不錯，很好很好，得到了這個大寶貝。」可是哪天主人聽到了來跟你要，你還得還給人家。所以說「從外而得，不是家珍」，要自己家裡本來有的珍寶；人家諸佛菩薩只是當老師來告訴你：「你要怎樣把自家的寶藏找出來。」當你找出來時是你自家的寶藏，你盡管受用，沒有人可以說話，也沒有人可以來要走，因為是你家裡本來就有的珍寶。

如果哪一天有個善知識來告訴你說：「你家庭院埋了兩噸的眞金。」那你去挖出來，到底是有所得或無所得？無所得？無所得？可是你本來明明沒有啊！那是有所得嗎？但那本來就是你的啊！到底是有所得還是無所得？正是世尊講的「非得所得」。同樣的道理，這個「無名相法」各個都在你們自身之中，不在外面；不要像達賴喇嘛胡扯說是在虛空，就在你自己身上，不在別處，不要往外去求。既然在你身中，顯然祂本來就是你的。也許有人心中打個妄想懷疑說：「眞的嗎？」那我就先作個預告：有一天你找到自己身中的「無名相法」時，你會確定這不是別人放在你身上去的。

又不是放符仔（閩南話）！對不對？放符咒，那是惡心害人。我曾經被人講過一次。我們最早期有一位師兄愛打坐、愛境界，開著計程車不論到哪裡去，沒事他都打坐。有一天人家招了他的車去掃墓，他得等到傍晚送他們回去。人家在掃墓，他就在車上打坐。打坐後送人回來市區時，來到保安街，對街有人跟他招手，他一繞過來，人怎麼不見了！就在此時他被纏上了。後來送進榮總長青樓的五樓。現在長青樓有沒有這個病房我不知道，那個時候是有。我爲了要救他，每天早上去看他，大概都在十一點鐘左右，那時麻醉藥已經快要退了，可以交談，所以我去跟他談；都跟他談五陰十八界的生滅性，從頭跟他講起。

好像是到第五天或是第四天，有一天要上去五樓，在電梯間遇到一個女生長得還滿莊嚴的，她問說：「你是不是蕭老師啊？」我說：「是啊。」她就跟我說：「你若有放什麼給他，就請你把它收回去（大眾爆笑！）。」意思說我如果在他身上放了什麼符咒，就請我把它收回去。我告訴她說：「我們不搞什麼符籙，我們只是純純粹粹學佛法。我們不打手印、不唸咒、不作法會，這是他本身的知見出了問題。」當然我一點點氣都沒有，因爲我這個人怪的就是不會因此生氣。然後繼續每天去跟他開示。

進去管制區以後每一次我在病床旁，跟他坐在病床上說法。那時有一個病人每天會來找他：「臺北市長候選人，拜託拜託投我一票。」他會聽我們那位同修說法，他都叫那位同修「師父」；後來我去跟那位同修開示，就變成了「大師父」。但他看見我時就會一直跟著我，我想這樣沒辦法講話，因爲他一直插嘴；我只好把那位同修扶著走路一面說法，因爲麻醉藥還沒全退，走路時有一點顚，我得扶著他。就來來去去，一面走一面講。七天後精神科醫生就要勘驗他有沒有回復正常，才好確定是否該出院了；但是對談了以後，精神科醫生說：「你講的什麼內容，我都聽不懂。」我們那位師兄說：「你講的我都懂，我講的這個你沒有實證就不會懂。」可是對談完全都正常了，精神科醫生也挑不出他任何毛病，因爲他只是一時被鬼神著了而已；鬼神抵抗不了麻醉藥只好走了，因此七天就出院了。

所以我也被人家講過一次：「你若有放給他什麼，請你就把它收回去。」等你哪一天實證了以後，你來看看你所實證的這個「無名相法」是不是誰放到你身上去的？你會發覺根本不是從外而有，而是自家本來的寶藏。既然是自家本來的寶藏，諸佛菩薩來教導施設種種方便善巧，讓你實證；實證了以後，是你家本有的寶藏，你不能夠說你有所得啊！因爲是你本來就有的呀！就好像說，有一天也許你出門去，那麼父母親怕你迷失了沒有錢可用，在你的厚棉襖中縫了一顆珍珠，告訴你說：「你有這個珍珠，萬一有事可以拿出來用。」可是你忙到忘了，怎麼想也想不起來有這個東西。有一天終於想起來：「我好像有，因爲人家告訴我說，我媽媽臨行前幫我縫了一顆珍珠在大棉襖中。」可是找來找去找不到。後來人家告訴他說：「你不要在棉襖表面找，再怎麼找也找不到；你就一個部分一個部分去把它捏捏看。」後來終於捏到了，有了，有了！線拆開來一看，眞的有寶珠在這裡。那他有沒有所得？沒有啊！因爲這是他自己本來就有的。這道理在《法華經》中講過了，是他本有的，所以沒有所得，叫作「非得」。

可是雖然「非得」，但是在他找出來之前，能夠受用嗎？他沒辦法拿來受用，必須要找到了以後才能夠拿出來受用。同樣的道理，你在佛法中修學，得要實證了自己這個「無名相法」，然後每天可以受用祂。眞的每天在受用祂，眞的可以受用祂。那你每天受用祂以外，智慧也不斷地生長，也是受用這個智慧。可是到底你有沒有所得？依舊沒有。因爲這是你家本有的寶貝：非從外得，非從外來，是你本有的。可是你沒有得到之前、沒有找到之前，你又沒辦法生起智慧，所以你也不能夠說沒有所得。結果就是在沒有所得之中就這麼得，所以叫作「非得所得」。

接著又說「無此無彼，無有分別」。很多道場一向都說：「證得這個法是無分別法，所以大家不要分別，都不分別時就是證得了。」以前我們弘法早期，會外還有人寫信來要求我不要分別，他說：「你不是證得無分別法嗎？怎麼一天到晚都在分別人家，那你這樣算什麼開悟？」欸！講得還眞振振有詞。所以我說他們眞的是誤會到很嚴重，因爲這個「無分別法」是修學佛法的人要去實證之標的；這個「無分別法」是被證的法，而我們要去證的這個人，依舊是有分別的，是要用有分別的我去證得另一個無分別的本來面目；證得無分別的本來面目時，無妨自己繼續能夠分別，並且能夠分別得更好，知道了實相境界，就被稱爲證得「本地風光」。意思就是說，其實佛法的見道稱爲證眞如，或者證得「金剛經」，證得「妙法蓮華經」，證得如來藏、阿賴耶識，不管叫作什麼，反正就是開悟明心啦！

開悟明心所證得的眞心叫作如來藏，在《佛藏經》這裡叫「無分別法」、「無名相法」。這個「無分別法」本身不作任何的分別，所以《維摩詰經》中告訴我們：「法不可見聞覺知，若行見聞覺知，是則見聞覺知，非求法也。」不但如此，《大寶積經》中也說到 世尊的前身，那時叫作大精進菩薩；他爲了要出家修行，結果父母不讓他出家；後來他開始絕食，絕食到後來看看都快沒命了，父母只好答應他出家。他養好身子以後出家，帶著一幅佛像，到了山林曠野之處，把佛像掛在樹上，他就開始思惟：「如此畫像，非見非聞非嗅非嘗非觸非知、非出息非入息，一切諸法亦復如是無有知者。」他想：如來實際亦復如是，無出息無入息。很奇怪！對不對？你如果不是證得這個「無名相法」，這經文根本就讀不通啊！竟然有佛法是這樣學的！可是他明明是 釋迦如來的前身，也眞的悟了。

他看著那一幅佛像說：「猶如這一幅佛的畫像，這個畫像沒有見聞覺知，如來的實際也是一樣。」然後又想著：「猶如這一幅佛像一樣，沒有見聞覺知無覺無觀，如來的實際亦復如是無覺無觀。」好奇怪！如來怎麼無覺無觀？如來又不是無情，可是明明經文就是這樣講的。喔？好奇怪。《大方等大集經》中還講什麼？講「無覺觀者名爲心性」，說沒有覺觀的那個才叫作心的眞實性。如果不是證這個「無名相法」，這些大乘經典根本就讀不通啊！

所以當你證得這個「無名相法」時，這些你就通了：「法不可見聞覺知。」對啊！眞實法眞的不可以有見聞覺知，否則就天下大亂了。等一下又翻過來說：「知是菩提，了眾生心行故。」眾生想什麼祂都知道。但馬上又翻過來說：「不會是菩提，諸入不會故。」對啊！祂眞的諸入不會，眞的不知啊！那麼你如果不是證這個「無名相法」，怎能理解這一些經文到底在講什麼呢？所以你要證得這個「無名相法」，祂不在六塵中了別，六塵境界祂都不了知，完全無知，可是你在想什麼祂都知。但是祂雖然知，卻不是六塵中的知，因爲祂也不知道祂自己而你知道自己；祂也不知道自己知道而你不知道，可是你想什麼祂都知道。這樣繞口令，這可怪了！但是祂就是這樣。祂不在六塵中作任何了知，但是六塵卻是祂供應給你的；你所接觸到的六塵刹那刹那的變化，祂也跟著剎那剎那變化給你，那你能說祂全都無知嗎？無知就不可能如此，所以祂明明是有知的。可是祂的知，不了別六塵；既然不了別六塵，就表示祂的心性是「無此無彼，無有分別」。

諸位可以觀察一下，一切有情在三界境界中的所有分別，能不能離開六塵而存在？假使你離開六塵，能不能分別？（有人答話，聽不清楚。）是你們說不能，可是大師們一定說：「能啊！你看我現在完全沒有語言文字，完全離念，可是我依舊了了分明而無分別。」這是大師講的：清清楚楚明明白白、了然分明而無分別。都不知道自己打了嘴巴，竟然連痛都不知道痛。不知道痛，有一個名詞叫作痲木不仁。既然了了分明，那就是分別完成了，竟然說：「我了了分明而不分別。」當他不分別時還能了了分明？這些人國文應該打零分，因為語意學上也不通，從實證上面來講更不通。

當你說是了了分明時，表示分別已完成了，怎麼可能「無有分別」？只要落在六塵中就一定有分別，只是那個分別粗糙或者微細的差別而已；覺知心沒有語言文字時，分別的作用還是存在的；假使說沒有語言文字時就是無分別，那乾脆去拜阿貓、阿狗為師還修得快一點，因為牠們從生至死都沒有語言文字，顯然牠們的「無分別」境界修得最好。牠們一出生就沒有語言文字，到死還是沒有語言文字，顯然牠們修行比末法時代這些大禪師們更好，可是牠們顯然都沒有智慧，而牠們沒有語言文字之時不也是照樣分別嗎？

所以你們看見那些野狗，一條凶猛的狗來了，群狗之中有的夾起尾巴來，表示臣服；有的搖起尾巴來表示討好或歡迎。牠們有沒有分別？有！但牠們覺知心中都沒有語言文字。如果沒有分別，怎麼會有那些不同的反應？野狗群看見一條猛狗來時，反應各個不同，那時要叫作「狗之不同猶如其面」；牠們臉上的表情都不一樣，可是牠們都沒有語言文字，而分別都已經完成了。所以凡是落在六塵中、住在六塵中就一定有分別。

可是「**無名相法**」不住在六塵中，當然就不可能有彼此的分別。有彼此分別的境界，首先要有色塵，才能看出來這是彼、這是此，你、我、他就這樣分別出來。那嬰兒都還不會講話，他就會分別了；所以陌生人來了，他就害怕而哇哇大哭；他都不會講話，連媽、爸都叫不出來，可是父母親來了抱了，他就停住不哭了。

也就是說，只要有「見」，見就是分別。可是「見」細分下來，從色塵、聲塵，香、味、觸乃至法塵，對這六塵作了分別都叫作見，所以稱之為「見分」；舉凡能對六塵分別的就叫作見分。既然有見就已分別彼此，就有彼有此。譬如不面對有情，改為面對法時，說這個法是我現在正在學的，我現在正在想一個法，那個法是我想的法，我想的法就是彼，我在想這個法時這個我就是此。即使住在定境的法塵中都有分別，譬如有人修得四空定，住在無色定中，就有定境中的法塵；他對定境中的法塵作了了別，所以他才能夠安住其中。他這樣安住在定境法塵中，表示他在其中仍然有分別，有分別就有彼有此——是我住於這個定境中。雖然都沒有語言文字，依舊是有分別，依舊有彼此，有彼此就是有分別。可是這個「無名相法」無此也無彼，祂永遠不分別，原因何在呢？前面已經告訴大家了「無覺無觀無有所攝」。

凡是有覺觀的就有分別，可是如果離開覺觀就不可能有分別；諸位也許明天早上上班前在佛堂中坐一下，五分鐘就好，試試看覺知心的自己有沒有辦法離開六塵？如果你作得到，只要一秒鐘就好，我就拜你為師，請你教我，因為那是作不到的事。當你覺知心存在時，就一定有六塵，至少要有法塵。即使你離開了外五塵，你住入二禪等至位中，也還有定境中的法塵，那是因爲覺觀而來。二禪等至位中雖然已經沒有五塵的覺觀，可是對於定境中的法塵仍然有所了知；這時就產生此與彼的相對狀態，那就是有分別。可是「**無名相法**」沒有彼此，因爲祂離六塵境界中的一切覺觀；祂不了別六塵，六塵對祂而言，只是一個本能的作用；你的六根面對六塵時，祂就依於六根所接觸的外六塵反應出內相分的六塵給你覺知心。就好像鏡子一樣，鏡子不了別那個影像，了別影像的是人；同樣的道理，祂不了別你的六塵，可是你的六根攝受外六塵進來，祂就如實反應出內相分的六塵給你覺知心去了別，而祂自己不了別六塵。既不了別六塵，就沒有彼此可說，就如實顯示出祂是無分別的。

接著說「**無動無靜，本來自空；**」有動有靜都是因爲對六塵有所了別，所以才產生動與靜的差別；如果離開六塵境界，你有沒有辦法去分別出來這個叫作動、那個叫作靜？不可能！譬如一個物體正在滾動，你如果沒有看見就不知道它在滾動；對於一個瞎子，我們可以告訴他去體驗什麼叫作滾動，於是拿一個木棍放在一個斜斜的木板上滾動，讓他去摸，他雖然沒看見，但他經由觸覺而了知：「**原來現在在滾動。**」如果你把它放平了，他一摸：「**怎**

麼不滾動了？」沒看見也可以知道有無滾動。那個木棍的靜與動他可以經由觸覺去了別。那麼經由聲覺行不行？行啊！滾動時讓他去觸摸，知道這是滾動，他會同時聽到聲音；以後他聽到同一種聲音時，就知道這時候有棍子在滾動，那就有動相了。後來滾動到地上不動了，聲音停止時他說：「現在安靜了。」就是靜相。聽聲音也行啊！

所以動靜之相其實不離於六塵，離開六塵時沒有辦法瞭解動靜之相。閉起眼睛來打坐：「現在很清靜，但是有人點了上好的沉香。」那香味飄來時，覺知心有沒有動？有啊！爲什麼動？因爲知——知道那是沉香。都沒有語言文字，但已經知道了，知道就是心已經動了，這表示鼻識動了，覺知心意識也動了。稍過一會兒如果香味過去了，他就知道：「香味消失了！」這也叫作動；然後消失一段時間就沒得聞，安止下來繼續修定，那時便叫作靜。但這也是相對而說，沒有絕對的動、絕對的靜，所以這一些全部都是因爲在六塵境界中存在，才會有動與靜的法相被覺知心區別出來。

如果離開六塵，請問：離開六塵是要怎麼離開？覺知心存在時能不能離開六塵？剛剛說過如果誰作得到，只要一秒鐘我就拜他爲師，我跟他學。但實際上不行。我們來作一個說明，離開六塵是什麼時候呢？是睡著無夢時。睡著無夢時，你有沒有了知哪一個動、哪一個靜呢？都沒有，因爲那時已經沒有人能了知囉！那如來藏就好像這樣，祂不住在六塵中，所以祂沒有動相、沒有靜相可說，這與睡著無夢時的差別，只是如來藏存在而不了知六塵，但覺知心不了知六塵是因爲斷滅而不存在了。所以「無分別法」如來藏的境界中沒有動也沒有靜，而祂不是修來的，因此祂的境界中本來就沒有動、沒有靜，所以說祂「本來自空」。

祂自己本來就是空無一法，祂的境界中沒有一法可得。我們學佛時說有五蘊，有十八界，有三十七道品，有智慧，有所得，可是「無名相法」如來藏是自己的境界中空無一法；但是這個空無一法並不是本來有、修行以後把祂捨棄叫作空，而是悟了以後才能看見本來就空無一法。所以如果有人教導你：「我們修行就是要放下，把什麼都放下，什麼都空掉，全部都空了以後就是開悟了。」有沒有大師這樣講過？有啊！而且不在少數，所以叫你要放下煩惱。可是當他一切都丟掉，全都空掉時，他有沒有智慧生起？沒有，反而講了一大堆胡言亂語的開示，我們最適合給他一頂高帽子，叫作「悾仔」，

（臺語，意謂瘋癲之人沒有智慧。）（大眾爆笑！）是瘋子嘛！越學越回去了，對不對？眞的越學越回去，就是要修行成爲一個傻瓜呆，什麼都不要分別。人家打了他右臉，他要把左臉再湊上去給人打，都不要分別，那麼他的智慧何在？

所以「空」不是要我們把一切法空掉，而是在我們一切法繼續存在的當下就有一個空性心，祂的境界中本來就空無一法，但祂卻跟我們並行存在。所以有一句話講「萬象森羅許崢嶸」，我記得以前現代禪李老師很喜歡講這句話，我就說這句話也有道理，只是他講的沒道理，我講的有道理；因爲「萬象森羅許崢嶸」就是亂七八糟，一下子這個念頭、一下子那個念頭不停生起，所以人們住在萬象森羅的境界中時，念頭崢起，一個又一個老是不停。但是我們拿來用就對了，爲什麼呢？因爲「無名相法」的境界中空無一法可得，可是在空無一法當中卻無妨五蘊並起、十八界並起、各種心所法並起、各種善法、淨法並起，連出世間法與世間法也能並起。眞是「萬象森羅」之中各個法都可以「崢嶸」，各各出頭都沒問題，對菩薩來講都無所妨礙。所以我們正覺修學佛法時，不教大家什麼都要打死、什麼都要放下，反而是要你提起淨念；當你提起淨念時，最後無相念佛功夫練成了，你有了念佛觀；有了這個念佛觀就能轉變為看話頭的功夫，正好拿這功夫來參禪。不教你丟掉諸法，教你把這個功夫作起來，所以你的五陰、十八界一切心所法各種煩惱都可以存在沒關係，但是你建立這個功夫，要去證得空無一法的「**無名相法**」，而這個「**無名相法**」則是「**本來自空**」。

我們所能空掉的都是三界中的有漏有為法，需要空掉的一定是不清淨法，所以才說要把貪滅除，把瞋滅除，把癡滅除；這都是有為法，都是有漏法，這一些法是無始以來就跟我們世世的五陰同時存在，我們需要把它們空掉。可是如來藏的境界中本來就沒有貪瞋癡可言，沒有愛恨喜怒，沒有任何的瞋嫉或者愛好，完全沒有！祂本來就沒有，你何須將祂空掉什麼？如果有人身上黏住很多東西，你認為那些對他不好，教他把它空掉，那是對的。但如果他身上一無所有，你教他空掉什麼？他本來就空啊！

所以凡是可以空的，表示那是外來的；他有很多應該空掉的法存在，那些法是應該消滅後才能成佛，就表示那些東西不是本來就有的；那一些東西是跟著五蘊、十八界一世一世繼續流轉而有。可是「**無名相法**」的境界之中本來空無一法，你不需要把祂空掉什麼。所以證悟之前，你不要去爲祂空什麼，因爲你也無法爲祂空什麼；你證悟之後，也無法幫祂空什麼，因爲你發覺祂的境界中空無一法，也沒有辦法爲祂空掉什麼。所以證悟前，你要空掉的是自己的煩惱，不是「無名相法」的煩惱；證悟後，你要空掉的也是自己的煩惱，不是空掉「無名相法」的煩惱；因爲祂「本來自空」，不需要你爲祂空掉什麼。時間又到了，下週再談。

《佛藏經》卷上，上一回講到第二頁第五行前面四個字「本來自空」，今天要講「不可念，不可出，一切世間所不能信。」這裡仍然是在講佛法的根本要旨，就是「無名相法」、「無語言法」，也就是第八識如來藏。說這個第八識如來藏是沒有名相的法，是沒有語言的法，而這個心是諸法的實相，諸佛都以此爲寶，所以 世尊說諸佛的法藏都從「此經」出；「此經」就是這個「無語言法」、「無名相法」，又稱爲妙法蓮花，就是金剛心。那麼這一個心，說祂是心又不是心，說祂不是心偏偏祂又是心；這個心是諸法的實相，而一切有情對祂「不可念」也「不可出」，所以「一切世間所不能信」。

那麼爲何這個「無名相法」、「無語言法」「不可念」？我們先來談一下

「念」。念是一個相對的語詞，一定有能念與所念的相對兩方，才說念。念的本意就是「記持」，能夠把它記住、不會忘記，叫作「念」；另外有一層意思就是罣礙著，放不下，也叫作念。不管是哪個意思，都是相對的法。譬如子女考上了外國的大學或者博士班，出國留學去了，父母親就是會念著；如果這個子女是從小就由阿嬤帶大的，那阿嬤更會念得很緊，心心念念想著這個乖孫子。可是阿嬤在這邊念著，父母在這邊念著，那個出國留學的孩子念不念？（有人答話：不念。）不念喔？這麼無情喔？不會啊！是過了幾年習慣那個地方以後才不太念，可是半夜裡有時還是會念著。

除非他出國前跟阿嬤、跟父母親本來就不太融洽，那就另當別論，否則剛到外國人生地不熟，他總是很想念，三不五時就打個電話回來：「爸爸好！媽媽好！阿嬤在不在？」他一定會這樣子作。那阿嬤就會說了：「你去好久了吧？」阿嬤就會講這樣子：「你離開那麼久了，什麼時候回來？」孫子說：「阿嬤！我才來三天而已。」表示雙方都很想念。又譬如《詩經》講的「關關雎鳩，在河之洲」，有沒有？「窈窕淑女，君子好逑」，就是想念！

所以說「念」一定是雙方互相的；如果另一方都不念，那個念就開始淡化，最後就消失了。這就是說，念是雙方相對性的；而這個相對性一定是在六塵境界之中才會有，如果離開六塵境界就沒有念之可言。雙方記掛想念著，這一定要在六塵境界中才會發生；如果對某一件事情或者對某一個法掛念著，那也叫作念，但是這個能念的人一定也在六塵境界中，否則不可能有念。不談這個牽掛，就說記憶受持也叫作念，把它明白清楚地記住而不會忘記，叫作「念」，但是這個念一樣不能夠離開六塵境界。譬如你今天聽聞到某一個法：「太棒了！聞所未聞絕妙之法。」所以不想放棄它，那就把它記住了，記住了就叫作受持。記持不忘，這也就是念。可是不管你念的是什麼法，世間法、出世間法，或者出世間上上法，你這個能念的心一定是在六塵境界中，不可能離開六塵境界而有念；但這個「無名相法」、「無語言法」如來藏，是「不可念」的，祂永遠不可能起念。

先從凡夫來說好了，或者從不迴心大乘的那些阿羅漢來說；他們曾聽說有一個如來藏妙法，可是他想要念持這個如來藏妙法，卻無從念起，因爲他根本不知道如來藏在哪裡呀！所以他想要去記念這個如來藏心，恐怕自己會忘記而想要牢牢記住，其實也無從記念，所以「不可念」。那凡夫們，先談談佛門中的凡夫好了；以往十七、八年前他們第一次聽到有一個正覺同修會，以前沒聽過；在第一次聽到時說：「聽說他們正覺在弘揚如來藏，教導人家如何親證如來藏。」又聽說：「這個如來藏叫作阿賴耶識、異熟識。可是這個識到底是什麼？我聽說某一位大法師書中說如來藏是外道神我，那到底是什麼？」所以他們完全弄不懂如來藏是什麼，又不信受如來藏，那他們連想念如來藏的那個念都不可能存在，根本不想要去記念祂；從來不想記住而去念持，所以對他們來講如來藏「不可念」。

阿羅漢對如來藏「不可念」，因爲從未實證祂；佛門凡夫對如來藏也「不可念」，但總是有少部分學人知道經典中有說過，知道經中曾說如來藏是諸法的本母、是眾生的來處，那他就想：「那我這個身中的如來藏在哪裡呢？」心心念念想著，他一直掛念不斷，這總算有念了吧！因爲他在參禪尋覓如來藏，這總算他有念。可是他那個念並不實在，不成就「念」這個心所法；因爲他這個念對如來藏並沒有勝解，所以他這個念是不實在的念。就好像一顆稻子只有空殼，是中空的；又好像有人唸佛時，一面唸著佛號在那邊共修，口中一直唱著佛號，可是腦袋中都在打妄想，廣欽老和尚罵這種人說：「他都在唸『帕』佛。（閩南語）」有沒有？說他唸那個佛唸得不實在，是假的、虛的，是一樣的道理。

因爲他還沒找到如來藏，所以他心心念念想著說：「我不要把如來藏忘記。」可是這樣記住的結果並不實在。眞正的念是先要有「勝解」，有如實的勝解然後才可以有如實的念。可是他們還沒有對這個「無名相法」、「無語言法」有如實的勝解，所以他們的念並不實在。至於一般的眾生，他們根本就沒有念，因爲連聽都沒聽過，所以不可能有念。對這一些人來講，這個「無名相法」確實「不可念」。

剛才漏掉另一種人沒講，就是實證的諸位。請問你實證了以後，如來藏可不可念？可念。有沒有人說「不可念」？就看你從哪個角度來說，你實證以後，如果想要觀察祂，那你就時時刻刻都能觀察祂；沒有人說什麼「悟了以後我忘記了」，如果說「忘記了」一定是聽來的，不然就是我爲他明講的，後來他就去搞一些亂七八糟的事情就會忘記了，否則不可能忘記，因爲是他親自體驗過來的。

終於找到如來藏體驗過了，驚訝地說：「唉呀！原來如此！」這一下子，祖師們扮的神頭鬼臉就看清一大半了，然後隨時想到要觀察祂就來觀察、觀察。這表示證悟之後對這個「無名相法」是有憶念的，因爲轉依於祂了當然要有念，怎麼可以無念？若是無所憶念的話就表示他轉依不成功。可是你如果繼續修行，到了八地心乃至到了佛地以後，到底這個第八識可念不可念？再也無念了。因爲你如果還有念，就表示你還沒有成佛。你根本不需要念著祂，其實入地以後就不太念祂，總是把祂忘記；把祂忘記以後，卻沒有把祂晾在一邊。好奇怪？是不是？把祂忘了，儘管爲眾生去作事，可是卻沒有把祂晾在一邊。這話很奇怪，對不對？可是等你哪一天把自己的「無名相法」、「無語言法」找出來，繼續進修很久以後就覺得這不奇怪，本來就這樣。

那麼從另一個層面、另一個角度說，你剛找到時抱著祂不肯放，時時刻刻都在觀察祂，把祂抓得緊緊的；甚至於破參回到家裡，睡覺時還夢到如何找到如來藏、如何體驗祂：「唉呀！眞的太妙！」歡喜到笑起來，結果把自己給笑醒了，也有這個狀況啊！現在問題來了，你心心念念著祂，祂有沒有念著你？祂從來不念你。這可怪了，所以你不能夠要求祂說：「我每天想念著你，你爲什麼都不想我？」你不能要求如來藏這樣。祂雖然都沒有想念你，可是祂時時刻刻都在幫助你，沒有一剎那停過，因此你不可以要求祂想念你。你可以想念祂，你可以單念，但祂不想念你，祂不跟你回應這件事情。

你想念歸想念，祂不想念你；祂如果會想念你，祂就被綁住了，那你活到兩百歲時太老了，心想：「我準備死了去後世。」祂還是拉著你不放，糟糕了，你永遠沒有辦法再當個年輕人，青春永遠離你而去，因爲祂想念你啊！祂若是會想念你就捨不得離開，那你就不能夠去投胎重新再獲得一個青春洋溢的身心了，只好永遠當那個老頭子，那你可慘了！所以你不可以要求祂像你一樣來想念你，祂從來不想念你，當然「不可念」。

所以說祂眞的「不可念」，你不可以要求祂會想念你。也不可以要求祂說：「我學了很多法，我記憶不太好，你得要幫我記住啊！」記住就叫作「念」。「你要幫我記住、幫我念。」祂不回應你的，不要說跟你拒絕，祂連回應都不回應你。爲什麼不回應？因爲祂是離語言法，所以你跟祂說什麼，祂都沒聽見。也許你說：「祂是不是聾子？」我告訴你，祂正好是個聾子，祂沒聽見，所以你要求祂說：「你要在我聽經時幫我記住。」但祂不幫你記，記是你的事情。你努力的把法義記住，聽了很多、記了很多，卻不能要求祂幫你記；但是話鋒一轉，實際上記住的內容還是祂幫你記的，那麼到底該說祂可念或是「**不可念**」？還眞的一言難盡。不是有苦衷，而是因爲很難知難解、很難通達，所以一言難盡。所以從某個層面來說祂眞的「**不可念**」，比如你從祂自身的角度來說，祂絕對「**不可念**」，而可念的、能念的都是依祂而生。既然都是依祂而生，所有法學習以後都是由祂幫你「念」，但祂從來不會起念要記住什麼，那就等於是祂的「**不可念**」，所以還是歸結到「**不可念**」來。

接著又說「**不可出**」。你看 世尊說法眞的奇怪，怪得很妙，讓那一些未悟言悟的人怎麼想也想不通，絞盡腦汁也想不通，竟然說是「**不可出**」，眞的很奇怪。有很多人參禪，譬如少小出家當了小沙彌，十八歲圓頂，又受了具足戒，然後聽說有向上一路這回事，所以尋師訪道，終於知道參禪是要幹嘛，然後他努力參禪。這樣從年輕參到年壯又參到年老，最後剩沒幾天他知道要捨報了，忍不住跑到空曠的地方去（所謂的「跑」是速度很慢的，因爲他要撐著拄杖），到那邊大聲呼喚：「**如來藏啊！你爲什麼不跑出來讓我瞧一瞧？你趕快出來啊！**」縱使他呼喚到聲嘶力竭，如來藏依舊不出來。

祂永遠就藏在五蘊山中，說不出來就不出來，無可奈何。世俗法中有一句話說：「我不出來才是大丈夫。」爲什麼呢？因爲怕人家打死，所以藉口耍賴：「我不出來就是大丈夫，大丈夫我就是不出來！」別人無可奈何他。現在就像這樣，這老和尚參不出來，呼喚到聲嘶力竭，這如來藏老哥祂就是不出來，最後這老和尚抱憾、抱恨而終。抱恨其實沒道理，抱憾還可以；因爲如來藏又不是故意不出來，問題是他自己本身住在如來藏中，卻叫如來藏出來，那如來藏要怎麼出來。就好像一個大圓球，有個人住在其中，然後大叫說：「圓球啊！你趕快出來。」圓球要怎麼出來？道理就像這樣子，眞的沒辦法出來，這個叫作「不可出」。

接著從另一個方面來說，爲什麼祂不出來？因爲祂太尊貴。所以禪門有人問：「臣子來朝君，君王爲什麼不出見？」爲什麼不出來相見？那洞山良价就說：「太尊貴生！」說太尊貴了，用河洛話就是說：「尊貴到安內（平聲）生。」祂哪有隨隨便便讓人家見的，你要不信的話，別說祂那麼尊貴，單單說總統好了，你明天跑到總統府說：「我要見馬總統。」他就見你嗎？他不會見你的。倒是有一天可能你在某個場合他自己主動出現了，還跟你握手。可是馬總統比起如來藏來沒得比，連轉輪聖王都沒有辦法想見就見；轉輪聖王中的金輪王可以擁有四大部洲，臺灣只是地球上一個小點而已；但金輪王也無法想見如來藏就得見，因爲祂太尊貴，祂不隨便出來接見臣子。祂是君王，君王一定是坐在宮中，只有臣子前來相見，沒有君王出來見臣子的。這句話所有證悟的人都會同意，不管誰悟了，只能自己去朝見這個「無名相法」、「無語言法」，可是祂不會出來見你。只有你見祂的分兒，沒有祂見你的事，所以祂永遠都不見你。那個參禪的老和尚因緣不成熟，所以他呼喚到聲嘶力竭，過幾天抱憾而終，依舊見不著這個「無名相法」，因爲祂「不可出」。

好了，有一天他投胎再來已經成長了，緣熟了，終於悟入了；等他悟了以後也許夢見上一世臨命終時，呼喚到聲嘶力竭見不到如來藏，現在他卻說：「這個如來藏我終於找到了，而我每天禮佛就是禮拜祂。」禮拜完了最後說：「我從來沒有禮過佛。」很奇怪？對啊！然後就想說：「我終於找到你了，你眞的搞怪讓我找不到，弄到這一世才讓我找到，我就把你丟出去，不要你了。」想要把祂弄出去，他看一看：「就在我五蘊山中，我要叫祂出來。」怎麼出呢？甩啊！要把祂甩掉。但再怎麼甩也甩不掉，祂就是不出去。要不然抬起腳來一直踢，要把祂踢掉，也踢不出去。這位「**無名相法**」老太爺，應該說是老太、太、太爺，因爲祂不知道已經幾歲了，祂老到沒有牙齒，眞的夠老；這位老太爺不出來就是不出來，也眞的無可奈何，祂眞的「**不可出**」。我們第二次禪三時有位師姊就是這樣，眞是天眞，她在中庭那邊的一棵樹下，在那邊一直踢、一直甩，我說：「**妳在幹嘛？**」「**我要把祂甩掉。**」我說：「**妳得甩到死時才能甩掉。**」祂老太爺不出來就是不出來，你無可奈何祂，眞的「**不可出**」。

可是不需要你叫祂出來，祂就會出來，因爲壽盡命該終了，祂就會出來。祂出來時你也看不見祂，爲什麼？因爲你死了，你覺知心不在就不能看，怎麼能看見祂？可是當你證悟了，一定是可以看見祂。無形無色，無有名相，無有言說，卻能看見。可是你叫祂出來，祂就是不出來。祂不是你能指揮的，因爲你是臣子，祂是君王，洞山說「**太尊貴生**」，所以祂永遠「**不可出**」。至於凡夫眾生們或是定性聲聞的羅漢們，他們根本不知道這個「**無名相法**」究竟何在，又如何能叫祂「出」呢？當然更不可能，所以祂「**不可出**」，因爲祂正是這樣一個特性。

你們看，世尊說這個「**無名相法**」「**無念無得，亦無有修，不可思議，非心所依**」，一直講到乃至「**不可念，不可出**」，有這麼多的特性。可是這些特性沒有辦法想像，除非你找到了，才能夠聽懂；否則我講到這麼白了，也還是聽不懂的，所以才說這個法「**一切世間所不能信**」。

諸位想一想，我講這一段經文時，以這些方便施設言語善巧來講給諸位聽，好多人聽得好歡喜，可是有的人只能苦笑，但這都是正常的。但是我能不能夠隨意瞎掰，眞的不行！因爲我如果瞎掰，在座一定馬上就有人說：「**哼！又在瞎掰了。**」可是我解釋出來的這一些內涵，一切實證者同樣都能這樣觀察，所以大家都沒有二話，所見皆同。這個得要實證了以後，大家互相之間講出來時都能瞭解：你有實證，我有實證。因爲都是家裡人。如果要用想像思惟的，根本沒有辦法解釋這一些名相。所以佛法之妙藏就是這個「**無名相法**」、「**無語言法**」，但因爲祂有這麼多無法想像、難以思惟了知的自性，所以說這個法「**一切世間所不能信**」。

這是如實語，正覺出來弘揚「**無名相法**」如來藏，那前面十年，佛教界都不相信，各大山頭更不相信，你就可以瞭解 佛陀講的「**一切世間所不能信」是否如實。正覺同修會弘揚這個法，現在二十來年了（編案：此是二〇一四年二月十八日所說），之所以今天會被承認，是因爲大家想要推翻而推翻不了。不管什麼佛學教授或者著作等身的大師，他們想要來推翻，結果找不到一個地方可以推翻，才終於不得不承認下來。所以第三次法難後才開始流傳出一句話：「**要開悟，去正覺！**」那你想，他們是專業的弘法師，我不是專業的弘法師；我是悟了以後出來弘法，才變成專業的；可是我這個專業的人，只是不斷地付出，不拿來當職業。若是當成職業，是不是要收供養？應該要收。可是我從來不收，因此也不算是專業的。算是副業好不好？也不能算，因爲副業多少也是要收一點的，所以我既不是專業也不是當作副業，結果我講出來的內容，佛教界沒有辦法推翻，是爲什麼呢？就是因爲實證。

這個「**無名相法**」、「**無語言法**」必須要實證，作學術研究沒有用的，即使寫了佛法論文，著作超過他的身高也沒有用，依舊無法瞭解這一些佛法名相所顯示的意涵，所以說「**一切世間所不能信**」。世尊這句話講得很客氣，因爲連末法時代的一切佛門都不能信，世間人士就更不可能信受。所以我們弘法前十年遭到非常厲害的抵制，證明當年連佛門中專業弘法的大師都無法信受這個「無名相法」、「無語言法」，何況是一般的世間眾生？所以 世尊告訴舍利弗說「一切世間所不能信」，是非常客氣、非常中性的說法。

接下來說：「如是『無名相法』以名相說。如是，舍利弗！一切諸法無生無滅無相無為，令人信解倍為稀有。」世尊這一段開示完時作一個小小的結論說：「就像這樣子，把這個沒有名相的法，用許多的名相提出來說明。就像是這樣子，舍利弗！一切諸法沒有出生也沒有消滅、沒有法相也是無為的，而這個一切諸法要令人家信受和理解是加倍的稀有。」

確實倍為稀有。這個「倍為稀有」是說令人信解很難，如果還要幫人家實證，就要再加倍稀有。我們正覺有這麼多的書，也有這麼多人實證，一一把見道報告寫了出來，都還有一些佛門中的六識論者不信受，可想而知這個法要讓他們信受和理解，那是加倍的困難啊！世尊作的這個結論說：「一切諸法無生無滅無相無為。」這個「一切諸法」講的就是「無名相法」、「無語言法」，這不是隨意解釋的；譬如「無生法忍」，講的是一切諸法本來不生而能安忍；那「一切諸法」會是說五蘊、十八界等法嗎？不可能啊！因為現見五蘊、十八界等「一切諸法」都是有生有滅剎那不住，怎麼可以說是本來不生呢？可是「**無生法忍**」的實證，所見一切諸法本來不生，所以如果有人入地以後，一天到晚想要入無餘涅槃，表示他所見一切諸法是生滅不住，那他就沒有無生法忍，那他所說的那個入地的果證就是虛妄，便是大妄語了。

諸地菩薩都說一切諸法本來不生，如是接受而安忍就叫作「**無生法忍**」，這個無生法忍所說的一切諸法本來不生，所說的「**一切諸法**」代表什麼？不是單單講如來藏，而是用如來藏函蓋一切諸法，因為這個「**無名相法**」本來不生，由「**無名相法**」函蓋攝受了一切生滅諸法以後，「**一切諸法**」就變成本來不生。這「**一切諸法**」背後正因為有如來藏的緣故，如來藏不斷地出生「**一切諸法**」，因此有情身中的「**一切諸法**」不會像一句話說的「**有時而盡**」，永遠都沒有窮盡時，而你本來依舊是不生。

所以你昨天的五蘊、十八界不斷地生住異滅，睡著了以後色蘊依舊不斷地生住異滅，可是明天早上無妨全部又現前，眞的叫萬象森羅許崢嶸，永遠不會斷絕。都不必擔心說：「**我這個色身用壞了，來世怎麼辦？就沒有色身嗎？**」不會啊！都不必擔心，用不完的色身在未來世等著你，怕什麼？為什麼能有未來世用不完的色身？因為你這個「**無名相法**」永遠不生、本來不生，無生就無滅。有生才會有滅，而祂本來就不曾出生過，法爾如是，就這樣存在；既然無生就無滅，因爲祂無滅，所以就幫你一世又一世不斷地出生你的五陰。所以每一個有情過去世死掉的身體，爛掉剩下骨頭，把它堆積起來，會有多大的量？比須彌山還要大。譬喻說猶如須彌山那麼高廣，那還是客氣，須彌山依舊是有形有量，可是每一個人過去世無量，那肉就不要算，剩下的骨頭堆積起來，那是好多好多須彌山的量，數也數不盡。

所以不必怕這個色身用壞了，未來世沒有色身可用。未來世如果眞的沒有色身了，一定是你不想要，所以你修到無色定，死後出生到無色界去，否則的話不必怕沒有色身，永遠都有用不完的色身。重要的是未來世可以用的色身是什麼樣的色身，得要是人身才好，可別拿到一個狗身，別去拿到鬼身、地獄身；但是也不要去拿天身，因爲去道太遠了，除非往生去兜率天的彌勒內院。所以這個法所說的「**一切諸法**」講的就是這個「**無名相法**」，但不單單是講「**無名相法**」本身而已，而是用這個「**無名相法**」來函蓋祂所出生的一切諸法，因此就說「**一切諸法無生無滅無相無爲**」。這句的意思，我們在前面講過很詳細了，這裡就不再重複解釋。

但是 世尊說：「舍利弗啊！一切諸法無生無滅無相無為，是個無名相之法；但是要用名相把祂解說出來，而又可以讓人家信受和理解，這是加倍加倍的困難。」以上說的是第一個譬喻，這〈諸法實相品〉有十個譬喻。第一個譬喻 世尊說的：「譬如巧畫師，畫於虛空現種種色相。」然後說很稀有；這樣的事情確實很稀有，可是比起這個「無名相法」用名相來為人解說而令人信解，比那個畫師更加倍的稀有。這是第一個譬喻，再來看 世尊怎麼樣開示第二個譬喻：

經文：【「舍利弗！譬如有人嚼咽須彌能令消盡，飛行虛空不以為患，於意云何，為稀有不？」「稀有，世尊！」「舍利弗！諸佛所說一切諸法無生無滅無相無為，令人信解，倍為稀有。」】

語譯：【「舍利弗！就譬如有人用他的嘴把須彌山咀嚼以後吞嚥下去，而把整個須彌山全部都吃光了，他還能夠在虛空中飛行不會覺得太沉重，一點災患的感覺都沒有，那麼在你的意下認為怎麼樣，這個人是不是很稀有呢？」舍利弗說：「非常稀有啊！世尊。」世尊接著說：「舍利弗！諸佛所說的一切

諸法無生無滅無相無為，要令人聽聞之後得以信受和理解，比這個人是加倍的稀有啊！」】

講義：這是第二個譬喻。譬如有一個人，佛沒有說他的身量有多大，那我們就不管他身量多大，就單單說這個人把須彌山很快全都咀嚼完了，吞下肚子中去，一點點殘餘都沒有，這個人這樣就已經很厲害了，還不說接下來再飛行於虛空中。須彌山有多大？須彌山到底有多大？《阿含經》中說須彌山的山下有四大部洲，四大部洲外有七金山，七金山外有鐵圍山，中間是須彌山非常之高，太陽繞著須彌山而轉；那麼顯然須彌山比太陽還大。可是我們看看這個地球，地球如果放到太陽中去，你幾乎看不見；地球如果像芝麻的話，那太陽大約就像籃球，這是天文學家測量的結果；這地球放到太陽籃球表面時，只像是一粒芝麻，那麼須彌山到底有多大？不說須彌山，我們常常跟老人家拜壽說：「今天是您生日，祝您壽比南山。」說南山就好，不要講須彌山，南山夠小了，不過是老人家開門望南山的所見，南山就每天在那邊，南山跟地球當然不能相比，何況比太陽、比須彌山。

那麼南山如果有一個人能把它咀嚼後完全吞下肚去，夠厲害吧？眞的很厲害啊！誰作得到？沒有人能作到；可是他竟然把比南山大很多倍的須彌山嚼咽而且「能令消盡」，無所餘遺，這個眞的太厲害，無法想像。可是不但如此，他把須彌山全部吃完了，應該是非常非常之重了，竟然還可以「飛行虛空不以爲患」。假使有人說他神通多厲害，我說：「你很厲害喔！好佩服你，那你表演一下讓我看看；不必多大，就一公尺見方的石頭，用你的神通把它舉起來讓我瞧一瞧。」他一定面有難色。但這個人「嚼咽須彌能令消盡」，不但如此，而且「飛行虛空不以爲患」，這眞的太稀有了！世尊施設了這麼一說，這舍利弗沒辦法否定、沒辦法推翻，只能認同，所以他回答說：「稀有，世尊！」

可是世尊說這還不是眞正的稀有難得，眞正稀有難得的人就是菩薩、就是諸佛，能夠把諸佛所說的「一切諸法無生無滅無相無爲」，用語言名相來爲人家解說，使人聽了以後能夠信受和理解，這是加倍稀有。話說回來，我講這個《佛藏經》，講《妙法蓮華經》，講《金剛經》，講《實相經》，講的都是這個「無名相法」、「無分別法」，一直都在說祂含攝一切生滅有爲法，所以「一切諸法無生無滅無相無爲」，而諸位能夠聽懂、能夠信解，難得不難得？（有人答：難得。）難得啊！你們男眾為什麼滅了自己的威風呢？反而是女眾威風多了，敢答「難得」。你們真的難得、真是稀有啊！因為我寫了這麼多的書出來，講了這麼多的法，都在說明這個「無語言法」、「無名相法」，可是還有很多人到現在還讀不懂。

也有一些大山頭、小山頭，他們各個組成研究小組在研究正覺的書，這是已經證實的；可是他們能不能如實信解？不能。所以我說諸位難得稀有，倍為稀有，因此要好好保護。這是第二個譬喻，世尊的譬喻很多，是為了讓大家對這個「無名相法」、「無語言法」生起很足夠的信心，然後產生很強烈的意願想要去實證，也想要大家在未來可以用名相為人解說令人信解，世尊的目的在這裡，所以總共說了十個譬喻。再來談第三個譬喻：

經文：【「舍利弗！譬如火城縱廣深淺各一由旬，四門出焰，人負乾草於中而過，猛風吹焰，燒爆其身；是人能令火不燒草及不燒身，於中得出如本無異。於意云何，為稀有不？」「稀有，世尊！」「舍利弗！如來所說一切諸法無生無滅無相無為，令人信解，倍為稀有。」】

語譯：【這第三個譬喻，世尊開示說：「舍利弗啊！就譬如有一個充滿大火的大城，這個大城縱深以及橫廣各有一由旬，這大城的四個大門，都是從中焚燒而射出火焰到門外；有一個人身上挑著一擔乾燥的草從這個城中經過，猛風吹著強烈的火焰，把人的身體都給焚燒而爆開來；可是有這樣一個人同樣挑著一擔乾草，從這邊的城門進去，從那邊城門出來，竟然可以使城裡充滿著的大火不會焚燒他的草，也不燒到他的身體，就從這個城中另一個門又挑著出來，而如同他從另一邊剛要進城的那個狀況完全沒有差別。那你的意下如何呢？這個人能夠這樣作到，是不是很稀有呢？」舍利弗說：「很稀有啊，世尊！」世尊就說了：「舍利弗！如來所說的一切諸法無生無滅無相無爲，用名相而爲人解說之後，使人得以信受和理解，比那一個人更加倍的稀有！」】

講義：「畫師喻」講過，「須彌喻」也講過了，現在講這個「火城喻」。在什麼地方會有火城？通常是在地獄中才有火城。在經中有說過，人爲什麼下墮以後，會墮入地獄的火城之中？這個應該讓大家順便瞭解一下，有機會說給世間人聽一聽。這讓我想起以前有一個佛教大學，他的院長或是校長，有一天（我忘了是什麼節慶），他就故意去買一頭是乳豬或是羊？就在他們佛教大學中烤了起來。我們不要講是什麼山。堂頭和尚聽到了就說：「我們的佛教大學，怎麼可以這樣作？」那位校長回說：「既然連密法都在修了，而密法說，把牠烤了吃了就是度牠。那我為什麼不能在我們佛教大學中烤羊呢？」所以當時也鬧出一場風波，應該有很多人還有印象。

火城的果報也許及得上那位校長，也許及不上那位校長，就看他的動機了。在戒律上說根本、方便、成已是三個罪，根本講的就是動機，看他的動機是什麼？這才是最重要的地方；假使他的目的是諷刺勸善，就不會有罪，反而是功德。話說回來，經中說如果有人在世專門用火烤雞、烤鴨、烤豬、烤羊等，這樣的人死後就是去地獄中的火城，不斷的被燒烤。所以不要以烤雞、烤鴨、烤豬、烤羊為業，三百六十行（現在不止三百六十行），有很多行業可以作，不一定要去燒烤眾生啊！

當然在《楞嚴經》也告訴我們說，吃了人家將來要還人家，所以寒山大士有一天看見人家娶媳婦，他看那一桌賓客以後就搖頭。為什麼搖頭？他講了一首偈：「六道輪迴苦，孫子娶祖母；牛羊席上坐，六親鍋裡煮。」所以

《楞嚴經》中才說「以人食羊，羊死爲人，人死爲羊」，說眾生就是這樣「死死生生互來相噉」，就是這個道理。這樣子互相吃來吃去，其實無非就是互相欠債；未來十百千生之中，也許今天殺了一頭豬，那一頭豬剛好是五世前的什麼親人，都有可能。要選擇一個行業時千萬要愼重，不要去開酒廊、開酒廠，也不要去開屠宰場；開屠宰場是最笨的人，那比賣燒鴨、燒雞的更笨。賣燒鴨、燒雞一天給他賣三百隻吧，夠多了！可是他那個屠宰場每一天殺的多到不得了。

而且古時說的火城之報，那是他們親自殺了親自烤；現在可不是，開屠宰場的人是他在宰殺，人家買去燒來賣，已經是第二手；所以開屠宰場的人最笨，這一世賺很多錢，但賺得越多，來世在火城待越久，未來世要當畜牲給人吃更久，就是這樣。所以最好是他的生意不好，趕快關掉這才是聰明人，不可以說：「我不作也會有別人作。」那就給別人作，爲什麼自己明知卻還要作？要下去火城受苦，就讓別人下去，我們千萬不要下去。

關於「火城」，現在言歸正傳，說這個火城方方正正，寬廣各一由旬，一由旬四十華里，大約二十公里。火城中都是大火，城的四面各有一門，大火猛烈到會從四個城門噴出到外面來。現在有一個人挑著一擔乾草，想從東門而入，西門而出；可是他不可能出得來，因爲城裡猛風吹著強烈的火焰，不但把乾草燒光了，連他的身體都被燒到爆開來，一定沒命了，這是正常的狀況。可是竟然有一個人同樣挑著乾草，從東門而入又從西門而出，還眞的出來了。不但出來了，他身上挑的乾草都沒有被燒，這個厲害了。可是其實從佛法中來看這不厲害，因爲這一個稀有的狀況，比不上諸佛如來爲人家說的這個「無名相法」說到令人信解的稀有。爲什麼諸菩薩把 佛陀所說的「一切諸法無生無滅無相無爲」，爲人解說之後「令人信解，倍爲稀有」？因爲祂是「無名相法」，是「無語言法」，很難令人信解。

無名相的法，根本無從說起，但是得要去施設出來各種名相，再用種種的言語善巧來加以解說，並且還施設很多的譬喻，令大家瞭解他的所說，讓眾生終於信受，這就很不得了。可是信受還不算，還要能夠理解，也就是能夠產生勝解。勝解的意思是說：如實的理解而且能夠現前觀察。這就很困難了，因爲這個法是無名相的法，這個「無名相法」能夠不斷地出生一切諸法；而一切諸法被出生以後不斷地生滅永無斷絕，所以這「一切諸法」跟著出生它的「無名相法」而攝入其中時，就變成「無生無滅」也是「無相無為」。這個眞的很難令人信解，因為這個「無名相法」祂又是「無語言法」，你卻必須要用種種的語言建立名相之後，來說明這個沒有名相、沒有語言的法，而讓人家能夠信受並且還能夠產生勝解，這眞的是加倍的困難！

這樣講起來好像我比那個挑乾草的人還厲害，是不是？是喔？但我沒有尾巴可翹（大眾笑…）。是！確實是如此。你看佛教界兩、三百年來有證據證明已經證得這個「無名相法」、「無語言法」的人，就只有一個人；從大陸跑到臺灣來，然後他過世了，換我接上來。其實本來我這一世要三歸時，是想要去他那邊三歸的，可是因緣都不湊巧，不是堵車就是有什麼事情臨時發生，就沒辦法去。總共出發去兩趟，有一趟車子開到板橋時堵在板橋動不了，時間過了不得不又回來，眞的叫作王不見王，現在就不談它。

就回來說這個法，你看這兩、三百年來，在檯面上看得見的、有實證的就只有兩個人而已；這兩個人中，一個已經走了，一個現在還在，就用各種語言來說明，用各種名相來解說，幫助大家實證。這是兩、三百年來罕見的現象，因為時代不允許。有清之世，幾乎所有皇帝都是信奉密宗假藏傳佛教的，咱們要怎麼弘揚？只能生到西藏去。但是去西藏幾乎要成功了，結果還是功敗垂成；後來就住在江浙一帶，因爲戰亂而沒辦法出來弘法，等到時局看著好像要平靜下來了，大戰終於結束了，我也老了，沒辦法，也該死了轉生。七老八十了，又不能弘法，不死幹什麼？死了投胎到這個當年鳥不生蛋的臺灣來。當時臺灣是一窮二白，當年我們在鄉下如果看見人家騎著一輛伍順牌的自行車，大家說：「先生來了！先生來了！」閩南話「先生」就是指醫生，那是只有醫生才能騎的。

你看那樣窮的地方，結果佛菩薩說應該生到這裡來，還眞講對了。那就等我們開始弘揚以後，這個法才開始興盛起來；廣老一個人獨木難支，他眞的沒有辦法，他如果把法傳了，弟子們不信而懷疑說：「師父！您這個是自己胡思亂想的！」不接受，那他如何能夠攝受呢？無法攝受。因爲他沒有道種智，又不識字，沒辦法引經據典來證明；不能攝受的結果就會被公然寫出來毀謗，正法就滅了。所以講起來廣老還眞有智慧，寧可把「無名相法」的密意帶走，不傳給弟子們。

那麼這樣看來，這個「無名相法」還眞的需要用名相來爲人解說，如果不用名相來爲人解說，要令人信解也還眞難啊！所以你如果學佛拜得一位證悟的善知識，他從來不用名相爲你解說，那你每天上來參禪求法，他怎麼對待你？如果他有事用得著你，就告訴你說：「摘楊花去。」他就開示完了。如果楊花摘完啦，你又上來問，他就說：「擇菜去。」要不然就告訴你：「竹園該培土了。」反正就是作不完的事。這樣好不好？好喔？那明天正覺寺開始動工了，我就坐在那邊，誰來求法時就說：「欸！去鬆鬆土，去澆澆水。」好不好？（大眾答：不好。）不好？夠好了！你看那德山棒、臨濟喝，比起剛才講的好太多了。

爲什麼好？因爲他們幾乎都沒有語言文字。你看那臨濟、那德山，人家一進來棒子就打過去了，弟子都還沒有開口請問。有一天，有個徒弟上來抗議：「師父！我進了方丈室都還沒有開口，爲什麼就打我？」德山說：「等到你開口，能作得了什麼事？」那臨濟還好，只有兩個字，徒弟一進來，他便大喝：「出去！」就直接喝出去了。所以怪不得他家座下兒子生得少，不能怪人啊！如果兒子要多生一點，那就多講一點，用名相多說一點，用語言多說一點，讓人家能夠理解，未來想要親證才有可能。否則老是怪人家：「你有能力生那麼多兒子，爲什麼我老是這幾個？」兒子少要擔心，萬一哪個得了病死掉了，繼承人沒了，可怎麼辦？我們以前就是許多人得了「疑心」這個傳染病，死了一大批，所以我得要多生一點。

所以說，這個「無名相法」得要用名相說，可是即使如此，用很多的名相來爲人家演說了以後，依舊很難令人信解。所以你看我的著作現在已經超過一百本了，佛教界有實證的人如今在哪裡？都在正覺中，外面找不到一個，所以眞的需要像我這樣廣用名相來說。可是即使這樣子說而讓大家得以信解，也是「倍爲稀有」；比那個挑乾草進入縱廣二十公里的火城而能夠安然而出的人，加倍地稀有。

既然能夠這樣子演說令人信解是倍爲稀有，可是能夠在這個情況下得勝解、得親證，我說同樣「倍爲稀有」！爲什麼「倍爲稀有」？因爲當你親證以後，就永遠不能入無餘涅槃了；將來是可以證無餘涅槃，卻不能入無餘涅槃。你親證了以後就死了心，很可憐喔？（有菩薩說：不會。）不會喔？（平實導師豎起大姆指說：）菩薩！就是要度這樣的人。可是我如果去外面，譬如我去建了一間佛寺，然後我就出家了；三壇大戒回來以後繼續弘法的結果，會度來一些什麼人？（有人說：聲聞人。）對啊！就是聲聞人。因爲他們只看這個色身表相，不看我的心，所以相應的是聲聞人，反而就不好了。因此我要多度菩薩，度菩薩有利可圖，度聲聞人我就無利可圖了。我圖個什麼利？我要復興中國佛教！因爲佛教就只有中國有，其他國家沒有。也許你說：「那南傳佛教呢？」南傳佛教又不是大乘法。我們這回如果眞的復興成功了，可就是佛教的第三次復興，諸位都會記上一筆。這時候得了這一分豐功偉業，彌勒尊佛下來成佛時，你不但要證阿羅漢，還要被授記。這是大家看得見的、作得到的，只是很難、很辛苦，就看大家願不願意作啦！（大眾齊聲說：願意。）願意喔！眞好！

那麼這是第三個譬喻，稱爲「火城喻」，可是 世尊認爲講了這三個譬喻，還不足以彰顯諸佛用名相爲大眾演說「**無名相法**」令人信解的稀有難得。所以又講第四個譬喻：

經文：**【「舍利弗！譬如有人以石爲筏，從海此岸度至彼岸；於意云何，爲稀有不？」「稀有，世尊！」「舍利弗！如來所說一切諸法無生無滅無相無**

爲，令人信解，倍爲稀有。」】

語譯：【世尊又說：「舍利弗啊！又譬如有一個人用石頭製作船筏，乘著這一艘石頭船筏從大海的此岸度到大海的彼岸去，在你的意下認爲如何呢？這樣的事情是不是非常稀有？」舍利弗回答說：「非常稀有啊！世尊！」世尊又說了：「舍利弗！如來所說的一切諸法無生無滅無相無爲，而能令人得以信受和理解，比這個人更加倍地稀有。」】

講義：以石頭來製作船筏，這根本是不可能的事；假使有人能夠用石頭來製作船筏，那確實很稀有。也許有人想：不是有一種浮石嗎？那個浮石就浮在水面啊！浮石不曉得諸位看過沒有？年輕的同修們可能沒看過，以前我們小時候都用浮石在刷洗鍋子，就像現在大家都用不鏽鋼的鋼絲團在洗鍋子一樣，古人是用浮石。那個石頭丟在水裡會浮著，用那個石頭刷鍋子就可以刮掉積垢；以前雜貨店都會賣這個東西，現在沒有人用這個了。（有人說話…）現在還有人用嗎？應該沒有了。

那一種石頭會浮在水上，其實那個本質不是石頭，那是一些灰塵聚集起來以後成爲那個東西，本質不是石頭，石頭沒有能夠浮水的。石頭非常之重，你們看下了大雨以後，基隆不是有兩顆石頭掉下來嗎？那兩顆還不算大，可是動不動就是十幾噸，才那麼小，不過兩公尺見方而已，就十幾噸了。但那還不是最重的，那個只是水成岩、沉積岩而已，已經那麼重，如果是火成岩就更重了。

那麼用石頭來製作船筏根本就是異想天開，有始以來沒有人用石頭造船成功過；現在假設有人能夠用石頭造船筏，而竟然還可以浮起來；不但浮起來，而且是度過大海。大海中的浪很大，不像近海；只要吹個三級風，浪頭差不多就有半丈高；如果是五級風，那個浪頭可能就有一層樓高；而這個石頭造的船筏還能夠從大海這一岸去到大海的另一岸，沒有沉下去，這當然稀有啊！因爲即使以現代的科技也作不到。現代的科技可以用鋼鐵來做，因爲鋼鐵可以弄得薄；石頭如果弄那麼薄做成一艘船一定裂開，現代的科技也作不到。

可是假使有人能夠用石頭來製造船筏，製造成功了並且搭著這艘船從大海的此岸度到另一岸，這個人確實夠稀有！世尊問說：「這樣是不是很稀有呢？」換了是你，你也只能夠說：「很稀有啊！世尊！」因爲 佛說出來這個譬喻你沒辦法推翻，必須要這樣回答，沒有第二個回答。世尊就說：「舍利弗！如來所說一切諸法無生無滅無相無爲，用名相來爲人家解說出來之後，令人家可以信受和理解，比這個人加倍的稀有。」既然是這麼稀有，諸位想一想，能夠實證這個「無名相法」、「無語言法」，是不是很稀有？（大眾回答：是。）當然是啊！

可是我認爲你們男眾好像認爲不是，因爲你們都不太回答我。確實稀有！你看這三百年來大乘佛教或者小乘佛教中有誰證得這個法？連證都沒有啊！就只有一個廣老，卻過去了；然後我們上來講，以外就沒有了。至於說出來爲人家解說，令人家得以信解，這三百年來就只是一個正覺同修會，沒有第二個，當然是很稀有啊！而這個稀有，絕對比用石頭造作船筏從大海此岸度到大海彼岸更加稀有。爲什麼稀有？因爲縱使那個石頭造船筏也眞的度到彼岸，那畢竟是世間的層次，連上欲界天都談不上，更不要說色界、無色界，也不要說阿羅漢的出三界境界；可是這個「無名相法」，是比阿羅漢的出三界層次更高，所以定性聲聞之所不解；可是諸佛來人間爲的就是把這個「無名相法」、「無語言法」教給大家，這才是眞正的成佛之道。

因爲這是大白牛車，不是二乘法；那二乘法只是鹿車、羊車之類。可是這個法畢竟很難實證，更難以解說。所以你看古來很多禪師不想出來解說，他只想當禪師；你叫他當論師他都不願意，更何況當法師？所以很少禪師願意悟後出來說法。假使你勉強他出來說法，他上來講個兩句又下去了，你不能怪他。你如果把他攔住：「師父！您爲什麼沒有爲我們說法？」他一定罵你：「你怎麼能怪我？」你如果問：「爲什麼不能怪您？」一定挨棒，因爲你請他來是當禪師，不是請他來說法當法師啊！所以他們都願意當禪師，不願意當法師；因爲當法師太辛苦，講到口乾舌燥，之後會有幾個能夠信入？信入了以後又有幾個願意死心塌地學到底？不要說奉侍到底，只說學到底就好，所以大家寧可當禪師也不當傻瓜。可是你如果要復興佛教，就得當傻瓜；從堂頭和尚第一個開始當傻瓜，下面大家跟著當傻瓜。

傻瓜的意思是什麼？沒有人願意相信，這個人眞是傻瓜。所以密宗假藏傳佛教的代表人在法庭上說：「殺頭生意有人作，賠錢生意沒人作，他們正覺爲什麼要花這麼多錢抵制達賴？一定是得了中國政府很多錢。」說我們得到中國官方的大筆資金。那問題來了，我們的錢都是大家一筆一筆、一千、五千、一萬、兩萬這樣捐來的，何曾有什麼官方來的錢？不要說中國官方，連臺灣官方都沒有。所以我們花錢作義工的行事，我們救護眾生的作為，他們不能相信；無法相信的行為而我們作了，這叫作傻瓜。

可是我告訴你：「所有菩薩都是傻瓜，如果不是傻瓜就沒有資格當菩薩了。」就因為願意當傻瓜才願意出來當法師，為大家用種種的名相、用種種的語言來說明這個「無名相法」、「無語言法」，讓大家得以信解，信解之後觀察的結果：原來「一切諸法」本來就「無生無滅無相無為」。這把聲聞道說的一百八十度翻轉過來了。聲聞道都說五蘊生滅：色蘊總共十一個法全都是生滅有為，受、想、行、識亦復如是，全部都是生滅有為。可是等到你證悟般若以後，把這五蘊、十八界都匯歸到這個「無名相法」、「無語言法」來時，結果發覺，原來一切諸法可以「無生無滅」，都可以是「無相無為」的，就在生滅當下已經無有生滅，就在有為有相之中「無相無為」。

可是這樣的深妙法，是諸阿羅漢之所不解，你卻要教到凡夫眾生可以信受、理解、實證而得現觀，這很困難啊！所以必須要用種種的語言提出許多的名相來說明這個「無名相法」；但是這個「無名相法」畢竟不是三界中物，想要令人信解，確實比那個人用石頭造作船筏從大海此岸度到彼岸，加倍的困難。可是世尊認為這樣子譬喻依舊不夠深刻、不夠徹底，所以又講了第五個譬喻：

經文：【「舍利弗！譬如有人負四天下及諸須彌、山河草木，以蚊腳為梯，登至梵天；於意云何，為稀有不？」「稀有，世尊！」「舍利弗！如來所說一切諸法無生無滅無相無為，令人信解倍為稀有。」】

語譯：世尊又提出第五個譬喻：【「舍利弗！譬如有一個人把四天下以及所有須彌山、七金山等全部都挑起來，再加上這上面所有的山河草木，一起都挑起來；然後用蚊子的腳來作成一個天梯，這個天梯長度超過欲界六天，可以到達色界天；他挑著四天下及諸須彌山和山河草木等，他就這樣踩著蚊腳所造的天梯而上升爬到色界天去；你的意下怎麼樣呢？這樣的人是不是很稀有呢？」舍利弗只能依舊這樣答：「非常稀有啊！世尊！」世尊就說了：「舍利弗啊！如來所說一切諸法無生無滅無相無為，令人信解是加倍的稀有。」】

講義：這又是另一個譬喻。想想看，不說挑負須彌山，不說挑負四天下，單說你空著手，有一個梯子用蚊子的腳做成的；這要怎麼做？用黏的吧？因為你沒辦法綁，只好用黏的。而這個梯子長度可以從人間到達色界天，這個梯子能有多寬？我想不到一公分寬吧？除非都是那種大蚊子的腳，你去哪裡找那麼多大蚊子？普通的蚊子你黏起來的話，大概不會超過一公分寬。假使你做出一尺好了，抓一隻昆蟲放上去，它就彎掉了，不能做成功，何況是你一個人的體重想要爬上去？我們就說一個紙片人好了，只有二十公斤，像紙片一樣，也沒有辦法登上去，連第一級都無法踏上去！何況這個人很強壯，又擔負四天下、諸須彌山以及山河草木，根本不可能登上去，何況能到梵天呢？

連挑都挑不起來了，還要登上這蚊梯上到梵天，根本不可能。所以假使有人能夠作得到，確實是很稀有！世尊當然知道這個是很稀有，所以拿來問：「舍利弗！你認為很稀有嗎？」舍利弗只有依舊同樣回答，不可能有第二種答案，所以他答覆說：「稀有，世尊！」今天只能講到這裡。

《佛藏經》上週講到第三頁第二段第二行，今天從最後一句來說：「**舍利弗！如來所說一切諸法無生無滅無相無為，令人信解倍為稀有。**」上一週這一段講的是：爲人解說這個「無名相法」「無分別法」，不但難於上青天，其實有很多種的難，不是只有一個譬喻就能講得清楚的；所以上週說有人把四天下以及所有的須彌山，加上上面的山河草木全部都挑起來，然後要踩上用蚊子的腳做成的天梯一直到梵天去，是很困難的！因爲用蚊腳做成的天梯，即使是一隻小螞蚱跳上去，它就斷了，更不要說人；而且擔負著四天下和諸須彌山及上面所有的山河草木等等，但是竟然有人作得到，眞的很稀有。當然這是假設，假設有人作得到，這確實是很稀有；可是這個稀有，比起爲人家演說「一切諸法」的「無生無滅無相無爲」，而且要解說到令人可以信解，這是加倍的稀有；而這個加倍的稀有，是 如來才能作得到。那麼以上講的是第五個譬喻，接著還有第六喻：

經文：【「舍利弗！譬如藕絲懸須彌山在於虛空，於意云何，爲稀有不？」「稀有，世尊！」「舍利弗！如來所說一切諸法無生無滅無相無爲，令人信解，倍爲稀有。」】

語譯：世尊又開示說：【「舍利弗！又譬如用蓮藕的絲把須彌山綁著懸吊

起來吊上虛空之中，你想想看，在你的意下，你認為說這是不是很稀有呢？」舍利弗依舊只能回答說：「很稀有，世尊！」然後世尊就開示說：「舍利弗！如來所說的一切諸法無生無滅無相無為，而能夠令人聽聞之後得以信解，比這一個人造作了這樣的事情，還要加倍稀有。」〕

講義：這樣子講可能大家沒辦法理解，說藕絲懸著須彌山在虛空中，到底是對比或者落差有多麼大；那麼現在我們要引述《長阿含經》的一段經文來讓大家先瞭解須彌山到底有多麼大，那藕絲，諸位都知道是什麼。有時候，譬如你在廚房要炒蓮藕或者要用它煮湯，總得先要切成一段一段或一片一片，那你切了以後拿起來時，就會懂一句成語叫作「藕斷絲連」，那兩段之間總是有細絲，你沒有辦法全部切斷，得要把它一拉才會斷掉。那個藕絲不曉得諸位有沒有注意到，它比你頭上的頭髮還要細，而且它的韌度遠不如你的頭髮，並且都不長。這是藕絲，先瞭解這個特性。

現在來說須彌山，須彌山到底有多大？自古以來大家對須彌山很好奇，可是大家的說法莫衷一是；有的人說：「須彌山我知道，那就是喜馬拉雅山。」可是跟事實不能符合啊！因為須彌山的周圍有四大部洲，可是喜馬拉雅山的周圍有沒有四大部洲？沒有啊！所以這個講法不通。那麼有的人認為說四大部洲那就是歐洲、亞洲、北美洲、南美洲，剛剛一聽還覺得有道理，因為那個地球儀，地球的轉動跟太陽有一點斜角，所以這四大洲剛好各是四分之一天；好像還有一點道理，可是其實沒道理。我們先來瞭解須彌山，就知道那個說法是沒道理的，須彌山絕對不是這個物質的人間地球上這個山。

先來說明地球跟太陽，因為這個須彌山牽涉到太陽。我們地球，大家說：「哇！好大！」可是地球現在軍事上有一點緊張，有的人在說中國發展洲際飛彈，你看連北韓都可以打幾千公里，打到阿拉斯加去了，那中國在發展射程更遠的，現在可以打到美國的西岸，搞不好再過幾年他連紐約那邊都能打到。可是就算打到，也不過是一萬來公里吧？一萬多公里出頭而已。那你想想地球到底有多大？地球說大不大，說小可也不小，如果是以前，要去環遊地球一圈，可得花上幾十天；除非你坐著飛機不落地一直飛，那也得要兩、三天，也真不小。可是這地球把它拿來放到太陽中，太陽如果像籃球這麼大，地球放進來時就像一粒芝麻，那麼太陽究竟有多大？這樣諸位對太陽的大小就有一個概念。

接著來說太陽是繞著須彌山的山腰運行，還不到山頂；這個太陽繞須彌山的山腰行一圈，是四王天的一天，等於人間五十年。諸位想像一下這樣須彌山有多大？我們地球自轉一圈叫作一天，四王天是在須彌山的山腰山腳；那裡的有情，層次高的住在山腰，層次低的住在山腳，那就是羅刹那一類；太陽繞須彌山一圈就是四王天的一天，等於人間五十年。現在來看這個須彌山實際上是多大：

《長阿含經》卷十八〈閻浮提州品〉：【佛告比丘：「今此大地深十六萬八千由旬，其邊無際。地止於水，水深三千二十由旬，其邊無際。水止於風，風深六千四十由旬，其邊無際。比丘！其大海水深八萬四千由旬，其邊無際，須彌山王入海水中八萬四千由旬，出海水上高八萬四千由旬，下根連地，多固地分；其山直上，無有阿曲，生種種樹，樹出眾香，香遍山林，多諸賢聖，大神妙天之所居止。其山下基純有金沙，其山四面有四埵出，高七百由旬，雜色間廁，七寶所成，四埵斜低，曲臨海上。」】

佛說的這個大地深有十六萬八千由旬；一由旬大約二十公里，因爲是四十華里。十六萬八千由旬等於是三百三十六萬公里。從中國大陸沿海射飛彈到美國西岸大約是一萬多公里，那你想地球是直徑有多麼長？好，現在說這個大地深三百三十六萬公里，地球的地哪有這麼深的？所以這顯然不是講我們地球上這個大地。然後說這個大地是依止於水輪，而這個水輪的深有三千二十由旬，應該是等於六萬零四百公里；六萬零四百公里，地球上的海水有多深？最深的好像是馬里亞納海溝，有多深有沒有人知道？一萬多公尺？超過一萬多公尺，那就是十幾公里深；但這裡講的是水輪深六萬多公里；十幾公里比這個三千二十由旬的六萬零四百公里，差距眞的很大。

而這個水輪依止於風輪。風輪有多大？你要有大神通去瞧一瞧才會知道，因爲風輪深有六千四十由旬，就是十二萬零八百公里，可說其邊無際。這是說大海水深八萬四千由旬，大約等於一百六十八萬公里。大海水就是說，地下的水輪是到六萬零四百公里，然後大海水的水深是一百六十八萬公里，其邊無際。這只是在表面上看到的，至於須彌山王在海水之中有多深？有一百六十八萬公里，出於海面上的部分也有一百六十八萬公里。這個須彌山的下根連著大地，說大海水的下面還有大地，這當然不是指地球上這個大海水。那這個下面就都是堅固的地大物質，說這個山有點像直直地一直上去，沒有阿曲不平，不像山脈那樣。在這個直上的過程中生種種樹，樹有種種的香，這些香遍滿於所有的山林；山林中多諸賢聖，大神妙天之所居止。這裡只是講到四王天的境界而已，還沒有到忉利天。

接著就說了，「**其山下基**」就說這個須彌山下方的地基，說大地下面是以金沙來支撐著它，所以說「**其山下基純有金沙**」；然後這個須彌山東、西、南、北四面「**有四埵出**」，就是一座山一直上來以後，然後分成四埵就好像四個建築一樣，有一點從山頂斜下來這樣，就這樣四邊；那麼這個四埵以及山頂就是忉利天；太陽是繞著須彌山的山腰運行，那等於我們也跟著太陽在繞著須彌山腰了。在四王天，因爲太陽來了就說是白天，太陽繞到另一邊時成爲白天，這一邊就說是晚上，這是四王天的景況。忉利天是在太陽之上，太陽是在它的下方四面繞行，所以忉利天就不以太陽的運行作爲它的計算時間標準，而以四王天的時間加倍來算。再上去的夜摩天太陽光照不到，陽光還可以照得到忉利天，但是照不到夜摩天，所以夜摩天是一片黑暗，那怎麼生活？沒關係，天人各有身光，他們的宮殿住所也都各有光明，就這樣子生活。

現在話說回來，這樣想起來，須彌山顯然是很大，因爲太陽繞它一圈要人間五十年。這麼大的須彌山用蓮藕的絲綁著懸在虛空中，而讓這個藕絲不會斷掉，這眞的太稀有，沒有辦法想像的稀有！可是這個眞的稀有嗎？佛說不然，因爲 如來說了：「一切諸法無生無滅無相無爲，而能夠用語言文字把它解說讓人家聽了以後可以信解，比這個人用藕絲懸須彌山不會掉下來更稀有！」確實也是如此。諸位不要以爲說：「我覺得沒什麼難啊！因爲您蕭老師講了以後我聽懂了，然後我打過禪三，也證得了，這有什麼難？」可沒想到這只是在正覺同修會中才不難，你要去到其他所有道場看看，根本就沒有可能。

臺灣號稱佛教徒一千兩百萬人，其實是雜著許多的道教信仰，包括附佛外道的密宗假藏傳佛教信徒也說是佛教徒；把它扣一扣、減一減打個折，一半好了，就算六百萬吧！六百萬人多不多？比起正覺同修會是多了很多，可是其實不多。再來算算看全球的佛教界，粗分爲北傳佛教、南傳佛教，這樣加起來幾億人是跑不掉的；有那麼多的人都在修學佛法，而他們所謂的佛法是「一切諸法全部都是生住異滅，全部都是有相有爲」，所以沒有人敢說「一切諸法無生無滅無相無爲」，只有咱們同修會敢出來講。那諸位想一想，幾億人的佛教徒，只有諸位之中的這一些人能夠實證而終於信解，當然是難得稀有啊！可是這樣的稀有，佛陀講了六個譬喻覺得不夠，又講第七個譬喻：

經文：【「舍利弗！譬如劫盡大火燒時，人以一唾能滅此火，又以一吹還成世界及諸天宮；於意云何，爲稀有不？」「稀有，世尊！」「舍利弗！如來所說一切諸法無生無滅無相無爲，令人信解，倍爲稀有。」】

語譯：【世尊又說：「舍利弗！就譬如災劫來時，已經到了火劫生起，這時大火焚燒起來，從地獄、畜生、餓鬼、人間燒到初禪天了；但是有一個人只要吐一口口水就能把這個毀壞三千大千世界的火滅除，滅了之後他又用嘴這麼一吹，把原來被毀壞的世界和天宮全部都恢復了。你的意下如何呢？這樣的人是不是很稀有？」舍利弗依舊只能答：「稀有，世尊！」然後世尊就說了：「舍利弗！如來所說一切諸法無生無滅無相無爲，而可以說到使人能夠信解，比起這個人的稀有是更加倍啊！」】

講義：這個其實是比剛才那個更難，因爲那個須彌山畢竟只是一個小世界中的事，可是這個火劫來時，是整個三千大千世界，從地獄道一直燒到初禪天，全部燒壞，不只是人間所依止的須彌山而已。這個火劫來時，剛開始就是變熱，變熱之後緊接著太陽連著出來兩天，那水當然一定變少了，很多地方都乾燥了；再過一段時間又變成太陽在天上整整三天，然後才下去；再下來太陽是連著四天、五天、六天、最高七天在天上，然後才下去。如果太陽每次都連著七天曝晒，下去一夜以後又來七天，那地球上會變怎麼樣？水都燒乾了；最後剩下如牛跡一般的水也蒸發掉了。

也有一種解釋說，剛開始是兩個太陽同時出現在天空，然後三個太陽同時出現，最後是七個太陽同時出現。有此一說，那我們沒看到這個景象，先信著再說。假使到那個時候火劫出現，連牛跡之水也不存在了，大海燒到最後剩下牛跡之水，就是一個腳蹄印踩下去以後那個小小一窪的水也燒乾了，全都沒有水，大地可能是幾百度以上或者一、兩千度；那時可能比較鬆軟的石頭也融化了。像這樣全部都燒起來，從地獄往上一直燒到初禪天，連初禪天的天宮都燒壞。這火是很大的，竟然有人能夠吐一口口水，就把這個大火給澆熄了，這眞的很稀有。可是這還不夠，當他把大火澆熄之後，接著一吹就回復被燒掉的所有世界。

這個「吹」在《阿含經》中的說法，說火劫過了以後一段時間烏雲密布，就從二禪天開始下雨，雨的水滴都很大，猶如車輪一般，這樣一直下；下完了，二禪天的天宮還沒有恢復，得要有風吹，然後這一些水生起泡沫，最後漸漸凝結才成就未來的二禪天宮，所以還要經過這麼一「吹」，二禪天人的天宮才能成就。接著二禪天的雨不下，就換初禪天下雨，一樣雨滴如同車輪一樣大，一直下，下到整個都淹了以後，漸漸的水開始消退；大風又繼續吹，吹完以後初禪天的天宮才終於能夠成就。就像這樣的情形一直往下成就他化自在天，乃至再往下來到人間，這樣要經過幾吹？欲界六天有六吹，初禪天、二禪天各一吹，就有八吹，加上人間是九吹，這樣才能夠使世界還復。

那麼有人說：「奇怪！我們人間的大海水爲什麼都是鹹的？沒辦法喝。」假使你們有機會（當然你們這個機會不可能存在，我說是假使），淪落在海上漂流，那時海水不能喝，越喝越渴，死得更快，海水眞的不能喝。那有人說：「奇怪，人間這個海水怎麼都是鹹的又苦呢？這個鹽到底是從哪裡來的？這些喝起來好苦，不清淨的東西是哪裡來的？」答案是從二禪天一直下雨，二禪天的天宮完成以後還是會再下，不是完全沒有雨；初禪天也是如此，就這樣天宮形成以後下了雨，雨就把那些天宮屋頂的污垢沖下來；然後來到初禪天，又來到他化自在天，最後來到人間，所以就是鹹的。《阿含經》中是這麼說的。

海水的鹹當然有原因，第一是眾生不可以喝這個水，因爲眾生的福報不夠，所以不能給眾生這麼多的淡水；另外一個原因是因爲有許多眾生的業報，要以海水爲家，牠們必須以鹹水爲家；而這些眾生的身量從很小到很大都有，所以海水得要是鹹的，不能是淡的，否則牠們也無法生存。這就是海水爲什麼會是鹹的。終於有答案了，科學家沒有答案，說本來就是鹹的。當然，經中另有說法，咱們就不談它。

那麼這個人不像世界重新形成時，要經過這麼九吹才能回復如舊，他只要這麼一吹，世界就回復了；各種天界的天宮也跟著一起回復，他有這個能力，顯然是很稀有的。所以 世尊就拿這個譬喻來問：「舍利弗啊！你認爲這樣一個人是不是很稀有呢？」因爲實際上不可能找到這樣的人，所以這叫作譬喻。那麼舍利弗只能回答：「稀有啊！世尊！」他的回答早在 世尊的預料之內，因爲他一定要這樣答，不如此答不行。但是世尊卻說：「舍利弗啊！如來所說的一切諸法無生無滅無相無爲，而竟然可以讓人家如實理解而產生了信受和勝解，比這個人是更加倍的稀有啊！」

這就是劫喻，用火劫、水劫來作譬喻。可是 世尊認爲這還不足以強調 如來爲人家說這個法、令人信解是如何的稀有，所以又講了第八個譬喻：

經文：【「舍利弗！恒河廣大爲無量不？」「如是，世尊！」「舍利弗！四天下中普雨大雨，渧如恒河；有人以手承此雨渧無所遺落，於意云何，爲稀有不？」「稀有，世尊！」「舍利弗！如來所說一切諸法無生無滅無相無爲，令人信解，倍爲稀有。」】

語譯：世尊又呼喚舍利弗而說：【「舍利弗啊！你認爲恒河是不是廣大無量呢？」舍利弗當然只能回答：「如是，世尊！」世尊又說了：「舍利弗！四天下之中同時普遍每一個地方都下了大雨，而大雨的水滴就像恒河那麼大，有一個人可以用他的手把這些雨滴全部承接起來而無所遺落，你的意下認爲怎麼樣呢？是不是很稀有啊？」舍利弗回答說：「稀有，世尊！」世尊又說

了：「舍利弗！如來所說的一切諸法無生無滅無相無無為，使人聽聞之後能得信解，比這個人是加倍的稀有。」】

講義：恆河到底大不大？諸位當然會說大，可是到底有沒有概念瞭解它到底多大？我說一個經驗好了，二十幾年前我去朝禮聖地，那個行程有一天是一大早就起床，大家排隊走路過去；前一晚是住在瓦拉納西，次日一大早去恆河。你們也許看過《國家地理雜誌》，他們有報導恆河邊，印度人死了以後就在恆河邊火化，之後把骨灰倒到恆河中去，說這樣子就可以生天，這眞的叫作「戒禁取見」。可是在那裡焚燒死人然後把骨灰和木材灰都倒進河裡去，上游還有屎尿等物漂流下來，這時在那個地方同時有人在河邊沐浴灌頂。他們多迷信！

死人的骨灰在那邊漂流，加上不清淨的排洩物同樣從恆河中流下來，而印度教徒在河水裡把身體和頭都沉到水中去，然後站起來又掬水往頭上潑，再合起掌來嘴裡唸唸有詞。恆河水有死人骨灰漂流著，夠髒了吧？還不夠，因為瓦拉納西已經算是靠近中下游了，那一段河水中，從上游流下來許多人類、動物的排泄物；所以很多人在那邊沐浴灌頂，所謂的洗掉罪惡之後，回家都趕快再用自來水沖洗，洗完還有些臭臭的，就噴香水。

那是我們後面才看到的景象。我們剛到恆河邊時太陽還沒升上來，大家都下到船上，當地人就爲我們划著小船離開河岸遠一些；因爲天還沒有很亮，濛濛亮而已；划著小船時，他們會在船上放很多用紙張做的，也有用樹葉做的，把紙張或樹葉弄成中央凹凹的，中央放一朵花，再放一個東西讓你點了會有火，就像我們臺灣放水燈一樣的道理，只是它沒有做成燈的樣子，就只是這麼一片葉子中央一朵花，然後有香，有一個燈心加上一點點油讓你可以點著，點了有火就順水漂流，供養恆河神。

當年我們去了那裡就只能隨俗，好在很便宜，就隨俗每一個人買一個，不然他就纏著你不讓你走；很多人點起來漂流倒也蠻好看的，不要注意鼻子的感受就好，因爲水臭。接著天漸漸亮了，導遊就叫大家看：「看那邊。」我們在恆河這一邊的船，離岸邊不遠，大概都是一、二十公尺而已，導遊問大家：「有沒有看河那邊？有沒有看到對岸？」看不到，眞的看不到對岸；要上岸爬高了才會看到對岸，在船上你是看不到對岸的；然後導遊叫我們看恆河日出。在恆河上可以看到對岸那一邊沒有岸，只看到水，然後太陽從水面冒出來；這還是恆河中段的尾端而已，如果到出海口會有多寬？這樣諸位對恆河大小就有點印象了。

在瓦拉納西的恆河，就可以在河裡看日出；現在由這個譬喻來說，佛問舍利弗說：「恆河廣大，是不是大到無量呢？」因爲瓦拉納西就已經可以看恆河日出了，如果是下游出海口那邊，更是廣大了，一定有好幾公里寬，那麼舍利弗當然只能答說：「就像您說的這樣，世尊！」這是一個事實，不可否認。好，佛就有話說了：「恆河是這麼大，現在須彌山四邊的四大部洲同一個時間同時下大雨，那大雨的雨滴，每一滴都像恆河那麼大（這個怎麼想像，但是就在腦海裡面想像一下吧！每一滴都像恆河那麼大，在四大部洲同時下），然後有一個人竟然可以用手把所有的雨滴全部都接住，無所遺落。」諸位想一想，這個很難哪！

不說四大部洲的雨滴，每一滴都像恆河那麼大；單單說這個半杯水就好，這半杯水讓你雙手來承接，你能不能讓它無所遺落？你的手掌裡的容積也一定超過半杯水，但你能不能讓它無所遺落呢？不行。但他這樣竟然把四天下—四大部洲—所下每一滴都像恆河那麼大的所有雨滴，全部承接起來而無遺漏，當然這是很稀有！可是 世尊說這不夠稀有：「諸佛如來所說一切諸法無生無滅無相無為，這個『無名相法』、『無分別法』用語言文字來分別給人家聽，聽了以後能夠信解，比這一個人更加倍的稀有。」這個是恆河喻，接下來 佛又講第九個譬喻：

經文：【「舍利弗！須彌山王為高大不？」「高大，世尊！」「舍利弗！四天下中普雨大石皆如須彌，有人以手承接此石，無所遺落如芥子者；於意云何，為稀有不？」「稀有，世尊！」「舍利弗！如來所說一切諸法無生無滅無相無為，令人信解，倍為稀有。」】

語譯：【世尊說：「舍利弗！須彌山王是不是很高大呢？」舍利弗回答說：「很高大呀！世尊！」佛又說：「舍利弗！四天下之中普遍的猶如下雨一般，降下了很多的大石，這些大石頭每一個都像須彌山那麼大，有一個人用他的手把全部的大石頭都接下來，沒有一點點的遺落，即使像芥菜子那麼小都沒有遺落；那你的意下如何呢？這是不是很稀有？」舍利弗回答說：「非常稀有！世尊！」於是世尊又說：「舍利弗啊！如來為大家所說的一切諸法無生

無滅無相無爲，而能夠說到令人家可以信受和生起了勝解，比這個人加倍的稀有。」〕

講義：也許有人想，這個譬喻比起前面那個譬喻好像沒有比較厲害吧？那是因爲你沒有注意到細節。怎麼說呢？如果四大部洲天空全部下起大雨，那每一滴雨其實就是一座須彌山，須彌山是堅硬的東西。現在先不說他承接下所有須彌山大石，單單說五十顆石頭就好；五十顆石頭同時掉下來，不必平均掉下來，就像一簍子這樣掉下來好了，或是弄一個紙管讓它一顆一顆掉下來讓你來接；你接了以後不許有碰撞的粉塵掉下來，行不行？因爲你接了第二顆開始就一定會碰撞，一碰撞就一定會有細碎掉下來；而他竟然把四大天下所有像須彌山那麼大的石頭一起接著，碰撞時竟然不會掉下像芥菜子那麼小的碎石；連那麼小都沒掉下來，這個當然是稀有啊！可是這個不是最稀有的，因爲「一切諸法無生無滅無相無爲，要藉著語言文字、藉著分別之法，來說給大家信受而且能夠具有勝解，確實比這個人加倍的稀有。」這是第九個譬喻「須彌山石喻」。接著 世尊認爲還要再講一個譬喻，才能比喻得十全十美，我們再看 世尊最後怎麼譬喻：

經文：【「舍利弗！譬如有人以一切眾生置左手中，右手接舉三千世界山河草木，皆能令是一切眾生同心喜樂，其意不異。於意云何，為稀有不？」「稀有，世尊！」「舍利弗！如來所說一切諸法無生無滅無相無為，令人信解，倍為稀有。」】

語譯：【世尊說：「舍利弗！譬如有一個人把一切眾生放在左手中，然後他的右手就把三千大千世界的山河草木舉起來，而能夠讓所有的眾生有一個同樣的心緒，一起都覺得非常的歡喜快樂，大家心中都沒有不同的想法。在你的意下認為如何呢？這個人是不是很稀有呢？」舍利弗只能依舊回答說：「稀有，世尊！」佛又說：「如來所說一切諸法無生無滅無相無為，說到令人可以信受和生起信解，比這個人加倍地稀有。」】

講義：也許有人想這個不算是很厲害吧？不！這個才是最厲害的，所以放在最後來說。左手把三千大千世界所有眾生容納進來，三千大千世界所有眾生都把他們攝受到他的左手中來；不說三千大千世界，假使我們這個講堂，像我們剛搬來，講《起信論》時算一算有七百十五個人，那時候七百多個人沒有辦法全部擠進來，所以韋陀菩薩前面坐滿了，在電梯間前面也坐滿了，然後再把走道以及後面的樓梯也都拉了喇叭，大家坐樓梯聽經；就這樣子，七百十五個人（奇怪呢！當時竟沒有人說苦，夏天在門外是沒有冷氣的，他們坐在那邊也寧願繼續聽），雖然說很擁擠，畢竟都還有一點小小的空間；如果三千大千世界所有人都放在他的左手上，那是不是要你儂我儂，擠在一起了！

擠在一起以後還不是這樣就算了，再來說說右手；他的右手把整個三千大千世界擎起來，現在兩手都有，這已經很難了；但還不是最難的，最難的是左手這一邊三千大千世界的人類、天人、餓鬼（包括善鬼神、惡鬼神）加上畜生道、地獄道的眾生，全都在這裡面。假使同樣是地獄道的眾生，大家不會互相嫌棄，還勉勉強強擠就擠吧，還可以忍耐；可是餓鬼道的眾生能忍受地獄道的眾生嗎？畜生道的眾生能忍受餓鬼道、地獄道的眾生嗎？人類能忍受三惡道的眾生嗎？天人能夠忍受人類跟三惡道的眾生嗎？一大堆的問題請諸位想像一下；但是當大家擠在一起時竟然同樣都是一心、歡喜快樂，這眞的太難了。

最難的是人心，人心是沒有辦法同共一心的。假使今天你出來說：「假使我當選總統，每一個國民每年都發三萬塊錢。」那麼大家都會百分之百稱讚他嗎？會嗎？不會！會有很多種說法出現，有的說：「你乾脆發十萬塊錢，爲什麼要發三萬塊？反正舉債就舉債，你都舉債了有什麼差別？」有的說：「不行！這一發下去國家就破產了。」有的說：「好！我們就三萬塊。」有種種說法，林林總總不一而足，不會完全同心的，人心最難。可是他的左手放置了三千大千世界天人乃至地獄道的眾生，各不相同的層次擠在一起，一定是很擁擠；全部要擠在一起，竟然大家都是同心喜樂，這才是最難的。

因爲這個人心，不止人心還有鬼心、畜生心、地獄心、天人心，竟然同共一心同心喜樂，大家的意下都覺得說：「好快樂、好歡喜！」這是不可能的事啊！可是這一個人作到了。假設眞有這麼一個人作到了，眞的很稀有；可是這還不夠稀有，佛陀說：「一切諸法的無生無滅無相無爲，諸佛如來把它用名相、用語言爲大家解說以後，讓大家得能信受而且可以有勝解，比這個人加倍的稀有。」

以上總共有十個譬喻，這十個譬喻在告訴我們：佛法寶藏的實證、諸佛妙藏的實證，也就是「妙法蓮華經」、「金剛經」的實證，不是那麼容易的；更何況進而教導「一切諸法無生無滅無相無爲」，因爲這個已經屬於無生法忍的層次了；這已不只是告訴你如來藏「無生無滅無相無爲」，而是告訴你「一切諸法」的「無生無滅無相無爲」，所以這是很困難的事情。且不說入地得無生法忍，單說親證如來藏這一件事，這只是眞見道位開悟明心而已，全球佛教徒概略來說應該有幾億人，而這個二十一世紀初看起來佛教好像也很興盛，但是有多少人可以親證「此經」如來藏？還不說無生法忍。

所以，當年我們出來說如來藏可以親證，佛教界沒有人相信；因爲他們想：「突然冒出一個蕭平實來，一個人帶著幾十個人就說你們證得這個最勝妙法，開悟明心還有眼見佛性，一個名不見經傳的小子敢開大口說這種話？」所以當時沒有人信，因爲那時連正覺同修會都還沒有成立。當年我們三處共修都是寄人籬下，借人家的佛堂講課。這證明單是明心開悟這件事情，已經使人無法信受，如果說可以傳授無生法忍的法，而讓人得勝解，那更是難。確實是難，而 如來就是有辦法讓弟子們可以實證無生法忍，所以這是加倍的稀有。

但這十個譬喻中說的稀有難得的人，比起如來能夠幫助弟子們證得無生法忍，那其實已經微不足道了。所以諸位聽到這裡之後，今晚講經圓滿就不必在心中憤恨不平說：「明明這是正法啊！為什麼你們還要毀謗？」因為這法難可得證，信受都已經很難了，何況實證；所以那一些凡夫之輩、狂傲之輩加以毀謗，也就是平常事了。所以當人家毀謗時，你要有慈悲心作「下墮想」來救他，因為你知道他捨壽後會下墮。他只要謗如來藏「此經」，捨報後就是下墮；以這個「下墮想」接著生起一個「救護之想」來為他解說。不管他接不接受，為他說明、讓他理解，希望他捨報之前懂得發露懺悔，免掉下墮的業，那你就攝受了一分佛土。

你說服了十個人信受「此經」妙法蓮花，就攝受了十分佛土。佛土就是這樣攝受，一分一分不斷地去攝受，攝受到你可以成佛為止。你不可以說：「我到快要成佛時再來攝受佛土。」那是來不及的。眞要這樣想的人，等到快成佛時，還得要用將近三大阿僧祇劫來度那一些人有的成為妙覺、有的成為等覺、有的成為十地乃至初信位；那你又要再等一個三大阿僧祇劫，這樣划得來嗎？就算眞的可以這樣子，也眞的划不來！可是其實是不可能這樣；

因爲你每一個位階的提升都要有相應的福德，而那些相應的福德要從你攝受這些眾生而來；如果不是攝受眾生而累積的福德，你就不能再往上前進。

所以我從來不起一個念頭說「你們都欠我」，爲什麼呢？我是爲我自己作，是攝取我的佛土；我幫助你們越多，福德就越大，能夠往上再提升上去，我這樣子想。所以如果有人得了法以後，馬上就來向我說：「Good bye！**我要告長假**。」這一告假表明五十年不會回來。五十年意思是比較好聽的說法，其實就是說「我永遠不來了」，那我也不會覺得怎麼樣，因爲我只是在盡義務！我把法傳給他，他想要未來世才回來也行；因爲雙方間的這個連結是無法切斷的，只是說他進步慢一點，也無妨。那你成佛時每一個階位都要有人，不可以斷層；所以假使有人希望未來我成佛時，他繼續留在十住位、十行位、十迴向位，那也行！因爲那些階位也都需要有人，他願意委屈自己來當也不錯。要叫別人留在那個位階，人家還不願意呢！所以都可以。我不必去想：**「這個人竟然不肯爲正法作事就走了，氣死我了！」**不需要這樣。

這就是說實證本來就很困難的，在各方之士教導說：只要開悟了以後，大事已畢，大事已了，從此以後就當個無事人。古時候祖師也有人這麼說，其實都該打屁股，這表示他們有所不知。也就是說，他們的所知就只是眞見道這個部分，進一步的佛性看見了沒有都還不知道，就說參禪事畢、大事已了。但明心與見性都完成就圓滿了嗎？還不成！緊接著就是要進入初行位，乃至一直到十地、等覺、妙覺都還沒有成佛。所以這個法很難，從一開始就難；即使見道之後，要進入到初地的入地心，證得第一分的無生法忍，更是加上很多倍的難；而他們都是不知道的，所以在五濁惡世有人毀謗這種勝妙法，都是平常事。既然是平常事，就請諸位以平常心來看待，不需要憤恨不平；咱們努力去作，眾生能得到多少利益，那就是他們的事情了。他們如果得到利益卻認爲是被你傷害，也是他們自己的事情。

就好像久旱熱死了、渴死了，那時候你一大盆水往一群人中間潑過去，大家都很高興：「哇！太棒了！太棒了！」可是其中竟然有人罵起來：「你爲什麼用水濺我？」會不會有這種人？會！就是會有這種人，那也是他的因緣。有的人歡喜，有的人覺得受不了，都正常。所以各種眾生在五濁惡世中會表現出來形形色色無所不有，我們還是一味平懷。自從我弘法以來，我常常告訴大家：「不論遇到什麼樣的人，接受的或者偏偏要否定正法的人，那

你要記得一句話：眾生本來如是。」我出來弘法之後就常常講這句話提醒大家。

這是因爲眾生會在五濁惡世中存在，心性眞的形形色色各不相同，所以你不能要求他們的心想和你完全一樣。而且到了末法時代惡知識很多，錯誤的教導非常之多，廣泛誤導了大眾時，大眾因爲邪教導而出來否定你說的正法，他的本意無惡，他是認爲：「**你弘揚如來藏就是外道神我，不是佛法，你要趕快離開如來藏這個法，若不離開，我就一直寫文字罵你。**」他的本意是好的，但是他被惡知識作了邪教導，才導致這個現象出現；因爲眾生大部分是沒智慧的，本來就是如此，所以我們應當要接受。

那麼從 佛陀所說這十個譬喻中，不必一定說到無生法忍，單單說是大乘無生忍這個眞見道就好，「**無名相法**」、「**無分別法**」，而用語言文字來爲大眾分別，藉各種名相來說明，要讓人信解本就非常困難。我們現在有一百多本書，可是佛教界能夠信受又同時有勝解的，能有幾人？到如今不見其一，更不要說其二乃至其餘。所以這個毀謗「**無名相法**」如來藏妙義的事情，在五濁惡世而且在末法時代是平常事；雖然是平常事，但是他們被人作了邪教導以後，作了這一件毀謗大乘妙法的事，那是地獄業，我們不應該眼睜睜看著他們下墮。所以不管人家怎麼罵，我們終究要為他們解說清楚，讓罵聲漸漸地減少；然後是嘴裡罵、心裡認同，接著是嘴裡不罵、心裡認同偷偷學，最後死前懂得發露懺悔，不必下墮，這就是我們的功德。我們就把他們給救了，這也是我們要作的事。所以菩薩心中沒有所謂的瞋、怒、惱，永遠沒有這回事，不管什麼樣的眾生都一樣要救，這就是我們要作的事。

那麼回頭來看看《佛藏經》，有沒有誰敢出來講《佛藏經》？沒有。大概十年前有一個弘揚淨土的某道場，他們可能私下有在講《佛藏經》，但是規定信徒們《佛藏經》只能讀前半部，後半部不許讀。那到底是什麼原因？咱們先賣個關子，諸位一直聽下去，聽到後半部時，自然漸漸會明白為什麼這樣規定？那我也不必說明什麼，讓諸位自己心裡明白才是最好的方式。

這十喻說完了，如來當然要針對這十喻再來作一番法義上的解說，才能證實 如來把這個「**一切諸法無生無滅無相無為**」，說到讓人家信解是如何的稀有，所以 如來當然要來說明其中的勝妙處，我們就來聽 如來怎麼開示：

經文：【「舍利弗！如來所說諸法無性，空、無所有，一切世間所難信解。何以故？舍利弗！是法無想、離諸想，無念、離諸念，無取無捨、無戲論、無惱熱，非此岸、非彼岸、非陸地，非癡非明；以無量智乃可得解，非以思量所能得知。無行、無相、無有惱熱。無念、過諸念，無心、過諸心，無向無背、無縛無解，無妄、無妄法，無癡、無癡法，無有癡網，無名無言，無說、無不說，無盡、無不盡，無行、無行相，無道、無道果，無離、過諸離，無思惟、無雜糅，不取不捨，無得、不可得；除諸滯著，除貪恚癡；非實、非虛妄，非常、非無常，非明、非不明，非闇非照，不在心；無有性，性本空。能降伏魔，降伏煩惱，降伏五陰，降伏十二入，降伏十八界；降伏說有五陰者，降伏說有十二入者，降伏說有十八界者，降伏說有眾生者、說有人者、說有壽者、說有命者、說有有者、說有無者，降伏一切諸邪行者。舍利弗！我此聖法，皆能降伏一切貪著乃至說有法者、不信樂諸法如實相者、逆佛法者。所以者何？舍利弗！若有眾生說我者、說人者、說眾生者、說斷滅者、說常者、說有者、說無者、說諸法者、說假名者、說邊者，皆違逆佛，與佛共諍。舍利弗！乃至於法少許得者皆與佛諍，與佛諍者皆入邪道，非我

弟子；若非我弟子，即與涅槃共諍，與佛共諍，與法共諍，與僧共諍。」】

語譯：【世尊接著又開示：「舍利弗！如來所說諸法沒有眞實性，空且是無所有。一切世間是沒有辦法對此有所信解的。爲什麼緣故而這樣說呢？舍利弗！我說的這個法沒有知覺、也離開種種的知覺，沒有意念、也遠離了種種的意念，沒有取沒有捨、沒有戲論、沒有惱熱，這個法不是此岸、也不是彼岸，更不是陸地，這個法沒有癡也沒有智慧光明；要以無量之智才有辦法證得而生起勝解，不是用意識思惟測量所能夠獲得而了知。這個法沒有身行口行意行、沒有種種的法相，也沒有任何的惱熱。這個法沒有念、但又超過種種的念，沒有心、又超過種種的心，沒有正面也沒有背面（沒有所面對也沒有所背棄），沒有繫縛也沒有解脫，沒有虛妄、沒有虛妄之法，沒有愚癡、沒有愚癡相應的法，沒有愚癡所生的繫縛羅網，而這個法沒有名字沒有言說，沒有言說可是卻又同時沒有不說，這法沒有滅盡、也沒有所謂的不滅盡，這個法沒有種種行、也沒有各種行的法相，沒有修道、也沒有修道所得之果，這個法沒有遠離、可是卻超越了種種的離，沒有思惟、沒有任何的法雜糅在其中，既不取任何法也不捨任何法，從來沒有所得、又不能夠說祂完全沒有得；這個法可以滅除種種滯疑和執著，滅除貪欲、瞋恚和愚癡；這個法不是眞實、也不是虛妄，這個法不是永遠的常、也不是無常，不是智慧光明、也不能說祂不是智慧光明，既不是黑暗也不是明照，祂不在於眾生所知的心中；這個法沒有世間法的自性，因爲祂的自性本來是空。以此緣故而能夠降伏種種的魔，能降伏各種煩惱，降伏五陰，降伏十二入，降伏十八界；還能夠降伏主張五陰眞實有的人，能降伏主張十二入眞實有的人，能降伏主張十八界眞實有的人，降伏主張眾生眞實有的人，降伏主張有情眞實有、主張壽命眞實有、主張壽量眞實有、主張性命眞實有、主張有三界有、主張說有一切無的人，能降伏一切世間種種邪見邪行的人。舍利弗啊！我這個神聖之法，普遍的能夠降伏一切貪著三界諸法乃至於主張有法的人、不信樂諸法如實相之人、違逆佛法的人。爲什麼這樣說呢？舍利弗！如果有眾生說有眞實我、說有眞實不壞的有情、說眞實有不壞的眾生、說一切法斷滅、說一切法常住不壞、說一切法有、說一切法無、主張諸法眞實有、主張諸法都是假名、主張諸法有邊無邊的人，這一些人都是違逆於佛，都是與佛共諍的人。舍利弗！乃至對於種種法只要有那麼一點點說是眞實可得而不壞的人，全都是與佛互相諍論；與佛互相諍論的人全部都是進入邪道中的人，不是我釋迦牟尼的弟子；如果不是我的弟子，就是與涅槃互相諍論，與佛互相諍論，與法互相諍論，與眾僧互相諍論。」】

講義：這一段經文蠻長的。如來說祂為我們大家所說的「諸法無性，空、無所有」，是一切世間所難信解的深奧微妙之法。如來降生世間為大眾說法，不會只是說二乘的一切法緣生緣滅，不會是教導大家全部都入無餘涅槃，因此一定不是說一切諸法終歸壞滅空無所有。先從世間相來說好了，假使諸佛如來一時全部出現在十方虛空所有三界中，一時度盡所有眾生，全部都入無餘涅槃（當然這不可能，所以我說「假使」），那麼三界中再也沒有有情了，諸位認為這樣有沒有意義？對啊！真的毫無意義。如果真的有一天是這個樣子，咱們不如站出來高聲大呼說：「讓眾生輪迴生死吧！」為什麼？因為讓眾生輪迴生死，至少未來還有因緣，終究會有人第一個先成佛；可是如果都度成阿羅漢、大家都入無餘涅槃以後，那不能叫作「寂靜的春天」，因為連春天也沒有了。為什麼連春天也沒有了？因為都沒有山河世界啦！山河世界是眾生的如來藏依著共業而成就的，當眾生全部入無餘涅槃時，就會只剩下虛空，連世界都不存在，那有什麼意義？所以說諸佛來人間的本懷，絕對不是要大家去取證二乘涅槃，因爲那沒有多大的意義。

解脫於生死是滅除煩惱而不是斷滅五陰十八界，這在《阿含經》已經講過了，阿含部有一部經典叫《央掘魔羅經》，早就說過這個道理，不必到大乘經才說。如來所說的「**諸法無性**」是依於現象界而說，現象界中的一切諸法都是生住異滅，沒有常住不壞、本來自在的法性存在，所以「**諸法無性**」；可是「**諸法無性**」的背後另外一邊是空性，而這個空性自住境界中沒有一切諸法，所以這個「空」「**無所有**」。這個「空」中沒有任何一切諸法，卻能夠出生現象界的一切諸法，而讓現象界中的一切諸法不斷地生住異滅永無休止。所以 如來於人間說法一定兼具實相法界和現象法界，不會偏在一邊。因此 如來所說「**諸法無性**」是指現象界的諸法，但是卻有一個「空、無所有」的法，這是實相法界；可是 如來說了這個「**諸法無性，空、無所有**」，卻是「**一切世間所難信解**」。因爲單單是「**諸法無性**」就已經使世間人很難信解了，更別說那個「**空、無所有**」。假使有人今天是第一次來聽我講經，也許聽到我剛剛這一句話，心裡覺得：「**眞的嗎？**」然後腦海中（眞的叫作腦海，因爲他的腦海中）有一個問號好大好大，就好像太平洋那麼大。

我們不妨說說看，譬如二乘解脫道，光是這個解脫道，在我們正式弘法之前，有很多的道場，不論在家居士主持的、出家法師主持的道場，宣稱他們已得阿羅漢果，然後印證弟子們得三果、二果、初果；等到我們出來弘法之後加以檢查，發覺：各個我見具在，連我見都沒有斷除，因爲三縛結全部都在。這表示他們對二乘菩提都誤會了。再來推究，看看臺灣佛教界第一把交椅，人稱佛學泰斗釋印順法師，他認爲成佛之道就是阿羅漢所證的解脫道，但這位佛學泰斗在他的書中所顯示出來的依舊是沒有斷我見。

可是斷我見這一件事情是解脫道層次最低的部分，還不到阿羅漢果，而這部分的修證全部都在現象界中著眼，說的是蘊處界入等等諸法全部無自性，因爲都是生住異滅，沒有自體性，而他們連這個都誤會了！那你若是要寄望他們能夠理解實相法界，豈不是緣木求魚嗎？所以單單是現象法界中一一可以現前觀察證驗的這一些法，還不說斷三縛結證初果，單單說十八界的內涵，連佛學泰斗的釋印順都能誤會，那你想這個「**諸法無性**」容不容易理解？顯然很難。

可是這都還只是在現象法界裡，那實相法界「空、無所有」就更難理解了。這個空性中無有一法，所以《心經》中說：「無眼、耳、鼻、舌、身、意」，一直到「無無明亦無無明盡」，就這樣全部都無，空無一法。《心經》這個空性中沒有一法可得，但是祂所生的五陰十八界等法可以衍生出無量無邊諸法，所以 如來所說「諸法無性，空、無所有，一切世間所難信解」，完全是如實語，沒有一絲一毫的虛誑。

如來接著就解釋說爲什麼「一切世間所難信解」。佛陀就說：「是法無想、離諸想。」這個「想」在這裡解釋作覺知。就好像修禪定，修到了無所有處定過去，進入非想非非想處定，非想非非想處定又名非知非無知定；譬如第四禪之後的無想定又名無知定，《阿含經》中 佛也說「想亦是知，知青黃白黑」，所以想就是知。那麼因爲先有知，才會生起語言文字的分別，然後爲了把自己所知跟其他同類有情的所知來作溝通，所以才有語言文字來作分別；因此先有知，才能夠有種種語言文字產生，因此無想就是無知。「是法無想，離諸想」，是說 如來說的「諸法無性，空、無所有」，這個法是沒有了知性的，是離開了知性的，這就是從實相法界來說現象法界的事。這個實相法界「無名相法」、「無分別法」，祂本身的境界離知覺，沒有六塵中的覺知，對一切六塵無所覺知；祂的境界是超越於覺知的，是離開於覺知的，所以是「無想、離諸想」。

也許有人說：「奇怪！明明我現前就有知有覺，也能夠思惟種種妄想，怎麼會無想呢？」這就是從實相法界來看現象法界時，你知道現象法界是從實相法界而生，依於實相法界而作種種的覺知和分別，但這個現象法界的一切法都歸屬於實相法界，而實相法界中是無想的，是離知的，是無知覺、離知覺的，所以說「是法無想、離諸想」。今天講到這裡。

上一週《佛藏經》講到第四頁第三段只講到第二行第二句，今天要從「無念、離諸念」開始。關於這個「無名相法」講到「無念、離念」，自古以來都被誤會；到二十世紀傳到蓬萊仙島這個臺灣，乃至正覺同修會出來弘法之前，一向都被誤會。大家都說修學佛法證悟的境界就是一念不生，就是離念靈知的境界；將來證得阿羅漢果入無餘涅槃時，就是這個覺知心清楚明白、了然分明而無一念的存在。這種邪見是在佛世就已經存在的一種現象，一直到現在都還是如此。

也許有人想：「佛世不應該有這種現象啊！」可是咱們想一下：「如果佛世沒有這種現象，那就應該佛世的所有佛弟子全部至少都證初果，可是爲什麼還有凡夫？」顯然佛世時就有這種現象，而且是一切凡夫修行者的狀況中最平常的一種。一直流傳到二十一世紀的今天，證悟者仍然是極少數，永遠都不是多數。就好像軍隊，一個大將軍相對的是百萬兵，不可能是百萬將軍一個兵啊！那麼證悟的事情自古以來就是稀有難得，所以誤會實相般若中「無念、離念」的人永遠都是多數，這並不奇怪。所以如果有大師是這樣子的話，根本不奇怪；能夠超越於普遍的凡夫大師境界的人，才是奇怪的人。

所以二十世紀末有一個很奇怪的人叫作蕭平實，因爲他講的都跟人家不一樣，但正因爲奇怪、因爲不一樣才珍貴！如果大將軍的所見，跟那百萬兵的所見都一樣，他能當什麼大將軍？他的本質就只是一個兵而已。同樣的道理，眞實理解「無念、離諸念」的人，自古以來就是少數。那麼諸位是想當那多數人之一還是少數人之一呢？（大眾回答：少數人！）好！可是先要有心理準備，既然要當那少數人之一，那你所將接受的境界就是知音很少。而且悟後既然當上了少數人之一，就不要抱怨：「爲什麼知音這麼少？」

話說回來，「無念」，我記得大約四十年前，臺灣商務印書館（是從大陸遷移過來的印書館，現在臺灣還在），那時他們印行一位馬來西亞的竺摩老法師的著作，他那本書說：「如果修行而能夠離念半天那就是小悟，如果能夠離念兩、三天那就是大悟，如果能夠永遠離念叫作大悟徹底。」意思大約如此。鼎鼎有名的臺灣商務印書館印的，不曉得現在還印不印？我想有可能已經絕版了。這就是一種很常看見的佛門修行人的誤會。自從我們出來弘法以後，都說應該用這個有念的、能覺能知的覺知心，去尋覓另一個本來就離念、永遠不曾起念的眞如心，稱爲第八識如來藏，又名阿賴耶識，或名異熟識、無垢識。我們這樣弘法初期，那時同修會還沒有成立，有人去跟某位大法師說：「這蕭老師幫我們證得一個心叫作眞如，祂離見聞覺知的。」結果名聞四海的大法師說：「那你不就是有兩個心嗎？哪來兩個心的人？人都只有一個心，怎麼會有兩個心？」這是教禪聞名的大法師，每年在美國、在臺灣都主持禪七，大約也可以說是著作等身的人。現在冊數可能比我少了，我追上去了。他不相信有眞心與妄心兩個心。我們那時候把七轉識合起來叫作妄心，把第八識叫作眞心如來藏，他不相信。

示現爲證悟明心而教禪的大法師都如此，何況是一般的學人呢？那我們就不斷的從聖教量、從現量、從比量來說明這個道理，佛教界如今漸漸地終於接受了。但現在還有個外道不接受，叫作密宗假藏傳佛教，所以他們依舊在網路上罵正覺是阿賴耶識外道。佛說：「阿梨耶識者，名如來藏，而與無明七識共俱。」證得如來藏阿賴耶識的人是外道，那他的意思好像在指桑罵槐說 佛陀也是外道，因爲 佛陀就是證得如來藏阿賴耶識心體而成佛的啊！他們那一些人沒有證得第八識，只知道六個識，連意根都不曉得，竟然可以說他們成就「報身佛」的境界。不過也不奇怪，因爲他們那個報身佛，不是果報的「報」，而是擁抱女人的「抱」，所以也算對啦！就是那個「抱身佛」。

所以要弘揚這個「無名相法、無分別法」非常困難，我在一九九〇年開始弘法，弘法幾年之後正覺同修會才成立；成立前與成立後都不斷地說明這個道理，可是佛教界有很多人不信。有人從禪宗的立場提出來質問，有人從聖教的立場提出來質問，有人從密宗假藏傳佛教《廣論》邪見的立場提出來質問，林林總總不一而足。後來我們就找出禪宗一位禪師的話來證明，那就是南宋三佛之一的 克勤大師的師弟佛眼清遠禪師的開示。他說：是在有念的當下去找到另一個離念的，而這個離念的是本來就離念，是跟有念的心同時同處，本來就在。意思大概這樣，我在《公案拈提》書中有舉出來（編案：《公案拈提》第五輯），佛教界從禪宗方面提出的質疑才算消失。

比較徹底的斷疑，是我們《人間佛教》出版時，舉證了話頭禪和默照禪兩位宗師的所悟同樣都是如來藏；也舉證了永嘉的《證道歌》，他也說明所悟是如來藏，然後禪門的這些質疑才算消失。所以這很清楚，舉證出來之後都得要好幾年他們才會接受，眞的不容易。因此這個「無念」不是用意識心藉著修定的方法，或者藉五停心觀的方法來壓抑而不起妄念，而是本來就有一個心跟妄心意識同時在一起，跟我們的覺知心意識同時同處；而祂是本來就無念，不念一切法。這個心永遠都與所有意念、語言的想念不相應，不管是什麼樣的念都不相應，所以祂「離諸念」。

以前有人一直主張《般若經》講的就是一切法空，我們弘法早期有位同修經論讀多了，可是誤會連連，所以他認爲我講的法不對；他根據某法師所作的教判，說佛法分爲三系：虛妄唯識、眞常唯心、性空唯名。因此不服我教導他的正知見與實證。初轉法輪的阿含諸經講的是「緣起性空」，那位法師沒有反對，但他認為第二轉法輪的般若諸經講的是「性空唯名」，等於是重講《阿含經》中說的緣起性空罷了。再把第三轉法輪唯識諸經的內容區分為「虛妄唯識、眞常唯心」，他就這樣判。諸位知道這是誰判的嗎？對！凡是讀過《妙雲集》就知道是釋印順判的。

他就信釋印順，因為釋印順的書很多，那時咱家連一本都還沒有。但是我說：印順這書中有問題，如果《般若經》講的是性空唯名，那意思是說一切諸法其性本空只有名相，那不就是戲論嗎？對啊！性空唯名就是戲論，那麼佛來人間用二十二年的時光講般若就等於都是戲論。這樣的邪見他們也會信！我說：這樣般若應該叫作「虛相」而不叫「實相法」。但般若講的是實相法界，怎麼會是性空唯名呢？可是他信啊！而且他私底下講得振振有詞，口沫橫飛；他們之中有幾個人信他，就推他來跟我談。那時我們還在中山北路六段的地下室，有一天他很早就到了，那時我是校長兼工友，剛開始我也是很早到，要去處理很多共修需要的事；既然來了，要論法就開始談了，談了以後我就指出來：「你這個說法有這個過失、那個過失……。」

後來根據人家告訴我的，說他回去跟人家講：「我沒辦法，蕭老師那個口才太好了，我根本講不贏他。」我說：「才怪！我從小被我二哥敲腦袋說『你這麼笨』，哪裡口才好？」我的口才不曾好過，但是因爲所證如實無訛，所見也是如實無訛，所以他拿那一些凡夫大法師的邪見來談，當然就談不過我，問題不在口才。就像現在有一句流行話說：「笨蛋！問題在經濟。」（大眾笑…）一樣的話，我可以說：「笨蛋！問題在法義，不在口才。」所以般若若眞的是性空唯名，那麼般若就是戲論；但般若明明說的是實相，而戲論就一定是虛相。所以我想這樣子不行，就開始找出《般若經》中某一些字句來，譬如《般若經》中講這個「無住心、不念心、非心心、無心相心」，指出來說：這個實相般若所講的內涵就是「無念心」——祂從來不會想念任何事情，會想念、會憶念的都是我們的意識心，可是這個實相心永遠不憶念任何事物，所以叫作「不念心」。

這個不念心又叫作「非心心」，爲什麼叫非心心？心就是心，怎麼會叫作非心之心？是因爲 佛陀慈悲，爲了利樂大眾，怕大眾誤會，所以就說祂叫作「非心心」，因爲祂不是眾生所知道的心，但祂卻是一個心。而且眾生所知道的覺知心還是從這一個不是心的心出生的，所以叫作「非心心」。因爲怕大家不懂，有一次又說是「無心相心」，說這一個心沒有眾生覺知心的那一些法相；眾生所知的心一定有見聞覺知，一定有取捨，一定有厭惡或喜愛，可是這一個心完全沒有這種心性，所以說這個心在運行時，不會有眾生心的法相出現，因此叫作「無心相心」。這都是《般若經》講的，這不是我自創的。

那麼再說《大品般若》濃縮以後我們說它是《小品般若》，那麼很多人說《小品般若》也是太長了，那不然再把它濃縮來講叫作《金剛般若波羅蜜經》；這夠短了吧？有的人覺得還不夠短，菩薩就從《般若經》中擷取一小段來命名叫作《心經》。那《心經》顧名思義就是講心的經，如果不是講心，那《心經》這一段經文應該叫作「一切法空經」啊！可偏不這樣講，就叫作《心經》。那諸位來想想看《心經》講的心，是不是「無名相法、無分別法」？諸位都知道是。就從《心經》來看祂會不會想念、或者憶念、或者思念任何一個法？從《心經》誦起來時就很容易瞭解了。

《心經》是佛弟子們每天在課誦的根本法，那麼那樣的一個心連六塵境界都不住；祂的境界中沒有六塵，也沒有六塵境界中的六識心，這個不住在六塵境界中的心又如何能夠生起念頭去想什麼、思惟什麼呢？絕不可能啊！諸位可以找個空閒在安靜不受打擾之處觀察一下，自己這個覺知心能不能離開六塵而想念什麼法？或者思惟、或者憶念什麼法？一定辦不到，永遠都得在六塵中才能辦得到。如果覺知心能離開六塵而存在，或是在六塵外能夠想念思惟什麼法，如果有人能作到，不但我要拜他為師，諸佛如來也要拜他為師，因為諸佛如來也不可能作到。

所以這個覺知心一定要在六塵中才能夠思念、想念、思惟任何諸法，因此，覺知心就是覺知心，不能離六塵而存在。而這個「無名相法、無分別法」是另一個心，跟覺知心同時存在但不是覺知心，因為覺知心是被祂所生的。那麼這一個心不住在六塵境界中，所以不可能起念頭，也不可能會憶念起過往的任何事情，所以祂永遠「無念」，祂是個「無念的心」，而這個無念是本來就「無念」，不是修成的。那麼既然祂「無念」，就表示祂永遠如此，所以「離諸念」；不會昨天離諸念，而今天又有諸念；祂是本來就如此，無始以來就已經是如此，所以祂「離諸念」。這就是「無名相法、無分別法」的特性。

接著說「無取無捨、無戲論、無惱熱」。假使你把覺知心離開了六塵，我說的是假使，不是眞的可以離開六塵；假使覺知心離開了六塵，設想一下那樣的狀態你還能取能捨嗎？離開六塵時就沒有任何境界了，這時不可能取也不可能捨，因爲一切境界都是依六塵而有的！這個法既然從來沒有名相，表示祂不住在六塵境界中，因爲一切境界都是六塵境界，離開了六塵就沒有境界了；而這個心離六塵境界，不在見聞覺知中，既然如此，一定是無取也無捨！取與捨固然是兩邊，但是就如同焦不離孟、秤不離鉈；一定是先取才會有捨，沒有取就不可能有捨。就好像諸法的滅一定是先有生，如果沒有生就不可能有滅。那麼這個「無名相法、無分別法」從無始劫以來，不曾住在六塵境界當中；既然不在六塵境界當中，就沒有任何一法可取；既然沒有一法可取，你叫祂捨個什麼呢？祂當然就無可捨。譬如你行善說：「我今天要大捨，捨一百萬元。」那你是不是要先取得一百萬元？如果兩手空空說我今天來行善要捨一百萬元，誰理你呢？說不定會有人理你，亂棍打下臺去：「瘋子！」就罵瘋子。也就是說，一定是先有取才會後來有捨。捨本來就是取的另一面，只是早捨晚捨時間差別而已，最後仍然是要捨。

那麼既然所取的都是境界，而境界都是六塵中的事，這個「無名相法」祂不住在六塵中，所以祂永遠無取，無取的當然就無捨。既然無取無捨，就不會有語言文字等名相出現，沒有名相就不可能是會產生戲論的心。一定是有許多的名相相應，才會懂得運用很多的名相去講出很多的東西來，當他講出來的都是言不及義時就稱爲戲論。如果有一個法從來不在六塵之中，連聲音都沒有，沒有聲塵就不可能聽到語言音聲，沒有色塵就不可能讀到文字，這就是離見聞覺知的自性，那麼這樣一來，祂就不可能產生戲論。

我們也講過，如果從「無名相法」如來藏—也就是「此經」「妙法蓮華經」—本身的立場來看待三藏十二分教時，那三藏十二分教也都叫作戲論。三藏十二分教雖然很神聖，但是依眞如的立場來觀待時，也都是戲論，因爲都是語言文字。而「無名相法」這個眞如境界之中，沒有音聲、沒有文字、沒有覺知，就不可能有戲論。這是講實相法界，可是你如果要從現象界來說修學佛法時，那三藏十二分教就不是戲論了；這個層次有別，不可一概而論；否則到時候出去外面說蕭平實講三藏十二分教都是戲論，那我就百口莫辯了。所以實相法界跟現象法界的定義有差別，不能一概而論。

那麼回來說這個「戲論」，現在暫不從實相法界、而先回到人間修學佛法的層次來說。什麼叫作戲論？什麼叫作無戲論？換句話說，假使一個弘法師，他開示或者著作中所說的一切法全部言不及義；譬如有人在弘揚所謂的南傳佛法，告訴人家說：「來我座下修學，一定可以證果，從初果乃至阿羅漢果都沒問題。」可是他開示的那一些語言整理成書出來，或者寫出來的著作之中，所說的那一些證果的法義全都沒有涉及斷我見、斷我執的事，那麼從解脫道上面來說來看，他所說、所寫出來的書籍就叫作言不及義，因為都與解脫道的實證無涉，就是戲論。

可是有一天突然有個人出來寫了像《阿含正義》一樣，從我所執、我見、我執都講出來了，也從凡夫怎麼樣修證到阿羅漢都講出來了，人家一看說：「這才是真正的解脫道啊！」說的就是真實義。可是若從菩薩的見地與實相來看，依舊說他言不及義，因為他沒有講出佛法的第一義。真正的佛法得要說第一義，可是他完全沒有牽涉到第一義，因為他講的只是解脫道所證的二乘涅槃，沒有涉及到實相義；那他所說就是大乘佛法中指稱的戲論，就不是真實義。所以這個戲論還有不同的層次差別。

世俗人也罵人家說：「你都言不及義。」因為世俗人就把佛法這個名相拿去借用，例如本來在討論的是科技上面的事情，但他都在講人情上的事情，大家就說他言不及義，因為沒有講到問題的核心，沒有談到主題。所以「戲論」的定義也有許多差別不同，但是《佛藏經》講的是第一義諦，第一義諦所說的「無戲論」當然要從實相法界來說，所以實相法界沒有語言文字、音聲、色塵等，也就是完全沒有六塵；在這一種境界當中來看三藏十二分教時，依舊認為那是戲論；因為眞實法是離名相的，離分別的，離六塵境界的，離見聞覺知的。所以這樣的眞實法當然「無戲論」！

接著說，「無戲論」的心，會不會心中煩熱生惱？當然不可能！我又想起來了，那來果禪師有一次開示說：「心不在內、不在外、不在中間……如果你說心在內，那這個心一年到頭都住在這個身體中，會不會悶呢？」（大眾笑…）我們《公案拈提》第一輯最後一則就是講他。（編案：原文是：「心在內者，是何人知外面事？心在內，久不受悶否？」）原來他落在意識心了！可是老實講，縱使意識心長年到頭住在身體中也不曾悶過，因為時時都在攀緣外法呀！都是因為外在環境不如意時意識心才會悶啊！

而且意識反而是不願意離開身體，意識心永遠不會因爲住在身體中覺得悶。哪天遇見了來果禪師，我還眞要問問他：「你的意識心什麼時候能離開你的身體？」所以無明籠罩時，說出的法會讓人覺得匪夷所思。可是有智慧的人一提出來，旁邊的人聽了馬上知道：「喔！原來錯在這裡！」以前大家都很信受：「哇！他講得太好了，你看……。」結果只是一場錯會。可是一場錯會講出來的法，人家把它印成書流通天下以後，變成怎麼樣呢？猶如一句話說：聚九州之精鐵，鑄成一場大錯！九州的精鐵百鍊金剛拿來鑄爲成品以後，大家都在看呢！而且再要把它熔化掉是很難也很可惜的，那不是一場大錯嗎？事實永遠沒辦法再改變的。所以即使是在臺灣都會被我讀到，於是拈提寫上去了，這叫作世諦流布。

所以即使是意識心長年住在身體中也不會悶，怎麼會悶呢？因爲他不懂得眞如心是離見聞覺知的，所以講出來的開示就變成戲論；有戲論的心就會有惱熱，有戲論的心一定住在六塵境界中；既然住在六塵境界中，當然就會有境界風吹來吹去。有誰早上醒來以後沒有被境界風所吹呢？有時境界風吹來，覺得說：「好舒服喔！今天天氣眞舒服，而且女兒已經爲我把早餐準備好，我今天不必下廚房！」這個境界風很舒暢，對不對？可是等到筷子夾起來一吃就吐出來說：「呸！這怎麼能吃？」境界風又來了，變成逆心的境界風，所以意識覺知心一直都在境界裡頭。

爲什麼在境界裡頭？因爲祂跟名相相應。覺知心一定跟名相相應，因爲要依六塵境界才能存在。既然在境界裡頭就一定會有惱熱，心中就起了煩惱：「唉呀！女兒今天煮了這麼多早餐都不能吃，這些都浪費了怎麼辦？」起煩惱了。有了煩惱心頭開始熱起來：「唉！這些材料都是很好的，那怎麼辦？」她要開始設想說：「我一定要想辦法把它轉變成美食，否則浪費了。」然後又想：「我還不能講話，不然女兒不高興，以後都不煮了。」所以她心裡面就開始有一些煩熱。她就籌劃：「我今天下班早一點回來把它弄成好吃的食物。」那她心裡就有惱熱。如果家人準備了很好吃的食物，那你起床後看到了總不會惱熱了吧？那可不一定，因爲一看：「哇！這個好好吃！可是太油，我不能吃！」「喲！這個很好吃，可是太甜，我也不能吃。」好多樣都不能吃，空歡喜一場；爲了貪嘴、爲了騙肚子勉強吃了，中午就知道壞了，馬上靈驗得很，也是惱熱。

總之，只要住在六塵境界中就會有惱熱，因為六塵境界中有很多「戲論」，這些「戲論」會導致各種逆心之境出現。譬如有人來作一場供養，那麼這位阿羅漢看見人家送來那麼多財寶，他避之唯恐不及；甚至於他示現入涅槃以後，有了個涅槃塔建起來讓人家紀念他，後代國王去禮拜他，問：「這位阿羅漢生前作什麼業行？」人家報告說：「他生前都是修苦行不受供養。」國王本來是每一個阿羅漢塔都大肆供養，聽到這樣，國王就說：「那我只要供養一個金錢就好。」沒想到一錢供上去以後，還滴溜滴溜滾下來，眞的不受供養（大眾笑…）。你想，人家來供養是順心之境吧？他起了煩惱所以才要把那一錢給弄掉，所以他也有惱熱。這眞的不如菩薩，對不對？菩薩就沒關係，多多益善，你想供養多少都行；然後菩薩右手拿了左手就布施出去；眾生可以從菩薩身上種福田，得到無量倍的未來世福報，但菩薩又從眾生身上去種福田，兩相成就，有什麼不好？

所以菩薩的所依是「無名相法」，那就沒有戲論、沒有惱熱；世俗法中的供養也不以為意，都把它轉施出去，一點兒都不必害怕或記掛。可是阿羅漢的所依不是「無名相法」，不離戲論，他們是把五蘊、十八界滅掉，一點點世塵都不接受，這樣才能夠出離三界。凡是有人來供養，那就是有境界法，在有境界法中受了供養，就是取，取了以後又要捨，他就落入三界中，所以對於三界中的諸法有恐懼。但菩薩依止的是「無名相法」，所以對於三界中的諸法無有恐懼，因爲菩薩依止的是「無名相法」，永無戲論，因此也就永無惱熱。因此菩薩可以在人間怎麼樣遊戲都行，被人家羞辱也是遊戲，利樂眾生也是遊戲，去投胎也是遊戲，出胎弘法度眾生也是遊戲，因爲都是戲論。但是就在戲論之中有一個究竟的所依，就是這個「無名相法」，就稱爲「自性三寶」；依於這個「無名相法」，無妨種種名相同時具存，祂卻沒有「戲論」，所以菩薩心中沒有惱熱。就因爲有這樣的證境，所以能不斷地利樂有情，一世又一世、一劫又一劫，乃至成佛之後永不休止。

都因爲依於這個「無名相法」的緣故，所以菩薩苦中作樂，然後無苦無樂腳踏兩條船。阿羅漢一心取滅，要離開現象法界，永遠不再來三界中；但是菩薩腳踏兩條船，一條船在三界外，就是實相法界，另一條船用腳把它夾著不離開，同時處在現象法界中；所以菩薩可以跟眾生一世又一世同事、利行，不住三界同時又在三界中。阿羅漢沒有辦法說「我出三界同時又在三界中」，他們作不到；但菩薩說：「當你在三界中時就已經出三界了，因為你的五蘊是在三界中，可是你的實相法界不在三界中。」這阿羅漢一聽：「怎麼辦？我聽不懂欸。」所以阿羅漢的所說不免「戲論」，即使他說的法眞的能使人修行以後出離三界生死，但仍然言不及義，因為一切所說及不上第一義諦。

因此阿羅漢遇到維摩詰菩薩時，心中都有惱熱。維摩詰菩薩感冒就感冒，生個病就生個病，還故意去向 佛陀託個念說：「佛陀啊！叫那些阿羅漢來看我。」佛陀要求阿羅漢們去看他，結果沒有一個阿羅漢敢應命。證明他們沒有辦法離開「戲論」，他們眞正離開「戲論」其實就是入了無餘涅槃以後，因此他們見了菩薩心中有所畏懼。維摩詰菩薩一心要利樂他們，為什麼他們恐懼而不敢去見，後來得要文殊師利領頭他們才敢去？因為恐怕被菩薩責備，到時候怎麼下臺呢？所以他們不是完全的無惱熱，因為他們的境界是在現象法界之中；可是菩薩腳踏兩條船，不會掉到海裡去啊！

以前有個大師說我腳踏兩條船，說我在他那邊學，又再跟現代禪學。他以為是這樣，其實我從來沒跟隨任何人學法，但他當我的面，問大眾說：「腳踏兩條船的人後來會怎麼樣？」大家很高興說：「會掉進水裡啊！」我當時也不想辯解，默然不語。後來我有取得那個錄音，不曉得那個錄音帶還在不在？若是還在，存放了大約二十年後的今天，大概也沒辦法聽了，那是另一件事。但是我說的是菩薩一定是腳踏兩條船，否則沒資格當菩薩。進了正覺證悟後，一定是雙照現象法界和實相法界，你才有辦法從現象法界來攝受眾生，同時又從實相法界來利樂眾生，這就是菩薩之所當爲。可是如果沒有這樣實證又如何能爲？

菩薩的所證一定要有這種證量才行，這不是空口說白話，因爲是否實證，這《佛藏經》請出來講講看立刻見分曉。所以菩薩依於這個「無名相法」、「無分別法」，從實相法界來看時，那就是「無取無捨、無戲論、無惱熱」。既然沒有取捨、沒有戲論也沒有惱熱，那菩薩到底是住在哪裡？是到了彼岸嗎？如果在外面這麼問，大家都會答：「對啊！菩薩早就到了生死的彼岸去了！」可是《佛藏經》卻告訴大家說「非此岸、非彼岸、非陸地」，假使所證錯誤，落入意識境界中，來到這一句就死定了，說法一定是變來變去。可是我們二十來年前所講的法到現在都不曾改變，永遠都是活蹦亂跳、很有朝氣。

我們以前就說：「當你證得實相而解脫時，說是到達無生無死的彼岸，可是那個彼岸其實就在此岸，不是離開了此岸到達彼岸叫作解脫生死，而是你在此岸就已經到彼岸了！」所以禪師有時候說：「千里在外，不離家中。」明明到了千里之外，竟然說不離家中，什麼道理？如果要用語言文字去解釋他的道理，根本解釋不通；因爲從現象法界來看，沒有這個道理。禪師這話有的人不信，就說：「唉呀！禪師反正亂講一通就對了。」所以有一位大法師說：「禪是什麼？禪就是亂講一通。」眞的啊！華嚴蓮社成一老法師邀請一位每年在臺灣、美國都辦禪七的大師去他那裡講禪；約定了以後，有一天成一老法師遇見他就說：「你準備好了沒有？」他回答成一老法師說：「講禪不用準備，胡說八道一頓就交差了。」喔！原來胡說八道就是禪。

當你把公案請出來看時：「對啊！禪師好像都胡說八道。」所以大師怎麼開示的呢？「生薑長在樹上，蘋果生在地下，平常我是不會這麼講的，只有打禪七我才會這麼說。」還印在書上流通出來。我說：「他亂講！」他以爲說反話就是禪，可是假使哪一天他聽到我這麼評論他，來問我說：「那不然你蕭平實怎麼說？」我就告訴他：「生薑長在樹上，蘋果生在地下。」他一定會責備說：「那你講的不跟我一樣？」我要告訴他一句他聽不懂的話：「同款不同師傅（閩南話）。因爲我講的跟你講的同樣兩句，一字不易，可是我講的意思跟你講的意思不一樣，家裡人聽我這麼一講就懂了，你大師聽了依舊永遠不懂。」所以你說禪這個東西厲害不厲害？（大眾回答：厲害。）厲害啊！

了義佛法對眾生而言，眞的有利也有害；對有善根、有慧力的人有利，對少善根、有慢心的人有害，所以說佛法眞的很厲害。因此禪師常常拈出來問人家：「欸！這位大師這麼講，那位大師那麼講，第三位又另外一種講法，但我告訴諸位：這三位講的都對。」雖然他們講的看來都是顚倒、都是相反，可是都對。然後禪師就請問大眾：「請問佛法利、害在什麼處？」就是這樣啊！所以佛法不是那麼好懂的，隨便讀個一、二年經典就說：「我都懂了！」那麼禪師爲什麼說「千里在外，不離家舍」？明明出門在外，爲什麼說他不離自己的家、不離自己的舍宅呢？因爲他就腳踏兩條船。你如果腳踏一條船，那一條船翻了他也就死定；可是有兩條船時就翻不了，你就踩在這一條船上把那一條船解救回來，佛法就是這麼厲害。

所以外道們都在研究佛經，現在聽說有些外教和一神教也在研究咱們的書，可是我保證他們研究到死依舊朦朦朧朧霧裡看花，因為這法界實相不是意識思惟之所能到。也就是說，當你證得這個「無名相法」時，無妨擁有一切名相而無所愛；同樣的道理，解脫不是死了才解脫，而是當下就已經解脫。這個道理不是大乘經中才這麼說，在阿含部《央掘魔羅經》中就講過了。央掘魔羅大士說的是離開諸煩惱名為解脫，不是要斷壞空了才叫作解脫。也曾舉例說：「一條河流空了，是因為不下雨而使河流中的水空了，這時叫作河空，但是無水時的河流仍然叫作河，不是河被填平消失了叫河空。又說一個村莊空了，是因為村莊裡的人都離開沒有人了，所以說那個村莊空，不是那個村莊被毀滅了叫作村莊空。」意思就是說，解脫是因為無明滅除了、煩惱滅除了所以得解脫，不是死了叫作解脫，不是斷滅叫作解脫。這是阿含部的經典講的。

那我們回頭來看這句「非此岸、非彼岸、非陸地」。眞的夠老婆，怕人家誤會說：「你是不是想成仙了以後，或是當了神以後，從這裡離開去到那裡，住在那裡得解脫？」你們看一神教的《聖經》不就是這樣？離開人間到他的天堂去叫作解脫，可是請問：到天堂以後是不是還有陸地？當然有陸地啊！不然怎麼叫天堂？所以你們看他們一神教自己拍的電影，那天神都站在天上的陸地，不是嗎？是有陸地啊！可是眞正的解脫「非陸地」，就告訴大家說「非此岸、非彼岸、非陸地」。

可是對於眞正的學人來講，不必講「非陸地」，只要講「非此岸、非彼岸」就可以了。因爲「所謂無生無死的彼岸」，這到底是哪裡？到底在哪裡？大聲一點！怎麼畏畏縮縮？對嘛！就是如來藏！如來藏有陸地嗎？如來藏有此岸、彼岸嗎？都沒有！所以不懂的人就想：「一定是我離開這裡，到達那一個地方得解脫，所以我將來在那裡好快樂。」還有快樂？那快樂的是誰呢？依舊是五蘊這個我！既是五蘊這個我，就表示仍然存在；五蘊的我仍然存在就一定是在三界中，就是有我，怎麼叫作解脫的彼岸？可是末法時代的大師們都沒想到這一點，眞的好奇怪。

現在再從實相法界來說「非此岸、非彼岸、非陸地」，是實相心如來藏，這一句就會通了。換句話說，得解脫、證實相，不是有一個處所可以到達；祂沒有處所，因爲如來藏的境界又名空性，祂是一個不能叫作心的心，而眾生所知的、能覺能知的心，都由這個心所生；既然是心，怎麼有此岸、有彼岸？當然也不可能有陸地。在大乘法中這麼說，有的人會想：「那這樣講，大概違背了《阿含經》說的解脫道。」所以有一個附佛法外道達賴喇嘛就說：「佛陀前後三轉法輪的經典互相矛盾。」他竟然敢這樣謗佛！竟然還有人把他這樣謗佛的話印在書中在臺灣流通，是哪一家出版社？眾生出版社。還眞的叫作眾生！果然是眾生，所以出版眾生的書最適合。

那麼前後三轉法輪的經典到底有沒有矛盾？我們來談談看就知道了。《佛藏經》說 如來所說「諸法無性，空、無所有」，這個境界「非此岸、非彼岸、非陸地」，祂是「無名相法」的自住境界。來比較看看。講的是這個「無名相法」的自身境界，沒有此岸、沒有彼岸、沒有陸地；那麼我們來看《阿含經》說的阿羅漢所入的無餘涅槃，來看所說跟這個說法有沒有衝突？

阿羅漢所入的無餘涅槃，有所入嗎？答案是沒有；有所入時一定要有一個能入者，並且有一個被入的境界，才叫作「有所入」，才能叫作「入涅槃」。可是 佛陀說阿羅漢入無餘涅槃，那是方便說，不是實義說、不是了義說，爲什麼呢？因爲 佛在四阿含二千多部經典中早就有很多的地方說過了：阿羅漢證阿羅漢果、得解脫果，本質是「梵行已立，所作已辦，不受後有」；既然「不受後有」，表示死了以後就沒有未來世的五陰、十八界，沒有任何一法存在，這樣叫作無餘涅槃。

可是這無餘涅槃是斷滅空嗎？不是。因爲《阿含經》說無餘涅槃中有一個本際，佛說眾生都是因爲無明的緣故所以不到本際，所以不能證涅槃。這就是說，無餘涅槃之中有個本際，有時候又叫作「諸法本母」，有時候又說祂叫作「識」，《阿含經》中也講過眞如，雖然只有名相而已。那麼顯然阿羅漢入無餘涅槃就是滅掉自己，剩下他的涅槃本際—也就是眞如—獨存，那這樣有沒有阿羅漢去到無餘涅槃之中？沒有！所以說《阿含經》所講的解脫道是不了義法，因爲沒有講到本際—實相法界—的事。

那個二乘涅槃不了義法是方便施設，來誘導大眾可以進入佛菩提道中；我們以前講《法華經》時也講過，大迦葉他們四個人自己說：「我們證得大阿羅漢的果位，從世尊的佛法整體來看，不過就是大乘法中『一日之價』啊！」就好像那個挑糞子，在大戶長者家挑糞挑了二十年，得到那麼多的工錢，也只是「一日之價」而已。這告訴我們二乘涅槃的法很粗淺，顯然就是方便說、不了義說。所以阿羅漢入無餘涅槃是個方便說，不是如實說，是為了誘引大眾入佛法中而施設的一個方便道；即使如此，也告訴大家說阿羅漢入無餘涅槃是「不受後有」的，是永斷後有的；當他們永斷後有以後剩下的就是他們自己的「無名相法」獨存，就是第八識眞如心獨存。這樣得解脫叫作度過生死的此岸，去到無生無死的彼岸。那麼請問：阿羅漢到達彼岸沒有？沒有啊！因為他的五蘊自己都不存在了。至於彼岸呢？彼岸是他的第八識如來藏無形無色，哪裡有岸？既然沒有岸就沒有此岸、彼岸的分別了，沒有此岸、彼岸當然就不可能有陸地。一定是有陸地才會有此岸跟彼岸的分別，如果不是陸地就不可能有此岸、彼岸。

那麼這個「無名相法」是心，到達無生無死的彼岸是個方便說，也就是說你回歸到你的本來面目，回歸到你無始以來的故鄉；或者叫作原鄉，隨你怎麼講都行。回歸到那裡時是要怎麼樣回歸？是你五蘊存在才能回歸，當你五蘊都不在了還有什麼回歸可說？譬如說：「我回家了。」爸爸說：「你回家了！」是誰回家？總不能一個無形的回家，不能夠拿著一包空氣進來說某甲回家了，那空氣丟進來也不叫某甲，一定是某甲這個五蘊回來了才能說回家。同樣的道理，解脫，得要你五蘊在時才能說證得解脫；所以我弘法早期說過：「阿羅漢沒有眞的證涅槃、沒有得解脫。」當年好多人「少聞寡慧」，看到我在《邪見與佛法》書中這麼說，罵起來了：「唉呀！這個邪魔外道，大家都把這本書收集起來燒掉。」當年大陸有兩個很有名的道場，收集了很多《邪見與佛法》，到處收集起來公開焚燒；是因爲他們不懂眞正的佛法。對他們來講，《邪見與佛法》那書中說的眞是「聞所未聞」；可是經過二十年後，他們死前還懂得懺悔，倒也不錯；只要不下墮，我都高興，既往不咎。

這意思是說，一定有一個五蘊繼續存在，才能夠說你已經到達了無生無死的彼岸，五蘊全都滅盡了怎麼能叫作到解脫的彼岸？所以菩薩跟阿羅漢是不一樣的，阿羅漢的所證菩薩一樣要先證，可是菩薩另外在般若上的所證，阿羅漢就不證不知不解。那菩薩怎麼說？菩薩說：「我現在還在生死中，可是我已經沒有生死了。」等到捨壽時，那無明籠罩的弟子就問說：「師父啊！您不是說您在生死中就已經沒有生死，怎麼現在又要死了？」這師父說：「你過來，我告訴你。」這徒弟才剛一過來，一巴掌給他，然後師父就走了，留下他疑三十年去。等到三十年後垂垂老矣，終於遇到一個善知識，幫他悟了才知道：「唉呀！原來那一巴掌恩德無邊無量啊！」爲什麼呢？因爲原來解脫的彼岸就是「無名相法」自身的境界。可是菩薩悟了以後現前看見，現量觀察到自己這個有生死的五蘊，就住在沒有生死的「無名相法」之內，從來沒有離開過；因此這個無生無死的境界就是自己的如來藏，而自己住在自己的如來藏中，這樣叫作解脫，然而如來藏沒有解脫、沒有此岸、沒有彼岸、沒有陸地。

如果有人第一次來聽我講經，信根又不夠，可能會想：「你這個蕭平實還眞會轉彎，這邊繞過來那邊彎過去，連在一起又變你講對了！」其實不是，我說的是實相，因爲實相本來就是如此。假使聽得起煩惱想要走，我勸你不要走，繼續聽聽，習慣了就好（大眾爆笑…），聽慣了以後有一天會想：「哼！我要試試看，只要讓我證了就可以推翻你。」歡迎你來親證然後推翻我，因爲到時候你就會認同我；因爲當你也到這個境界時，你會發覺：「唉呀！蕭老師說的一點都沒錯！」喔？那時候可以當我的知音了，我的知音又多一人。

所以從實相法界來看現象法界，然後把二個法界混合起來融合爲一時，禪師就說了：「理事圓融。」如果你沒有實證而無法圓融來觀待兩者時，那實相法界是實相法界，現象法界是現象法界，兩個格格不入，那遲早要住進精神病院。所以眞淨克文禪師不是有一首偈嗎？我不太記得了，試著講講看：手把豬頭口誦淨戒，趁出淫坊來還酒債，事事無礙如意自在。有沒有？（有人唸出來：事事無礙如意自在，手把豬頭口誦淨戒；趁出淫坊來還酒債，十字街頭解開布袋。）我漏掉了一句。爲什麼這樣？因爲他一腳在實相法界，一腳卻踩在現象法界中，這兩個法界連結在一起圓融起來時，理上事上都沒有什麼障礙了。

所以如果有人要供養我大筆財物，沒關係，你儘管來，不會進到我口袋裡，全都在同修會中，然後我就搞一個很大的計畫廣作布施，好事一樁啊！對我來講沒有什麼可罣礙的，沒有罣礙之中卻得了一大筆福德，那未來世道業的增長可就快了，有什麼不好？爲什麼人家布施一個金錢，那阿羅漢就要趕快丟掉？菩薩不這樣作，菩薩是多多益善；因爲菩薩同時住在現象界和實相法界之中，把兩個法界圓融起來，眞的叫作你儂我儂，所以沒有障礙。理上也好、事上也好，他沒有障礙，才有辦法永劫行道直至成佛。如果要像阿羅漢那樣的境界，沒有辦法永遠修菩薩道，一世就已經累慘他了！所以菩薩無所謂。

接著說「非癡非明」，癡就叫作無知，又名無明，沒有智慧光明。沒有智慧所以心地是黑暗的，很多事情他都想不通，怎麼學也學不會，怎麼樣思惟也是不能懂。俗話說絞盡了腦汁也不懂，這句俗話在佛門中很適用；這一百多年來，好多大法師都說：「三藏十二部經浩如煙海無從讀起。」所以他們隨緣拿到哪一部經就讀哪一部，讀完了放上去以後，再看想到哪一部，隨便請一本再讀，結果總是讀了等於沒讀；都是這樣啊！因爲讀了都不懂。翻開經典看時，這些字都懂，偶然遇到不懂的拿起字典來翻一翻，喔！是這個意思！可是那個字放到經典上來到底是什麼又不懂。所以整個大藏經讀了一遍以後，依舊不知到底佛法要如何實證？都不曉得。正應了世俗人講的一句話：「渺渺茫茫，淒淒慘慘戚戚。」讀來讀去依舊心頭一團迷糊，這就是現代佛教界一個具體的表相。大家都想要求智慧，可是就因爲無知所以稱爲無明，永遠沒有智慧，求來求去就是表相上的聰明，可以賣弄一些他從經上讀來的語言文句；但是談到眞實義，永遠不知，這就是「癡」。

可是問題來了，癡的反面是明，明就是智慧。學佛的目的就是要求智慧，但是這個智慧要從哪裡來？又無從下手。因爲現代佛教一直有一個看法：教門是教門，宗門是宗門，宗門跟教門是不相干的。所以人家在參禪學禪，那些學教門的人說：「唉呀！那些都是野狐外道啦！還是要從經教中好好去讀。」終於好不容易把《般若經》全部讀完時：「我知道了，般若就是性空唯名，就是一切法空，我開悟了。」這麼容易就開悟？那大學所有的文學教授只要讀了經典就都開悟了，他們都該叫作菩薩摩訶薩了，可爲什麼沒有任何的受用？因爲他們沒有一個入手處。既沒有入手處，想要打破無明就沒機會；而打破無明這個入手處，一直到正覺同修會出來弘法時才講了出來。

南部有一位法師有時候會說：「不像有的人弘法，都說別人不對，只有他對。」但是今天我還要說：「他們都不對，只有咱們對。」我還是要繼續講，他能推翻嗎？不能推翻，因爲這是法界中的定理；凡是所悟不是第八識如來藏「無名相法」的人，全都是悟錯了。在科學界，有時候定理或是定律也會被推翻，因爲那是現象界中的事，不是永遠絕對的。可是實相法界的這個境界，非境界卻是絕對的，所以永遠不可推翻。除非他實證上面出錯了，證錯了。證錯了就不叫證，叫作誤會，否則的話是無法推翻的。所以我這句話還要繼續講，雖然他們不喜歡聽，我仍然會繼續講，而他無可奈何的。因爲，假使哪一天他們眞的悟了，也只能認同我，那又如何能夠奈何我？所以我出世弘法，他們很悲哀啊！

但是這個打破無明親證佛法的方法，是到我們正覺開始弘法以後才講了出來；而我們弘揚出來的這一個見地，放之於久遠，不要說放諸於四海，因爲四海是世俗境界，我們說存之於久遠而仍舊不可推翻，因爲實相法界就只有一個，是絕對的。既然只有一個就不可能演變，不可能演變就不可推翻，有誰能夠推翻？因此打破無明破壞愚癡，而發起了智慧光明的入手處就是禪宗；親證了第八識如來藏以後，可以通達三乘菩提，不單單是般若而已。如果不能夠親證如來藏，那麼他在佛法中縱使有所證，最多是二乘菩提；雖然說可以證二乘菩提，他卻不得違背大乘菩提，否則連二乘菩提他都無法證。因爲佛陀已經開示過了，在《阿含經》中說過：「**因內有恐怖，因外有恐怖。**」如果信受了大乘法，信受有第八識如來藏這個「**無名相法**」是常住的，確信是恆住不滅的，那麼他對於「因內有恐怖，因外有恐怖」的事情就可以滅除。這個人就是佛說的因內無恐怖、因外無恐怖。

換句話說，你想要證悟，一定得要證得這個「無名相法」。但是證「無名相法」當然得要有許多的次法配合，如果那些次法不具足，讓他證得「無名相法」時，對他而言，不是因禍得福，反而是因福得禍；因為他疑根不斷，智慧起不來，遲早要謗法。可是話說回來，假使他的次法具足實修，最後悟了，他知道自己現在經典眞的讀懂了，所以《般若經》請了出來以後就放不下手了，一直讀到三更半夜，老爸在罵了：「都凌晨一點了還不睡覺，在幹嘛？」「好啦！好啦！老爸！我再讀一會兒馬上就睡了。」結果這一「馬上」是馬上到凌晨四點鐘才睡。為什麼？因為以前自以為懂的，現在才知道是眞的懂；當他知道自己眞的懂了，智慧生起，所以捨不得放手，就這樣開始繼續讀到不肯放手。

可是有一天突然讀到經中說的話，心想：「原來我都住在意識的境界來看這個『無名相法』，原來我還沒有眞正的轉依。」終於想起來：「喔！我應該要趕快轉依。」轉依以後是沒有智慧、沒有明也沒有暗，可是他意識也沒有愚癡。人家說：「你現在好有智慧喔！」他反而說：「沒有，我根本沒智慧。」人家說：「你現在為我們說法講得這麼好，我們根本沒有想過你今天這麼有智慧，你怎麼會說自己沒智慧？」他竟然說：「我眞的沒有智慧啊！」結果那一位以前的老同修說：「唉呀！你也未免太矯情了吧！」他說：「不！我一點都不矯情，因為，我眞的沒有智慧才會有這個智慧，眞的如此啊！」為什麼呢？因為他現在轉依了，是以這個「無名相法」為眞實的我，在這個眞實我的境界中沒有智慧可言，沒有智慧就叫作「非明」。

可是這個「非明」的境界中有沒有愚癡呢？也沒有。因為祂跟智慧不相應，怎麼會有愚癡？會有愚癡都是因為跟世俗智慧相應；所以在世俗智慧上弄不通時，人家就罵他愚癡。那他依於這個「無名相法」作為眞實我時，這個境界之中沒有智慧，所以他不是矯情，說的是如實語。當他告訴人家說：「正因為我沒有智慧我才這麼有智慧！」也是如實語啊！為什麼？因為他從實相界跟現象界一起來說。沒有智慧是因為我住在實相界中所以沒有智慧，可是我現象界中這個五蘊證得「無名相法」實相法界以後，我這個五蘊就變得很有智慧。所以，「我是因為實相法界這個沒有智慧，因此我在現象界中變得很有智慧」。他講的都沒有錯，一點點矯情都沒有。所以他說「我沒有智慧」也對啊！

明天人家又來說：「那你到底有智慧，還是沒智慧？」他說：「我很有智慧啊！」因爲他現在從現象法界這個五蘊來說：「我眞的很有智慧，你永遠講不過我啊！我雖然沒想要跟你爭辯，但這是一個事實，所以我告訴你說『我很有智慧』也對啊！」後天哪一個大師說要來挑戰：「聽說你很有智慧，我來跟你挑戰。」欸！現在遇到這個大師時他反而說：「我完全沒有智慧，你要跟我挑戰什麼？」對啊！他怎麼說都對。大師如果抗議說：「欸！我要來跟你挑戰，是因爲你昨天說你很有智慧，爲什麼你今天又說你完全沒有智慧，說我不能挑戰？」你就告訴他：「來來來，耳朵過來。」等他耳朵過來就向他說：「你不可以跟人家講喔！」這樣子像不像禪師？這樣的人才有資格當菩薩，他就是眞懂「非癡非明」的人了。

《佛藏經》上週講到第四頁最後一段第三行，今天要說「以無量智乃可得解，非以思量所能得知」，要從這裡開始。我們正覺弘法之前，海峽兩岸佛教界有很多開悟的「聖人」，從阿羅漢果下至三果，就是沒有初果跟二果人。那他們講佛法開悟的證果全都是聲聞果，從來不談大乘通教的果位，更不談大乘別教五十二位階的果位，都只談聲聞法中的三果與四果，這是第一個情況。第二個情況就是專門主張「大乘非佛說」，口裡成日掛在嘴上的就是「回歸佛陀本懷」；他們認爲阿羅漢就是佛，所以 佛陀的本懷就是講諸法緣起性空。這其實不是 佛陀的本懷。

當我們出來弘法以後，局面開始改變，第一種人他們宣示開悟佛法了，證得本地風光了，但所證的果位只是聲聞果；我們初期弘法也隨順這個說法，因爲我們先要求得一席之地可以立足，所以無妨隨順；但我們漸漸地站穩腳步之後，就要開始把正確的道理演述出來，所以我們把成佛之道五十二個階位列出來，並且判定明心是三賢位中的第七住位。當然有很多當時所謂的開悟聖者很不服氣，一方面罵我是狂傲，一方面又罵我貶抑禪宗；他們都沒有覺得自己的言語自相矛盾，當他們悟錯時說他們已經是成佛了，後來改爲說是證得初地；他們這樣大妄語，認爲自己不狂傲，而我說開悟了連入地都還不算，只是三賢位中的第七住而已，卻是他們口中的狂傲者。那麼這一些事情陸陸續續一直都在發生，我們就是見招拆招，拆到後來他們無話可說，佛教界才漸漸地開始認同如來藏的法義。

另外一派是第二個現象，他們是六識論者，本質上是聲聞法中的聲聞僧。他們認為沒有如來藏，沒有第七、第八識，因為所謂的第七、第八識是從第六意識細分出來的。他們認為如來藏是方便說，只是緣起性空的代名詞，並且把《楞伽經》斷章取義來證明。當然這一派也最聰明，能言善辯，但我們辨正他們法義以後，他們從來不回應。這樣也好，因為佛教界有很多人都在看：那麼強勢的一群人面對正覺這個法義辨正，會不會回應？那麼幾年了？大概十來年前，甚至有一位香港的法師趕來臺灣問說：「蕭老師啊！釋印順他們有沒有回應？」我說：「我沒等到他們的回應，目前還沒有。」他說：「那我就知道了。」也就是說眞訛立判。

這就是說，他們都用意識在作思惟，沒有眞的下功夫去學去修；特別是後面那一派，我們後來乾脆名之曰「印順派」；他們都是靠文字訓詁文獻考證作文字研究，然後說那叫作學術，因此振振有詞對佛教界說：「你們應該聽我的。」《妙雲集、華雨集》中的口氣就是這樣子。後來印順的一個主要門徒還放話說：「你們正覺可以到學術界來跟我們論法呀！」當我們的會員私底下以個人名義前往參加她們的學術會議時，卻又把我們同修的發言權削減或關掉麥克風，表示她們無法回應正覺同修的個人提問。所以我說，不論聲聞果的實證或是佛菩提果的實證，都一定要眞參實修，靠意識思惟學術研究不可能如實理解的。如果靠意識思惟學術研究便能理解佛法的話，佛陀也不必講那麼多的次法，所謂的五停心觀以及「施論、戒論、生天之論、欲爲不淨、上漏爲患、出要爲上」，這一些都不必講，直接講解脫道、直接講佛菩提道，大家不就實證了嗎？所以他們企圖用學術研究來取代佛門的實證，其實是異想天開。

我們早期弘法時，我把大家都當作和我一樣具足次法了，就不強調次法的實證；甚至於連二乘法也不叫他們修證，才來共修三個月、半年就拉到小參室來，把他們弄出來就開悟了。這就好像一個嬰兒住在母胎才兩個月，就把他開刀拿出來，保溫箱住上五年、十年最後還是死掉！這是個慘痛的體驗，但也印證了一個事實：就是佛法的實證，即使是聲聞法，都同樣要有次法上的修證，否則知道了就只是知道，終究不是實證。最多只是想要炫耀時，心中有一點煩時，可以讓他在大庭廣眾中嘴裡嚷嚷說：「我開悟了！」就好像夏天正熱時樹上的知了（讀作瞭）一樣。「知了」懂嗎？夏天的蟬。那詩人最喜歡形容知了，叫作知了。但是「知了」以後仍然只是一隻蟬，不是開悟的聖者，因爲沒有那個實質。所以說，這個佛法根本的「無名相法」、「無分別法」，不是用思量的方法可以知道的。

這種想要靠思量就實證佛法的人，不是現代才有，只是於今爲烈。其實古時候禪師就罵過了，說齋飯罷了，一群人聚頭商議；說他們頭碰頭在那邊商議：「禪師這個話叫作轉語，那個說法叫作向上一路，這種叫作向上全提，那個又叫作向上半提……。」結果一堆人聚頭「黑壓壓地仍然全都是黑頭髮，不是出家人」，禪師就這麼罵。這就是說，這個「無名相法」得要按部就班來修學，實證了才不會退轉；如果沒有按部就班修學，就好像蓋房子不打地基，而且連地梁都沒有，幾根竹子撐起來，牆壁也沒糊，就用鋼筋水泥開始蓋二樓，還不到灌漿已經垮下來。

也就是說，禪師們都同一鼻孔出氣，所以禪師家手頭一向很儉，閩南語有一句話叫作「很鹹」，就是說不輕易放手。因此學人來了，才剛剛踏進方丈室就大喝「出去」；張三來了如此，李四來了如此，王五也是如此，趙六亦復如是；管他是誰，反正進來就是大喝：「出去！」德山更狠，入門便棒；剛進得門來棒子已經打過去了，都還沒有開口。後來有人防著了，剛進方丈室，看德山一棒打來，他閃過去了，抗議說：「師父！我都還沒有問。」德山緊跟著一棒打出去，這回閃不了，德山在他身後撂了一句話說：「等你開口，濟得什麼事！」禪師家就是這樣，不管誰來，反正就是慢慢磨，磨久了定力也出來了。

所以古時候走江湖的人很多。古時「走江湖」的人不是賣膏藥、賣藥酒，「走江湖」的人都是參禪僧。怎麼走呢？今天在江西，明天已經到湖南；湖南那邊問不出來，後天又回到江西來；就這樣江西、湖南來來去去，參訪馬祖道一和石頭希遷，兩腳不停的奔走，所以叫作「走江湖」。為什麼禪師們要這樣？因為他們很清楚：不經一番寒徹骨，爭得梅花撲鼻香？就是要寒過、凍過，所以禪門的寒與凍就是喝出去、打出去。

即使最斯文的雲門禪師不打人、不罵人、不喝人，可是遇到他，別以為他好心，他更狠。所以身邊那個侍者每天摸黑起床，燒了熱水，端上來等著，聽到和尚方丈室中謦欬一聲，然後就敲門端進來；漱口的茶水、洗臉的手巾都準備好。終於奉侍完了，侍立在左側；雲門看他忙完了，這時雲門喚：「遠侍者！」當侍者的人一定要答應，對不對？「諾！」雲門就問他：「是什麼？」

慢慢條斯理，因爲時間多的是（大眾笑…），侍者不會也就放過。然後某甲上來問什麼，指示下去幹活；某乙、某丙、某丁上來，反正都一樣，就忙個沒完。明天又重複，雲門漱洗完了，他就慢條斯理呼喚：「遠侍者！」「諾！」「是什麼？」每日裡都是如此。後來有一天他又喚這個遠侍者，遠侍者又答諾，雲門又問：「是什麼？」這遠侍者突然會了。可是這一會，追溯到以前第一次問他「是什麼」，那是多久？整整十八年！

但是他悟的品質就很好，絕對不會退轉。諸位想一想，假使這樣十八年才悟的，要怎麼退？想退轉也不甘心，對不對？絕對不甘心退。縱使心中懷疑也不願意退：「我好不容易混了十八年才混到的。」那這個人一定不退轉。諸位想一想，這十八年他的性障磨掉多少？他奉侍和尚又增長了多少福德？他爲和尚作事時，間接也服務了很多的人，他增長了多少福德！而他不斷的在參禪過程中，定力也增長了，這樣一悟當然品質很好，再也不退啊！而且是在這種很平淡、很平淡的，幾乎不是機鋒的機鋒下悟入的，確實很難會退轉的。

那一些搞學術的，甚至出家後住如來家、吃如來食、說如來法而否定如來法的人，他們也想要開悟喔？門兒都沒有！所以我們弘法之前，也就是十五年之前的那一、二十年，臺灣佛教界很風行一件事情，就是有碩士學位、有博士學位的法師，大家見了都說：「哇！這是碩士法師，這是博士法師！」問題來了，那碩士是佛法碩士嗎？是佛法中的博士嗎？不是啊！全都是世間法的學位，那又干佛法何事呢？

當年就有許多人開始研究佛教的經典，研究一段時間眞的不懂，因爲經中這個道理講不通，矛盾啊！然後去研讀大師的著作，甚至於也有外教的一些弘法師，組成小組來研究佛教法師、居士們的著作。最後佛教出家人還走上更偏的道路去，就是拿日本鈴木大拙的著作，說見性就是打坐到心花朵朵開時，那就是看見佛性；那不如去看牡丹花還實在一點。另一派不講開悟，他們講緣起性空，就是追隨日本什麼宇井伯壽、松本史朗，還有一個什麼人？袴谷憲昭；追隨那些人把大乘法一概推翻，因爲他們用意識理解大乘經典時，都覺得經中這些講法不通。

他們當然不通啊！如果用意識來理解可以通的話，那不叫佛法了，那就是世間法。所以他們不斷地從經文中去作文字語意學的研究，後來導致一個現象，就是廣開佛學院，然後請學術界那一些研究佛學的人來當教授而教導法師，然後法師就把他們教的拿出來當作佛法講給信徒們學，當然佛法就變成世間法了。這種情況一直延續著，直到我們正覺開始有一些名氣了，他們各大山頭各自去組成研究小組，打從那時開始，不研究印順，研究蕭平實。因爲印順的東西被蕭平實駁斥了以後，連一句話都不敢回應，也沒有人可以爲他出頭。一個這麼強勢的人，一生都不低頭的人，這個蕭平實寫了很多的書來「供養」他（編案：平實導師每一本著作出版後都會寄給他），結果印順受了供養以後竟然不吭聲，於是大家就轉了風向，現在不想也不必研究他了，只要讀過蕭平實的書就知道他錯在哪裡了。

現在研究蕭平實到底講了什麼，方向就轉了。轉了倒也好，可是他們能研究出什麼結果呢？依舊不會有結果。因爲我們在書裡頭把紫磨眞金拿出來時，我同時也附上了很多用烏鉛電鍍的好像紫磨眞金一樣的東西放在一起；我教他們要怎麼辨別，他們必須如實修學而學會怎麼辨別，才有辦法找到我給的那個紫磨眞金。如果他們學不會這個辨別的方法，永遠也找不到。那如果他們學會了辨別的方法，有一天找到了，我就恭喜他們。然而到如今，天可憐見，一個也無。

那麼有很多學禪修禪的人，讀了我的書以後自以爲他證悟了，可是都不堪檢驗；不管哪一個自稱已悟的人來，只要拿刀子輕輕割一下，就可以撕下一層金皮，金皮中依舊是烏鉛，好一點的是黃銅。所以這個「無名相法」、「無分別法」非以思量所能得知。如果用思量就能知道，學術界那一些人閒著沒事就是一天到晚搞學術，焉有可能無法研究出來？顯然這個法不是思量所能得知的。若要論到思量，他們最行，包括資料的收集方法，怎麼樣去作比對，怎麼樣作交叉分析等，他們都比我們行；我們在這方面遠遜於他們，可是他們終究無法弄清楚這個「無名相法」。

沒有學過學術的蕭平實寫書出來以後，人家說：「你寫出來的東西就是學術的規格啊！」我說：「我什麼時候會學術的？我都不知道。」學術的規格，其實不過就是古來所熏習的因明、內明之學拿出來用，所以不必有學術的那一種格式，但是書中的內容富有學術的規格。老實說佛學的學術，誰才有資格作，只有證悟的菩薩。凡夫哪有資格作這種佛學的學術？何況還要研之、究之？但學術界總是不相信我的說法，所以他們就繼續搞學術吧！那我們就繼續辨正和論證下去。他們期待的是說：「你書寫的越多紕漏就會出越多，我慢慢等吧！總有一天等到你。」有的學術界人士說要寫書破斥我，他等我已經等了二十年，現在還沒有等到。等我時間比較少的大概是等五年也沒等到我，因為我即使晃到他眼前去他也看不見啊！怎麼可能等得到？

所以這個法不是用思量就能知道的，搞學術是沒用的。問題來了，要怎麼樣才能夠理解進而得到勝解？世尊告訴我們說「以無量智乃可得解」。「無量智」是什麼？不是非常、非常多而不可計量的智慧，而是說「沒有量的智慧」。讀經不要誤會了經文的意思，依文解義就會出差錯，就認為要有無量無邊的智慧才能夠理解，那就錯了。這裡是講「沒有量」的智慧，不是講「很多」的智慧。

有量的便可以計算，那就叫作有量。譬如說：「咱家著作五百萬言。」就洋洋得意。縱使給他寫了五千萬言好了，一個人一生可能寫不了五千萬言；但那五千萬言是不是有量？對啊！數量就在那裡：五千萬啊！那表示他依然是有量智。所以他的著作從一樓疊起來、疊到十二樓去那麼高時，依舊是有量。既然是有量智，即不可解，必須是「以無量智乃可得解」。有的人說：「我非常有智慧，自小出家就開始研讀經典，而且旁及世間典籍，《四庫全書》皆通，學富五車。」好了，就算五車吧！我們再給他十倍，算他學富五十車好了，有沒有量？依舊有量啊！因爲就是五十車書籍的學問。智慧如果是有量的，那他對這個「無名相法」、「無分別法」終究不能得解。

《護法集》出版前大約一年，在大乘精舍，樂老居士約我跟三個居士見面，當時那三位居士名氣都比我大，佛書出得比我多很多。他們說：「蕭老師你看，這兩落牆壁書櫃裡的這些書總共有五千多冊，我們三個人全部都讀完了。」我當時只顧著想：「上課時間快到了。」因爲他們講了將近一個鐘頭我都還沒有開口，我想上課時間快到了，沒理會他們這句話，只顧著跟他們提示《維摩詰經》，我說：「開悟一定要先通過照妖鏡這麼一照，通得過了才能說開悟。有一部經典是禪門照妖鏡，就是《維摩詰經》。經中說『知是菩提』，反過來馬上跟你說『不會是菩提』，是同一個心，那你怎麼辦？」他們這一聽，你看我、我看你，四個人默然無語。

其實當時我應該跟他們講「無量智」的道理，那書櫃中的五千冊書籍知識有沒有量？（大眾答：有！）我當時應該這麼問啊！當年一時沒想起這句經文。所以假使有人說：「我把《磧砂藏、高麗藏、大正藏、乾隆藏》」還有什麼藏？「《嘉興藏》，我全部都讀過了。」全讀過了總共有幾冊？啊？那麼算起來有三、四百冊。請問三、四百冊總共有幾部經？也可以算啊！算久一點還是算得出來，依舊有量。既然是有量，以那個智慧就沒有辦法理解這個「無名相法」了。所以王雲林老居士（不曉得他還在不在世？他患了肺氣腫，拖著命，都是琉璃光如來照顧他），他把《大正藏》從頭到尾讀了六遍，他對我說：「我就欠你這麼一個開悟。」我當時說：「可以啊！王老哥！來吧！我禪三留個名額給你。」他說：「我啊，有命去、沒命回來，因為這個肺氣腫爬個樓梯都可能掛了，沒辦法。」我說了：「唉呀！你就是欠腦後一槌。」你想，能把《大正藏》前後讀六遍的有幾人？佛教界恐怕不作第二人想。他的國文又是非常好的，精通古文的，結果依舊是無措手處。

所以這一個「無名相法」、「無分別法」，世尊在這裡特地為大眾點了出來：「非以思量所能得知，」也附帶告訴我們怎麼樣才能夠對這個法生起勝解，就是「以無量智乃可得解」。沒有量，你證得這個法時無法可得、無量可數。怎麼說無量可數？以前有一位老兄很有趣，禪三證悟了以後問我說：

「老師啊！我們證得這個如來藏，是不是大家共有一個？」我問：「那你說呢？」他看一看、想一想：「看起來好像不是共有一個，可是祖師有時候說大家同皆共有。」我說：「你就是死在句下，祖師講那個同皆共有，不是大家共有，而是說大家共同都有，只是文字太簡略。」

我說：「如果大家共有同一個如來藏，那我現在打你一巴掌就等於沒打，因爲你就是我，我就是你，那麼『各人造業各人擔』就要推翻，成爲各人造業大家擔，所以不是共有啦！」但是很多人由於沒有實證，因此對祖師的言語產生錯會，最顯著、最具體的例子，就是香港那個月溪法師，他還寫了一部論蠻厚的，叫作《大乘絕對論》，結果他怎麼說的？他說：「大家都有如來藏，如來藏是大家共同擁有一個。那就像那個托拉斯一樣（托拉斯你們聽懂不懂？沒學過經濟學的人大概不懂；就有一點像現在金控公司，下面有好多個金融機構，那個金控公司就等於托拉斯，他掌控所有機構），所以大家共有一個眞實心、同一個法界體，大家都從那裡分出來。」

那他的思想豈不是跟耶和華一樣？乾脆去當牧師算了，袈裟別再穿了。所以他那個智慧就叫有量智，爲什麼有量？因爲他有一個大一，再加上很多的無量；既然有個大一，加上無量，當然那個大一就是量，已經有量。所以他最後提出來的證悟內涵是什麼？他所謂開悟之標的依舊是離念靈知。所以他講了一大堆全都是戲論，那一本《大乘絕對論》，大約三公分厚的一本，從第一個字到最後一個字都叫作「戲論」，因為言不及義；不但如此，而且方向還搞岔了。

那麼有人聽到這裡也許想：「**欸！這如來藏『無名相法』豈不是一個人有一個？這不就有量了嗎？**」問題來了，你能叫祂作「一個」嗎？所謂的「一個」一定是要有形體、有佔住一個空間，你才能計算叫「一個、兩個」。如果無形無色沒有形體也可以算「個」，那好了，你來跟我買黃金五條，我就拿給你言語說的「黃金一條」，拿五次就是五條了；那就不可以抗議說：「**你又沒有拿給我。**」因為你要的是無形無色的五條黃金，我就這樣賣給你了；無形無色也可以算個、算條嗎？那我這樣就是給你五條了，「**來！拿錢來！我要的是有形有色的錢。**」（大眾笑…）對不對？邏輯是一樣的！所以，有形有色才能算一個、兩個乃至無量個，無形無色要怎麼算「個」？

勉強算一個人有一個如來藏好了，勉強的算！假設可以算是一個，那問題又來了，有情無量數，你要怎麼去算如來藏有多少個？不說三千大千世界，單說這三千大千世界中的中千中的小千世間中的一個小世界中的這個地球就好，地球上面到底有多少生命？有情身到底有多少？沒辦法算欸！不說地球，單說一個人就好，一個人身中有好多共生細菌，那些醫學家們也講不清一個詳細的數目，都只能講一個概數，但是那概數能信嗎？概數只是一個概略而已；那每一個細菌不是也都各有如來藏嗎？你身上有多少個如來藏，自己都算不清楚了，還能講數嗎？所以沒有量可說的。

這是勉強說一個有情有「一個」如來藏，縱使可以算是「一個」，你也無法算清楚。何況如來藏無形無色，你不能夠說祂有量。有量的一定是在某一個空間、某一時間它有一個形色可以讓你指出來，才能說它有量。那如來藏假使有量，不曉得諸位想不想要？假使如來藏有量，有量的意思就是說，譬如一個隨身碟，這個隨身碟容量 3G（現在 3G 不算什麼了），資料如果存上幾年會不會存滿？還是會存滿的。存滿了以後，你想要叫資料出來時得要叫上老半天，這就是有量。如來藏假使有量的話，你要不要？每一個人買隨身碟回來時最好是無量，不管存多少永遠不會存滿，如來藏就像這樣。

假使有量，你沒有辦法成佛。可不要異想天開說：「有量的話，我具足證得祂全部的種子就很快啊！」可是很快成什麼佛？成細菌佛、螞蟻佛。不好！想一想看，修行成佛，在第一尊　威音王佛以後修行成佛只要三大阿僧祇劫；可是說雖然只要「三大」，只有「三」，但是這三大阿僧祇劫每一世捨報以後，留下來的身體，肉化掉以後剩下的骨骸堆起來，不曉得是多少座須彌山？那麼這麼多的世代一世又一世、一代又一代，不斷地造作各種善業淨業的種子；惡業種子都不要好了，就善業淨業的種子全部留下來，結果如來藏是有量的，那就收容不了，那你如何成佛？你修的很多善業淨業種子都流失掉了，你也沒辦法成佛啊！所以如來藏是無量的。

必須是證得這個「無量」的如來藏以後，你才能懂得說：「原來『無名相法』就是這個如來藏，『無名相法』爲什麼又說是『無分別法』，原來如此。」這時你才會懂得。所以一定是證得「無量」的法，把這個沒有量的法實證以後，產生的智慧才能夠瞭解這一個法爲什麼是「空、無所有」，然後如實了知：「無想、離諸想，無念、離諸念，乃至非癡非明。」爲什麼是這樣？你必須證得這個「無量」的法，才有辦法對這樣的道理生起勝解。否則　佛陀說的這些字句都沒辦法理解。

因爲你會想：「這個法沒有想、離諸想，這個法沒有知、離諸知，糟了！有什麼法是沒有覺知的，沒有覺知不就是無情嗎？既然是無情，爲什麼我要弄得這麼複雜、學得這麼辛苦？我幹嘛呢？」又說：「無念、離諸念，無取無捨、無戲論、無惱熱。」那到底是什麼東西？世間哪有這種東西？你找來找去找不到這個東西啊！所以就覺得說：「哇！這佛法太玄了吧！」眞的很玄，因爲這個法得要「無量智」才能理解，當然玄啊！所以有的人寫書、寫文章就說：「禪門眞是玄門之門，因爲禪師家各個說話都是前不搭後，各人說出來的話各有另外一套，好幾套兜起來時明明不相干，他們竟然說都一樣，其誰能信？」可是那些禪師們各個都很有智慧，都不是傻蛋呀！他們竟然願意這樣子勤苦地奉行一世，終不改變，這一定有道理啊！

所以玄學之玄，玄在何處？玄在不證。一旦實證了，「無量智」生起時，再也不玄了；這時就是現前可以現量觀察的眞實法，卻是沒有量可說；所以證得這個「無名相法」、「無分別法」以後，產生了無量智，這一些經中的開示就通了。這時「非癡非明」，你一聽了就說：「本來就是這樣，不需要解釋。」

可是對世間人來講，一定落在兩邊。癡就是無明，無明就是癡。所以癡與無明的人一定沒有智慧光明。可是在了義佛法中不是這樣說的，沒有愚癡的人其實也沒有智慧光明。你如果用世間智慧，從世間的層面來看而想要理解這個說法，永遠不可得解；因爲聰明的人不是愚癡，愚癡的人不可能是聰明。

可是佛法告訴你：「不是愚癡的人，也不是聰明的人。」眞的是怪！可是實相本來如是。當你證得這個「無名相法」時就產生了「無量智」，那你就不在愚癡也不在聰明中，所以「非癡非明」，你就眞的有佛法實相的智慧了。而「無名相法」自身依舊「非癡非明」，繼續祂的「如如不動永保眞如」。所以由這裡眞的要勸那一些搞佛學學術的人，別再搞下去了；皓首窮經一世，不如好好禮佛三拜，至少還有禮佛的功德；皓首窮經，最多博得一些人間的名聞利養，帶不去未來世，又有何用？接著他若是去把人家誤導了以後，這一世所有的名聞利養比之於未來世的果報，那就微不足道了！那一些名聞利養不足惜哉！可以去之而無遺憾。

所以諸位來到正覺講堂要認分，來了就是要實修，實修過程中沒有不辛苦、沒有快樂的歷程。心情可以快樂，但實修時一定很辛苦；因爲要具足次法才能得法，可是次法的具足實修都很辛苦啊！但是仍然要拚，因爲這種機會不是每一世都有；即使在往世，我手頭也沒有像這一世這麼奢侈過（大眾鼓掌…）。我這一世最奢侈，所以還是請諸位死了攀緣心、好好努力，有所不足就趕快把它補足。想要水流到自家的田裡去，不能老在那邊喊：「水啊，快進來！快進來！」怎麼喊都沒用，它不會主動流進你家田裡。你只要把地上土挖一挖，挖成一條溝，它自然就進來了，這才叫作水到渠成。所以我們還是要向那一些學術界宣示：你們再怎麼皓首窮經，再給你十輩子皓首窮經依舊「無路用」。因爲他們眞的無路可走，除非正覺消失了，他們才有機會再去籠罩人。這是實話，聽與不聽那就在他們了。

接著說「無行、無相、無有惱熱」。「行」一定有相，有行相就會有惱熱。「行」在禪淨班中親教師都教過，行有三種：身行、口行、意行。「行」代表有一個運作的過程，既然有運作的過程，就一定會有法相出現。譬如拿起一枝筆來，這就是身行；舉起杯子來喝水，這就是身行；喝了以後不滿意咒罵起來：「泡了什麼茶？不都餿了？」這叫作口行。打三回來覺得很了不得：「我開悟了！」回到家是老大：「我是聖人，你們要服侍我。」這是口行。

這還能叫作開悟嗎？你看都落在身行、口行之中，還叫開悟喔？

也許沒這麼惡劣，可是心中老是想：「我都開悟了，你們還像平常一樣對我。」喔！這是意行。這一些都有法相，希望別人另眼相看，表示他的慢心出現了。慢心出現了，這還叫作開悟啊？有慢心了就是意識的境界，怎麼是眞如的境界呢？這個不是眞的開悟，所以他的悟是有問題的。哪一天發覺了，我就把給他的開悟印證收回來。這個金剛寶印收回來，哪一天他改正了再還給他。這是說，有這個法相出現了就叫作「慢相」。所以有身、口、意行就必定有相。

有的人看到公案中的文字描述以後，心想：「原來這樣喔！」於是禪師開口了，他就進前三步；禪師說：「不對、不對。」他又後退三步；禪師大喝一聲，他就出去了，心想「喔！原來這樣，我知道了。」如果遇到個種田人出家的證悟僧人，不免要挨罵：「知你個頭！」爲什麼？因爲都不外於五蘊的範疇，全部都在身行、口行、意行等法相中。所以有行、有相就不對了；「無名相法」、「無分別法」從來沒有心行可說，所以祂沒有法相。有心行的都是覺知心六識或意識在那邊運作，心行就出現了；心行出現之後接著好一點的是口行，在那邊吆五喝六；更差的就是身行了，對下人拳打腳踢。但這一些行在「無名相法」中都不存在。

世間人都不離於諸行，因此就有很多的法相可說。同一類黃種人，有的就說：「唉呀！這個人好粗魯！」「那個人很文雅。」「這個人很三八。」「那個人好秀氣。」為什麼能夠作這樣的分別？（有人答話，聽不清楚。）欸！都因為行。所以有時候兩個人坐在那邊都不動時，人家看不出來什麼差別，可是才一動轉，人家就說了：「唉呀！你這個男人怎麼舉止好像女人！」或者說：「你這個女人不像女人，舉止都像男人。」為什麼呢？因為有身行跟口行表現出他們的法相來了。

譬如我高中時，有個同學是男生，還長得很壯，可是我們很喜歡看他打籃球，因為他打籃球時，球丟上去以後還這麼一震（大眾笑…），欸！十足的女性，但他是個男兒身啊！可是有的女人，你們有時候菜市場會看到，講起話來動作真像男人，有沒有？聲音又有一點沙啞，她那個人也是大老粗。可是你看她，她如果不動時秀秀氣氣的，如果她不是在菜市場中，你還以為她是大家閨秀。等她一動轉起來，行相出現後，原來她連小家碧玉都不是，是個大老粗。都因爲那個「行」，所以她顯示出不同的法相。但是這無可厚非，因爲生來就如此；也許她是前一世剛剛從男生轉生爲女生，或者有人這一世才剛從女生轉生爲男生，那些習氣種子還在，但是無可厚非。我們現在講的是說那個「行」，造成一個過程，使人產生一個認知。從什麼去認知？從那個「行」的法相去認知這是一個什麼狀況。

既然有「行」也有法相，就會有「惱熱」，所以有行有法相時一定是在三界中，特別是在欲界與色界中；因爲無色界只有心行，而且都是定境中的法塵心行，他們無形無色你也看不見，所以就不能夠說他們有法相，只能說他們有定相；但定相是他們自己唯證乃知，別人看不見。可是色界與欲界中凡是有行就有法相，所以很敏銳的人可以從很微細的法相中去觀察出一個人；因此兩個人在對話，看來都很平常，另外一個人卻說：「你別老是懷疑啦！」爲什麼？因爲他眉頭有一點點皺，這就是個法相。所以有行有相一定是在色界跟欲界之中，那麼既然有行相，就一定有惱熱，差別只是惱熱的多與少、輕與重。

在色界中他們的行與相引生的惱熱很少，來到欲界天就開始多起來，到人間越發地多了；如果在畜生道，那可多得不得了，所以你們路上走著也常常有幾條狗在那邊互咬，表示牠們心中很惱熱。那個惱熱是一天、兩天嗎？不！今天甲狗去咬乙狗，明天換乙狗回來咬牠，咬來咬去咬個沒完，所以牠們的惱熱是非常多的。但畜生道的惱熱算是最多的嗎？其實鬼道更多。你們有時候看見有的廟裡，黑色的令旗好幾支，看起來很威風，對不對？表示他家兵將很多。但其實是很惱熱，請問：一天到晚調兵遣將目的是幹什麼？是互相去爭取權位與人間的供養，那正是具足惱熱。所以鬼神的廟裡黑旗越多、兵將越多，表示他的惱熱越多。

那麼正神比較好一點，可是也有惱熱，因爲天壽有量，所以他要怎樣去幫助眾生在世間法上解決困難？就必須一直作啊！好當嗎？不好當。所以你們看道教中有好多的神，那都是天神；那些天神得要常常爲人類服務，很辛苦的。以前還好，都是叫筆生幫他開處方，神藉著乩童口裡唸出來，有時十味藥或者十二味、十五味的藥，一直唸出來，中藥房老闆當筆生，幫他記錄下來；全部藥名記錄完以後，一味一味的藥都要問：「這味藥要多少份量？」神就說出份量來；就這樣子服務信徒，開完了沒事，退乩。

但現在問題來了，現在人類政府有醫藥法，變成天界的神不可以在人間開處方；人管到神了，現在神不能開處方。神如果說：「你人間管不到我，我繼續處方治人類的病。」可是乩童要被關，當乩童被關上一次，他以後找不到乩童了，怎麼辦？也就只好妥協。所以現在不能開藥方治病了，怎麼辦？只好寶劍磨利了，同時準備一疊壽金，然後神降在乩童身上以後，用丹沙在壽金上面寫好符咒；看要幾張符咒，一張一張畫好以後，把寶劍舉上來割舌，再用舌頭流出來的血點上符咒，賜給信徒使用。現在天神得要這樣來加持人家治病，但是割舌當時那個痛覺由誰來受？不是乩童，是那一尊神本身要領受。所以他退駕以前一定先再寫一張符化在水裡，同樣要割舌滴血化在水裡，然後喝了他才可以退駕，可以使乩身免受多時的傷痛，否則乩童以後就不幹了。你看，這是不是天神的惱熱？所以當天神也有惱熱，可是他不能不作，因爲他的願是如此，他的福德也在這裡，要這樣去修集他的福德，所以天神也有惱熱。如果到餓鬼道裡去，特別是地獄道中惱熱更多了，他們的行與相永遠不曾停止。

那爲什麼會有行與相？就因爲有這個色蘊加上四蘊，才會有行相。如果沒有了這五蘊就不會有行，沒有行就無相，無相就不會有惱熱。而這個「無名相法」不攝在五蘊、十八界之內，五蘊、十八界才會有行，才會有相，才會有惱熱，但這個「無名相法」不在十八界中，不在五蘊之中，不在一切心所法之中，所以祂沒有行就沒有相，當然沒有惱熱。

古代部派佛教分裂出來的一個部派中的聲聞僧，叫作安慧；那個安慧論師寫了一部論叫作《大乘廣五蘊論》，還套上「大乘」兩個字；他在論中竟然說阿賴耶識是識蘊所攝，但阿賴耶識就是這部經中說的「無名相法」，你說這還能叫作論師嗎？竟然還敢自稱是大乘！可偏偏就有人把他的邪論給編入大藏經中去。編進去到底好不好？從另一個方向來說，好！我們拿它來作例子，來作負面教材。學校裡不是都有負面教材嗎？我們就用它作佛法中的負面教材。以前印順派在各大學佛學院都開這門課，現在好多佛學院拒絕了，不講這一部論；因爲他們讀了《識蘊眞義》，現在已經知道那是不對的。安慧說阿賴耶識是識蘊所攝，問題是：五蘊全部都是阿賴耶識所生的，怎麼可能五蘊中的識蘊可以含攝能生的阿賴耶識呢？那不等於顚倒過來說媽媽是女兒生的？而印順派的所有人竟也會相信而拿來佛學院裡教！所以說，人的無智可以顚倒到這麼無理，而他們那個無理的事實就顯示他們的邏輯錯亂。

這個「無名相法」又名如來藏，在《入楞伽經》中佛說：「阿梨耶識者，名如來藏，而與無明七識共俱。」這個如來藏是無名無相之法，爲了教導眾生的方便，把祂取名叫作阿賴耶識，但是祂無名。懂得這個道理，才可以說「名可名，非常名」，爲什麼叫作非常名？因爲祂叫作阿賴耶識，叫作「金剛經」，叫作「妙法蓮華經」，叫作「此經」，絕對不是常名。確實如此，沒有人會把兒子叫作蕭如來藏。會不會？不會！不會把他兒子叫作王阿賴耶識，絕對不會，因爲這不是常名。但是不管你用什麼名詞叫祂，終究是你家的事，跟祂不相干；所以你把祂叫作如來藏，叫作「妙法蓮華經」，叫作「此經」，叫作異熟識，叫作無垢識，叫作眞如或者叫作非心心、莫邪劍等，那都是你家的事；祂不會跟你承認說：「我叫作本地風光，我叫作眞如。」永遠都不會承認。

反過來，不論你怎麼樣叫祂，祂也不會拒絕，因爲祂對你這個行爲不理會；祂無名無相，因爲祂不在眾生心的所行境界中；祂無行，眾生所有的一切心行祂都沒有。你們實證的人可以現前觀察：你現在可以讚歎祂，看祂有沒有接受你的讚歎？你讚歎祂說：「如來藏！你眞好，如果沒有你，我早就死翹翹了。」或是說：「你對我太好了，比結拜兄弟還好，拜把子也沒有這麼親欸！」甚至於讚歎祂說：「連我父母都沒有對我這麼好呢。」因爲你的父母也沒有時時刻刻陪著你，對不對？你這樣讚歎祂，看祂有沒有回應？完全沒有回應。你讚歎是你家的事，與祂不相干。也許你讚歎老半天都沒有回應，你惱羞成怒：「**我這麼讚歎你，你竟然不跟我回應，你好可惡！你眞的傲慢，傲慢到極點！**」甚至於三字經、八字經你都把祂罵了，再看祂有沒有反應？依舊不理你！

所以祂完全沒有惱熱，因爲祂不在六塵境界中運行，所以祂沒有任何的行相；既然沒有任何行相，祂就不會有惱熱。如果要用那一些假開悟聖者們說的證悟之標的，譬如離念靈知；好了，縱使他可以保持三天永遠離念，但他這個離念靈知，你只要冷冷地給他一句話：「**你還眞傲慢，也不跟我打個招呼。**」你看他會不會有反應？會啊！馬上瞪著你看！雖然不講話，他會瞪著你；這時候他有沒有「行」？有！這時他有甚麼相？瞋相。瞋相起時，他有沒有惱熱？他一定想著恨不得給你一巴掌，那就是他的惱熱；可是「無名相法」、「無分別法」都不在這種境界裡頭，所以你對祂讚歎，祂不了知，因爲「諸入不會故」；那你對祂辱罵，祂也不了知，同樣的因爲「諸入不會故」，所以說「不會是菩提」。可是祂就像石頭一樣嗎？像木頭一樣全然無知嗎？不！你在想什麼祂可都知道，但你剛才罵祂、褒揚祂，祂都不知道；可是你想什麼祂又都知道，好奇怪！等你哪天實證了以後，換你說：「這不奇怪，本來就這樣，這有什麼好解釋的。」

可是我要讓大家瞭解這一句經文，要引生大家好奇心說：「我無論如何要去實證祂。」我就得要解釋了。但是越解釋覺得越玄，玄沒有關係，把祂放在心中讓祂去玄。不管祂玄到多玄，有朝一日親證了：「唉呀！原來如此！」也許後腦勺一拍：「原來如此！」可是這個「原來如此」時，已經都不用解釋了，就這麼一念之下就通了。這時你就知道說：「原來祂從來無行、無相，所以祂永遠沒有惱熱；我悟了以後，我依舊是我，祂依舊是祂啊！」以前都說你儂我儂，現在看來不儂了。可是回頭一看，跟祂又不能割捨，唉呀！眞的無可奈何。這時候才會想到說：「原來入涅槃就是我捨棄祂，入涅槃時我死掉，祂沒死。涅槃原來是祂而不是我，眞沒道理！」可是沒道理卻不可推翻，因爲涅槃本來就是如此啊！所以說這個法不是眾生之所能接受的。

那麼這樣回頭再來看一看說：「可是我也沒有辦法改變這個事實，因爲這是法界中的事實，不可改變。那不管我怎麼樣，祂本來如是，永遠如如不動，想改變祂也改變不了，不如改變我自己吧！改變我自己，把一世一世的自己改變到最後究竟了，祂所含藏的咱們的種子就清淨了，那就叫作成佛！」所以悟了以後不是叫祂修行，還是自己修行。你看當菩薩夠倒楣了吧？還是自己修行。既然悟前要自己修行，悟後也都要自己修行，那就老老實實自己修行吧！不然你拿祂能奈何？無奈何！好，這下終於死心塌地了，乖乖修行。

接下來說「無念、過諸念」。「無念」這是近代佛門修行人跳不出去的窠臼，老是落在這個大窠窟中，怎麼跳都跳不出去。《西遊記》說孫悟空觔斗雲，一翻就十萬八千里，他跟如來炫耀，如來說：「那你翻翻看。」他想：「我就翻幾個觔斗雲，如來才會知道我的厲害！」一翻不夠再翻，五翻以後他覺得：「夠遠了吧！」到達那個地方叫作五指山，就在那裡寫上幾個字作證，你看我跑到這麼遠來：「齊天大聖到此一遊！」覺得不夠，因爲恐怕是人家冒名寫的，再撒一泡尿，（大眾笑…）這個假不了了，然後再翻五翻回來：「你看我飛多遠，你能到嗎？」如來佛伸出手說：「你來看看。」這是個很好的譬喻，意思是說你這意識心最厲害，樣樣都行，可是不管你怎麼翻，終究翻不出五陰的範圍去，依舊是在如來藏手裡。

這不就是五陰嗎？那些愚癡人翻了五翻到那邊寫了字、撒一泡尿，跟大眾炫耀說：「你看我這麼厲害。」然而來到正覺，老師們把五指伸出來：「你寫的字在這裡，你的尿騷味也都在這裡。」好譬喻啊！也就是說，佛門的修行人始終都跳不出這個窠窟，老是在那邊打坐說：「這樣就是修行。」到底要修什麼行？不知道。打坐就是修行？打坐想幹嘛？想要無念。無念的結果，不管他無念一秒鐘、一分鐘、一小時、一天、一月、一年、一劫，夠遠了吧？終究還是意識，不離五陰。即使他一坐萬年，讓他一念萬年，依舊是意識，但意識還是在五蘊中啊！可是這五指山（五陰）是誰生的？是「如來」生的，是「如來」所有的；他一念萬年終究還在五指山中，跳不脫五陰之外。

所以正覺出來弘法之前，佛教界都主張說「離念就是開悟了」，「放下」的道理也是為了求離念。問題來了，當他被大和尚印證開悟以後，拿到金剛寶印回到家裡，經典翻開印證下去，淡掉了，原來那只是個冬瓜印，沒有辦法跟經典所說的桃符相契，所以他們都誤會了經中的意思。不但如此，經中說的「無念」還要「過諸念」，不是只有無念而已。

讀《般若經》時，大部分人都把整座金山丟在一邊，在地上撿拾那一些文字黃銅；所以讀到最後都說《般若經》講的就是一切法空，因此《般若經》的深妙法義就被釋印順判定爲性空唯名。意思就是說《般若經》講的就是一切法性都空，全部只有名相，那他簡直是在斥罵《般若經》爲戲論了！可是《般若經》中有講無住心，講「非心心、不念心、無心相心」等，這些聖教他們都不管，當然會不得非安立諦三品心了，所以說他們的誤會很嚴重。那麼參禪的人懂得要找一個眞實心，卻又跳不出五指山；所以末法時代的學佛人永遠都在「如來」的手掌中跳不出去，一天到晚就想要離念。

如果他開始學佛了，不幸的又開始修行，那麼兒子過來請求說：「爸爸！我這一題不會，你教我一下。」他就生氣了！最疼愛的女兒來問他：「爸爸！這一題我也不會，你也教我。」他也生氣起來。以前好疼愛，現在不疼愛，因爲他認爲這些都是在障礙他修道，原來他修道是要求離念。甚至於有人說：「只要能夠離念，那就是開悟。」如果離念就是開悟，那證得未到地定算不算開悟？應該算了！可是明明　佛說證得四禪八定具足的外道，都還沒有開悟呢！

所以我們正覺講堂北邊那個鄰居，他雖然捨壽了，我還是要唸一唸他，希望他記得我，未來世好相遇。他書中甚至還說：「所以，證得未到地定離念時也可以算是開悟。」出了定又算是沒有開悟，因爲起念了；那麼悟不就變成生滅法了嗎？所以不論是聲聞菩提、緣覺菩提的實證，乃至大乘菩提的實證，都跟有念無念不相干；實證三乘菩提各有它的不同意涵，都不在有念無念上面作文章。可是這百年來的海峽兩岸佛教界，都在這上面作文章，都只是落在修定的方法中，全都是以定爲禪。但是對於定的境界，他們終究也不能實證，唐修一世，無點滴之功！但這卻不是學人們的過失，過在諸方大師，你說冤不冤？

好像不冤的樣子，因爲大家都沒回應。我看五樓講堂你們也沒回應啊！喔！終於有了！是冤啊！眞的是冤！可是這個冤枉，過失不在學人而在大法師。那我們出來以後就開始扭轉這個現象，我們告訴大家說：「三乘菩提的證悟各有它不同的內容，但都跟離念無關。離念而得定境，那只是次法中的一部分，不是實證的標的，是當作鑰匙而已。」就好像你參禪要會看話頭，看話頭只是個參禪的工具，不是標的。所以離念不是修行的目標，而是修行所應該具備的一個條件。

因此 世尊就告訴我們，這個「無名相法」祂無始劫來都沒有念。意識覺知心一天到晚會起念，這個念過去了又一個念上來；更多時候這個念還沒有過去，就有一個新的念上來，把這個念給轉了。意識最會起念，意根呢？意根只是被意識拖著跑，祂執著很重，可是祂不太起念。譬如說，你在睡覺時沒有作夢，你意根有沒有起念？沒有！對不對？那意根有沒有離開？沒有啊！緊緊抓著這個身體不放，意根最執著了。

來看看《西遊記》怎麼講的？孫悟空一下子在這裡，一下子在那裡，那個神通七十二變可厲害著；可是那個沙悟淨，他不多話，一天到晚把行李抓得緊緊的，永遠不放掉行李，對不對？對啊！那沙悟淨是哪一個識？（大眾回答：意根。）欸！就是意根。抓得牢牢的，祂永遠都不放。那麼一天到晚在五塵中攀緣打滾貪著的是誰？豬八戒。受了八戒以後，在戒法上卻是一戒也無。受了八戒，結果都不受，那就是前五識，都在境界法中去攀緣、去執著。龍馬，那一匹龍馬，龍變化的馬是什麼？就是你的色蘊啊！可是這一些有沒有哪一個可以離開唐三藏？離開唐三藏時他們就什麼都不是了；所以不管怎麼樣，最後都要去找師父唐三藏。

那些妖怪們大家都要吃唐僧的肉，你看唐僧多冤枉！是因爲吃了他的肉就長生不死。我們現在好多人吃了唐僧的肉，所以儘管這個五蘊漸漸老去，卻說：「**我沒有生死。**」所以你只要啃上一口，你就全部都有了！因爲你找到唐僧時，你就有那一匹龍馬，你就有沙悟淨，也有孫悟空一天到晚爲你分辨是非；然後在人間想吃好吃的、想看好看的、想聽好聽的，都有豬八戒幫你負責。

所以你只要有唐三藏，你就具有一切法。這樣看來玄奘大師增高了，對不對？一天到晚裝聾賣傻，可是大家都要依歸於他。爲什麼？因爲祂「無念」啊！孫悟空最會起念，一天到晚「這是妖精、那是妖精」，一棍就把他們打死，不斷在造業，都是孫悟空。那沙悟淨只是被他拖著一起當個共犯，對啊！可是唐三藏從來不起念，不管多麼惡劣的環境、多麼危險的環境，他只管唸他的「阿彌陀佛」，以外都無別念。可是 如來怕大家誤會「無念」，所以又講了「過諸念」。很多人讀到「無念」時就說：「啊！我知道，那我就要打坐修行，要離開種種的念。」可是 如來很慈悲，早就爲大家預設了方便在這裡：不是「無念」就可以，而且是要「過諸念」。至於過諸念是什麼意涵，得要等下回分解。

《佛藏經》上週講到第四頁倒數第二行，講「無念、過諸念」，才剛講完「無念」。爲什麼叫作「過諸念」？上週來不及說。一般而言，所說的無念一定是相對法，就是相對於有念，所以叫作「無念」，這表示有念的境界同樣是相對於無念而說。既然有念是相對於無念，無念是相對於有念，顯然這兩個就是難兄難弟；又好像一張紙一定有兩面，不會只有一面，那這一面是叫有念，那一面就叫無念；當你面對有念這一面時，無念的那一面也在，只是你有沒有把它翻過來而已；如果翻過來，那就叫作無念。那爲什麼要講這個「過諸念」？爲何要「過」？一般人總是想：「無念就是無念，有念就是有念，爲什麼還要『過』？『過諸念』是否就是無念？」一般人想法都是這樣，這是不能怪他們的，因爲一般人永遠不曾觸及到「過諸念」的境界，也沒有聽過人家講什麼「過諸念」的境界。

這個很奇怪！「過諸念」，你可以去檢查看看，這兩、三百年來佛教界有誰在講「過諸念」？都是講無念、離念，講得最有名的叫作「離念靈知」，而且講得最振振有詞，都說這就是開悟的境界。講得囉嗦一點就叫作「清清楚楚，明明白白」，其實也就是離念靈知，但是這個「過諸念」是完全不同的。那一些離念靈知的信徒們，也許有的人想說：「你們是不懂離念靈知，才會說這個太淺啦！」他們有一些說法，就是說離開一切的語言文字妄想而了了靈知，那叫作離念靈知。後來我們就說那個離念靈知還是打坐中得來的，就算能夠達到離念靈知的境界，下座以後還是要起念，那都是意識心的境界。我們接著又說，這種離念靈知，你一下座就起念了；那我們無相念佛這個淨念捨了以後的離念靈知，是在下座以後依舊離念的。

他們聽了很不爽快，後來又改了個說法：「你們講的這個離念靈知也是修而後得，我們講的離念靈知是本有的，也就是前念已經過去了，後念還沒有生起，在這中間那個離念不必修行就有，那才是本有的啦！」我說：「那好！那你就是沒有修行，你連修行都沒有。而我們至少還修行動中、靜中都可以離念，而且還再進一步可以起一個淨念，沒有語言文字的淨念，那你們可不懂了。」後來我們就說：「那你們這個前念已過、後念未起的靈知，雖然是離念的，沒有錯，但人家在定中可以很長久的離念，比起來不是更勝過你們嗎？總歸一句話，就是你們的離念靈知是意識境界，正是意識的我所。」於是他們就不再狡辯了，因爲我們講了很多種離念境界給他們聽了，比功夫，他們也比不上這個無相念佛的功夫，根本就不會；講到眞的離念，動中、靜中都可以離念，他們也搞不懂。最後我們說：「你們那個都是意識境界，而意識是根、塵、觸三法因緣生的，如果那個離念靈知也叫實相的話，那麼根、塵與觸這三個法應該叫作實相上的實相了！更上於實相。」因此他們就沒辦法再講話了。所以這一些大法師們弘法那麼久，始終都在有念、無念上面作文章，始終不能及於第一義諦的「無名相法」。

可是「有念」與「無念」其實都在「過諸念」的函蓋之下，換句話說，有念與無念是相對的，是平行存在的，因爲二者上面都還有一個「過諸念」。那麼以前都沒有學過佛法的話，聽到這個說法可能就會覺得好迷糊：「怎麼會有一個『過諸念』的，而且是在有念無念之上？『過諸念』不就是『無念』

了嗎？」一般的想法都是落在相對之中，所以叫作不離邊見——不是這邊就是那邊，不是有念就是無念，不是無念就是有念，從來不曾知道另有一個「過諸念」的心。

到了末法時代學佛的人還是很多，這當然得要釐清。就是說，一般學人的「無念」是有時無念，「有念」也是有時有念，不是永遠的「無念」，也不是永遠的有念。但是這個「過諸念」的「無名相法」，從來不在有念跟無念之中，不在這些境界中；爲什麼呢？因爲祂這個「無念」不是相對於有念的「無念」。一般人所知的有念或無念，是意識心住在有念或無念的境界中；而經文中說的這個「無念」卻是「過諸念」的這個「無名相法」，祂是在意識的層級之上，是超過意識的，所以祂不在意識的有念或無念境界中，因此叫作「過諸念」。

由於意識的無念是從有念之中修行把念降伏了、壓住了，使念起不來，這樣叫作無念，但這是意識的境界。意識能夠無念，祂卻同樣也會有念，例如等他下了座、出了定，那時就是有念，會想東想西；但是這個「無名相法」祂從無始劫以來就「無念」，祂這個「無念」是超越於意識的有念、無念之上；因此，無念的心若是意識時，意識心可以無念，但有時候又會起念，修行再好都會起念；即使你將來成佛了，有時候也要為眾生起念，這個起念就是意識的境界。

可是如來藏這「無名相法」是無始劫以來就「無念」，未來無量劫以後也一樣都會是「無念」，因此祂是超過於諸念之上的，叫作「過諸念」。因為祂從來跟念不相應，意識會跟語言文字的念頭相應，或者甚至於意識有時候在定中突然起了一個沒有語言文字的念，然後祂就出離二禪等至位的定境；例如在二禪之中只要起了一個沒有語言文字的念頭，那真的叫作念頭——念的前頭，都沒有語言文字；突然想起一件什麼事，於是心動了；不是心臟動，是覺知心動，然後就離開二禪等至位了。三禪、四禪等至位定中也都是如此。如果是在四禪中有一個比二禪等至位中更微細的念一出現，馬上心臟就開始跳動了；本來四禪中是息脈俱斷，這時候一個念、是什麼都不知道，只是覺知心突然有一個躁動，然後心臟就開始跳動；心跳之後呼吸跟著就來了，那時不呼吸還真不行。連那樣的念都屬於意識所有。

那種念很微細，諸位還沒有辦法去體會到二禪中那一個沒有語言文字的念，那遠比無相念佛的淨念還要微細很多倍；即使是那樣一個念生起，你就會離開二禪等至位，對一般人來講無法想像。對一般修行人來講，單單說你們無相念佛的淨念，你說它叫作無念，他們已經不懂，何況二禪等至位中無念的念。如果四禪中那個無念的念，心一動就離開四禪，回到三禪來，那個念又更細了。可是如果要到四空定中生起的念，那又更細了，但不管多麼細，都是意識的念。可是如來藏連這一種念都沒有，因爲祂是「過諸念」的，不管是粗念、細念、極細念，如來藏是超過一切念的，所以祂永遠不會有念。

講到這裡也許有人想：「祂永遠不起念，那如果明天祂把我忘了，怎麼辦？」那你去問問看所有已經證得「無名相法」的人，看如來藏會不會哪一天突然把他們給忘了？每一個人都會告訴你：「絕對不會忘！」因爲祂從來不起念，不起念就不需要再起念想著你！所以祂也不想你。你悟了以後會有時候想到祂：「唉呀！祂對我還眞不錯。」你有時候會想祂，但祂從來不想你。你不用想祂，因爲你想祂祂也在，你不想祂祂也在，這樣祂算不算賤骨頭？欸！又有一點像。因爲一般人都說：「你不理我，我就對你很生氣，永遠不理你了。」可是你不理祂，祂照樣理你，但不會想念你。祂從來不想念你，怪不怪？怪！就是因爲這麼怪，所以才能夠「過諸念」，因爲祂的自性本來就是如此啊！

所以說，這個「無念」不是意識覺知心的無念，是「無名相法」如來藏從無量劫以前，無始以來本就是「無念」，未來依舊會是「無念」。你不必擔心說：「我哪一天悟了，找到如來藏以後，萬一祂一天到晚起念頭，那我怎麼辦？那我不是要跟祂打架了嗎？」我跟你保證祂不會起念頭，祂永遠「無念」，你想要怎麼樣或者要怎麼想，全都沒事，祂不會來吵你的。這樣你可以把祂叫作拜把子，對不對？閩南話叫作「死忠兼換帖的」，對不對？所以這一個「無名相法」不屬於現象法界的事，祂是超越於現象法界的，是超越於意識、意根等境界的，所以祂「無念」而「過諸念」。

接著「無心、過諸心」，這讓我想起以前有一個講禪很有名的大法師，說「無心就是禪」，原來他把黃檗禪師那句話給誤會了——無心即是道。但是黃檗講的是說沒有世俗心，沒有世間心啊！這位大法師怎麼想的？他想：「我只要不去想世間法，我就是變成沒有世間心了，那就叫作無心。既說無心就是道，所以無心時就是開悟了。」問題來了，如果無心就是開悟，每一個媽媽懷孕時都得每天禮拜胎中的胎兒了，因爲胎兒從來無心呀！對不對？對啊！他曾經起過什麼心呢？他連起一個「我要趕快長大」的心都沒有，那他是不是聖人？他是不是證道了？要不然，到了野外看見毛毛蟲，毛毛蟲有沒有起心動念過？毛毛蟲從來沒有語言文字等心，牠從來沒有起過一個心說：「我要趕快吃、趕快吃，不然人家會來搶；我要趕快吃，才能快快長大。」牠從來沒有起過任何一個心，那是不是牠的修行比這位大禪師更好？禪師有時還會起心動念，有心啊！所以黃檗禪師講的「無心」是說那個永遠不會起世間心的心，而不是說你這個意識世間心要變成無心。

所以這兩、三百年來的佛教界，大家犯了一個共通的毛病，而且眞的叫作大病，始終治不好，直到正覺出來才終於有解藥可以治他們的病；他們那個病就是要把「妄心變成眞心」，所以要把「意識心變成眞如」，就想要把有心的意識心變成無心的如來藏境界。如果可以變的話，這個由意識變成的眞如，既然是藉著修行的因緣變來的，將來又有別的因緣，是不是又要變回意識去？對啊！那是變來的，不是本來就眞如啊！那我們學禪修學佛法要證般若，所證的眞如到底是應該證那個本來就眞如的心？還是證那個修行以後才變成眞如的心？答案很清楚，當然是要證本來就眞如的心。如果是修行才變成的眞如，那表示祂本無後有；本非眞如，現在修行變成眞如，那就是修來的，不是本來就眞實如如的，將來一定還會再變得不眞不如了，眞修行人當然不要這個有變之法。

所以這個「**無心**」的道理，一定要弄清楚。「**無心**」是說祂本來就沒有世間相的心。世間相的心是大家所熟知的，會想東想西，會想要接觸色、聲、香、味、觸、法；如果不是累了，沒有一個人想要睡覺的；都是累了才要睡覺，如果不累的話，連續三天、一個禮拜，你也一直幹活，因爲你覺得作這些事情好有興趣：「**我如果一天可以作二十四個小時，那我就賺三倍的錢！**」可是因爲累了不得不睡覺。所以說世間心和本來就沒有世間心的心，這兩個心的特性完全是不同的。

覺知心總是不斷在六塵境界中去攝取，所以永遠不離開六塵；這個覺知心，總而言之就是表面上有眼、耳、鼻、舌、身、意六個識，背地裡有意根在主導；但是，這一些都要在六塵境界中才能運作，離開六塵便無所能爲了。例如每一人都有離開六塵時，而且是每天都要有一段時間離開六塵，就是晚上睡覺啊！那晚上睡覺離開六塵，意思代表什麼？代表識陰六個識中斷了，所以沒有了知六塵而不領受六塵了。

因此，如果有人說：「我可以離開六塵，繼續顯現我偉大的功德。」那就要問他了：「你什麼時候離開六塵而在繼續作事？」不必說作事，享受也行，「你什麼時候離開六塵而繼續存在？」沒有一個有智慧的人敢說他離開六塵時能繼續存在的。有世間智慧的人就不敢這麼說了，可是如果哪一天有個人跑來問我說：「蕭老師！那你離開六塵時能不能在？」我說：「在啊！在啊！」「在幹嘛？」「不能告訴你。」對啊！因為我意根還在，而且我的如來藏還在，仍然是眞實而如如啊！怎麼不存在？如果有人是以六識（識陰）作為自我的話，那就不能存在了。但是我會告訴他說：「我雖然在，但我不住在六塵境界中。」他一定會聽錯，會誤以為我說的是：我覺知心還在，但是不在六塵中。他如果誤會了，保證他會把我當作神來拜。問題是我不當鬼、不當神，我才不要他拜；我要的是他將來也可以實證，這個才比較重要。

所以說如來藏這個心，祂沒有世間心，但不代表祂不存在，祂只是沒有世間心。世間心就是不斷去了知六塵，從六塵境界中去產生喜怒哀樂，然後就被八風所吹動；一定會因爲住在六塵境界中而被八風所吹，八風是指什麼？稱、譏、毀、譽、利、衰、苦、樂。一定是在六塵境界中才會被八風吹動。不是有一個典故嗎？蘇東坡跟佛印禪師的故事，蘇東坡不是寫了一首偈嗎？覺得自己修行很棒，其中甚至寫了一句「八風吹不動」，派人過江送去給佛印；佛印看完，翻過背面寫個「屁」字，原詩原人就送回去；蘇東坡一看：「嗄？看不起我。」立刻過江來理論，興師問罪了。你看，佛印一個字就把他撂倒了，所以「八風吹不動，一屁打過江」，佛印只寫了一個屁字就把他打過江來了。所以只要在六塵境界中，那就是有境界法；有境界的法就會有各種的心境出現，歡喜的、苦惱的，不同的心境隨著不同的六塵境界而去改變，這個就是世間心，因爲祂住在六塵境界中。那如果離開六塵境界，就不可能有世間心，所以祂叫作「無心」。（詳續第二輯解說。）

佛菩提二主要道次第概要表——二道並修，以外無別佛法

佛菩提道——大菩提道

十信位修集信心——一劫乃至一萬劫

資糧位

初住位修集布施功德（以財施爲主）。
二住位修集持戒功德。
三住位修集忍辱功德。
四住位修集精進功德。
五住位修集禪定功德。
六住位修集般若功德（熏習般若中觀及斷我見，加行位也）。

外門廣修六度萬行

七住位明心般若正觀現前，親證本來自性清淨涅槃。
八住位起於一切法現觀般若中道。漸除性障。
十住位眼見佛性，世界如幻觀成就。

見道位

一至十行位，於廣行六度萬行中，依般若中道慧，現觀陰處界猶如陽焰，至第十行滿心位，陽焰觀成就。

一至十迴向位熏習一切種智；修除性障，唯留最後一分思惑不斷。第十迴向滿心位成就菩薩道如夢觀。

內門廣修六度萬行

遠波羅蜜多

初地：第十迴向位滿心時，成就道種智一分（八識心王一一親證後，領受五法、三自性、七種第一義、七種性自性、二種無我法）復由勇發十無盡願，成通達位菩薩。復又永伏性障而不具斷，能證慧解脫而不取證，由大願故留惑潤生。此地主修法施波羅蜜多及百法明門。證「猶如鏡像」現觀，故滿初地心。

二地：初地功德滿足以後，再成就道種智一分而入二地；主修戒波羅蜜多及一切種智。滿心位成就「猶如光影」現觀，戒行自然清淨。

解脫道：二乘菩提

斷三縛結，成初果解脫

薄貪瞋癡，成二果解脫

斷五下分結，成三果解脫

入地前的四加行令煩惱障現行悉斷，成四果解脫，留惑潤生。分段生死已斷，煩惱障習氣種子開始斷除，兼斷無始無明上煩惱。

圓滿成就究竟佛果

近波羅蜜多——大波羅蜜多——圓滿波羅蜜多

修道位——究竟位

三地：二地滿心再證道種智一分，故入三地。此地主修忍波羅蜜多及四禪八定、四無量心、五神通。能成就俱解脫果而不取證，留惑潤生。滿心位成就「猶如谷響」現觀及無漏妙定意生身。

四地：由三地再證道種智一分故入四地。主修精進波羅蜜多，於此土及他方世界廣度有緣，無有疲倦。進修一切種智，滿心位成就「如水中月」現觀。

五地：由四地再證道種智一分故入五地。主修禪定波羅蜜多及一切種智，斷除下乘涅槃貪。滿心位成就「變化所成」現觀。

六地：由五地再證道種智一分故入六地。此地主修般若波羅蜜多——依道種智現觀十二因緣一一有支及意生身化身，皆自心眞如變化所現，「非有似有」，成就細相觀，不由加行而自然證得滅盡定，成俱解脫大乘無學。

七地：由六地「非有似有」現觀，再證道種智一分故入七地。此地主修一切種智及方便波羅蜜多，由重觀十二有支一一支中之流轉門及還滅門一切細相，成就方便善巧，念念隨入滅盡定。滿心位證得「如犍闥婆城」現觀。

八地：由七地極細相觀成就故再證道種智一分而入八地。此地主修一切種智及願波羅蜜多。至滿心位純無相觀任運恆起，故於相土自在，滿心位復證「如實覺知諸法相意生身」故。

九地：由八地再證道種智一分故入九地。主修力波羅蜜多及一切種智，成就四無礙，滿心位證得「種類俱生無行作意生身」。

十地：由九地再證道種智一分故入此地。此地主修一切種智——智波羅蜜多。滿心位起大法智雲，及現起大法智雲所含藏種種功德，成受職菩薩。

等覺：由十地道種智成就故入此地。此地應修一切種智，圓滿等覺地無生法忍；於百劫中修集極廣大福德，以之圓滿三十二大人相及無量隨形好。

妙覺：示現受生人間已斷盡煩惱障一切習氣種子，並斷盡所知障一切隨眠，永斷變易生死無明，成就大般涅槃，四智圓明。人間捨壽後，報身常住色究竟天利樂十方地上菩薩；以諸化身利樂有情，永無盡期，成就究竟佛道。

七地滿心斷除故意保留之最後一分思惑時，煩惱障所攝色、受、想三陰有漏習氣種子全部斷盡。 →

煩惱障所攝行、識二陰無漏習氣種子任運漸斷，所知障所攝上煩惱任運漸斷。 →

斷盡變易生死成就大般涅槃

佛子蕭平實 謹製
（二〇〇九、〇二 修訂）
（二〇一二、〇二 增補）

佛教正覺同修會〈修學佛道次第表〉

第一階段

* 以憶佛及拜佛方式修習動中定力。
* 學第一義佛法及禪法知見。
* 無相拜佛功夫成就。
* 具備一念相續功夫—動靜中皆能看話頭。
* 努力培植福德資糧，勤修三福淨業。

第二階段

* 參話頭，參公案。
* 開悟明心，一片悟境。
* 鍛鍊功夫求見佛性。
* 眼見佛性〈餘五根亦如是〉親見世界如幻，成就如幻觀。
* 學習禪門差別智。
* 深入第一義經典。
* 修除性障及隨分修學禪定。
* 修證十行位陽焰觀。

第三階段

* 學一切種智眞實正理—楞伽經、解深密經、成唯識論…。
* 參究末後句。
* 解悟末後句。
* 透牢關—親自體驗所悟末後句境界，親見實相，無得無失。
* 救護一切衆生迴向正道。護持了義正法，修證十迴向位如夢觀。
* 發十無盡願，修習百法明門，親證猶如鏡像現觀。
* 修除五蓋，發起禪定。持一切善法戒。親證猶如光影現觀。
* 進修四禪八定、四無量心、五神通。進修大乘種智，求證猶如谷響現觀。

佛教正覺同修會 共修現況 及 招生公告　2020/05/03

一、共修現況：（請在共修時間來電，以免無人接聽。）

台北正覺講堂 103 台北市承德路三段 277 號九樓 捷運淡水線圓山站旁
Tel..**總機** 02-25957295（晚上）（**分機：九樓**辦公室 10、11；知客櫃檯 12、13。 **十樓**知客櫃檯 15、16；書局櫃檯 14。 **五樓**辦公室 18；知客櫃檯 19。**二樓**辦公室 20；知客櫃檯 21。）
Fax..25954493

第一講堂　台北市承德路三段 277 號九樓

禪淨班：週一晚班、週三晚班、週四晚班、週五晚班、週六下午班、週六上午班（共修期間二年半，全程免費。皆須報名建立學籍後始可參加共修，欲報名者詳見本公告末頁。）

增上班：瑜伽師地論詳解：單週六晚班。雙週六晚班（重播班）。17.50～20.50。平實導師講解，2003 年 2 月開講至今，僅限已明心之會員參加。

禪門差別智：每月第一週日全天　平實導師主講（事冗暫停）。

不退轉法輪經詳解　本經所說妙法極爲甚深難解，時至末法，已然無有知者；而其甚深絕妙之法，流傳至今依舊多人可證，顯示佛法眞是義學而非玄談，其中甚深極妙令人拍案稱絕之第一義諦妙義。已於 2019 年元月底開講，由平實導師詳解。每逢週二晚上開講，第一至第六講堂都可同時聽聞，歡迎菩薩種性學人，攜眷共同參與此殊勝法會現場聞法，不限制聽講資格。本會學員憑上課證進入第一至第四講堂聽講，會外學人請以身分證件換證進入聽講（此爲大樓管理處安全管理規定之要求，敬請諒解）；第五及第六講堂（B1、B2）對外開放，不需出示任何證件，請由大樓側門直接進入。

第二講堂　台北市承德路三段 267 號十樓。

不退轉法輪經詳解：平實導師講解。每週二 18.50~20.50 影像音聲即時傳輸

禪淨班：週一晚班。

進階班：週三晚班、週四晚班、週五晚班、週六早班、週六下午班。禪淨班結業後轉入共修。

第三講堂　台北市承德路三段 277 號五樓。

不退轉法輪經詳解：平實導師講解。每週二 18.50~20.50 影像音聲即時傳輸

禪淨班：週六下午班。

進階班：週一晚班、週三晚班、週四晚班、週五晚班。

第四講堂　台北市承德路三段 267 號二樓。

不退轉法輪經詳解：平實導師講解。每週二 18.50~20.50 影像音聲即時傳輸

進階班：週一晚班、週三晚班、週四晚班（禪淨班結業後轉入共修）。

第五、第六講堂

不退轉法輪經詳解：平實導師講解。每週二 18.50~20.50 影像音聲即時傳

輪。第五、第六講堂為**開放式講堂**，不需以身分證件換證即可進入聽講，台北市承德路三段 267 號地下一樓、地下二樓。每逢週二晚上講經時段開放給會外人士自由聽經，請由大樓側面梯階逕行進入聽講。**聽講者請尊重講者的著作權及肖像權，請勿錄音錄影，以免違法；若有錄音錄影被查獲者，將依法處理。**

念佛班 每週日晚上，第六講堂共修（B2），一切求生極樂世界的三寶弟子皆可參加，不限制共修資格。

進階班：週一晚班、週三晚班、週四晚班。

正覺祖師堂 桃園市大溪區美華里信義路 650 巷坑底 5 之 6 號（台 3 號省道 34 公里處 妙法寺對面斜坡道進入）電話 03-3886110 傳真 03-3881692 本堂供奉 克勤圓悟大師，專供會員每年四月、十月各三次精進禪三共修，兼作本會出家菩薩掛單常住之用。開放參訪日期請參見本會公告。教內共修團體或道場，得另申請其餘時間作團體參訪，務請事先與常住確定日期，以便安排常住菩薩接引導覽，亦免妨礙常住菩薩之日常作息及修行。

桃園正覺講堂（第一、第二講堂）：桃園市介壽路 286、288 號 10 樓（陽明運動公園對面）電話：03-3749363（請於共修時聯繫，或與台北聯繫）

禪淨班：週一晚班（1）、週一晚班（2）、週三晚班、週四晚班、週五晚班。

進階班：週四晚班、週五晚班、週六上午班。

增上班：雙週六晚班（增上重播班）。

不退轉法輪經詳解：平實導師講解。每週二晚上，以台北正覺講堂所錄 DVD 放映；歡迎會外學人共同聽講，不需出示身分證件。

新竹正覺講堂 新竹市東光路 55 號二樓之一 電話 03-5724297（晚上）

第一講堂：

禪淨班：週五晚班。

進階班：週三晚班、週四晚班、週六上午班（由禪淨班結業後轉入共修）。

增上班：單週六晚班。雙週六晚班（重播班）。

不退轉法輪經詳解：平實導師講解。每週二晚上，以台北正覺講堂所錄 DVD 放映。歡迎會外學人共同聽講，不需出示身分證件。

第二講堂：

禪淨班：週一晚班、週三晚班、週四晚班、週六上午班。

不退轉法輪經詳解：每週二晚上與第一講堂同步播放講經 DVD。

第三、第四講堂：裝修完畢，即將開放。

台中正覺講堂 04-23816090（晚上）

第一講堂 台中市南屯區五權西路二段 666 號 13 樓之四（國泰世華銀行樓上。鄰近縣市經第一高速公路前來者，由五權西路交流道可以快速到達，大樓旁有停車場，對面有素食館）。

禪淨班：週四晚班、週五晚班。

進階班：週一晚班、週三晚班、週六上午班（由禪淨班結業後轉入共修）。

增上班：單週六晚班。雙週六晚班（重播班）。

不退轉法輪經詳解：平實導師講解。每週二晚上，以台北正覺講堂所錄 DVD 放映。歡迎會外學人共同聽講，不需出示身分證件。

第二講堂　台中市南屯區五權西路二段 666 號 4 樓

禪淨班：週一晚班、週三晚班。

第三講堂台中市南屯區五權西路二段 666 號 4 樓

禪淨班：週一晚班。

第四講堂台中市南屯區五權西路二段 666 號 4 樓。

進階班：週一晚班、週四晚班、週六上午班。由禪淨班結業後轉入共修。

不退轉法輪經詳解：每週二晚上與第一講堂同步播放講經 DVD。

嘉義正覺講堂　嘉義市友愛路 288 號八樓之一　電話：05-2318228

第一講堂：

禪淨班：週四晚班、週五晚班、週六上午班。

進階班：週一晚班、週三晚班（由禪淨班結業後轉入共修）。

增上班：單週六晚班。雙週六晚班（重播班）。

不退轉法輪經詳解：平實導師講解。每週二晚上，以台北正覺講堂所錄 DVD 放映。歡迎會外學人共同聽講，不需出示身分證件。

第二講堂　嘉義市友愛路 288 號八樓之二。

第三講堂　嘉義市友愛路 288 號四樓之七。

禪淨班：週一晚班、週三晚班。

台南正覺講堂

第一講堂　台南市西門路四段 15 號 4 樓。06-2820541（晚上）

禪淨班：週一晚班、週三晚班、週四晚班、週五晚班、週六下午班。

增上班：單週六晚班。雙週六晚班（重播班）。

第二講堂　台南市西門路四段 15 號 3 樓。

不退轉法輪經詳解：每週二晚上與第三講堂同步播放講經 DVD。

第三講堂　台南市西門路四段 15 號 3 樓。

進階班：週一晚班、週三晚班、週四晚班、週五晚班（由禪淨班結業後轉入共修）。

不退轉法輪經詳解：平實導師講解。每週二晚上，以台北正覺講堂所錄 DVD 放映。歡迎會外學人共同聽講，不需出示身分證件。。

高雄正覺講堂　高雄市新興區中正三路 45 號五樓 07-2234248（晚上）

第一講堂（五樓）：

禪淨班：週一晚班、週三晚班、週四晚班、週五晚班、週六上午班。

增上班：單週六晚班。雙週六晚班（重播班）。

不退轉法輪經詳解：平實導師講解。每週二晚上，以台北正覺講堂所錄 DVD 放映。歡迎會外學人共同聽講，不需出示身分證件。

第二講堂（四樓）：

進階班：週三晚班、週四晚班、週六上午班（由禪淨班結業後轉入共修）。

不退轉法輪經詳解：每週二晚上與第一講堂同步播放講經 DVD。

第三講堂（三樓）：

進階班：週四晚班（由禪淨班結業後轉入共修）。

香港正覺講堂

九龍觀塘，成業街 10 號，電訊一代廣場 27 樓 E 室。

（觀塘地鐵站 B1 出口，步行約 4 分鐘）。電話：(852) 23262231

英文地址：Unit E，27th Floor, TG Place, 10 Shing Yip Street, Kwun Tong, Kowloon

禪淨班：雙週六下午班、雙週日下午班、單週六下午班、單週日下午班

進階班：雙週五晚上班、雙週日早上班（由禪淨班結業後轉入共修）。

增上班：每月第一週週日，以台北增上班課程錄成 DVD 放映之。

增上重播班：每月第一週週六，以台北增上班課程錄成 DVD 放映之。

大法鼓經詳解：平實導師講解。每週六、日 19:00～21:00，以台北正覺講堂所錄 DVD 放映;歡迎會外學人共同聽講,不需出示身分證件。

美國洛杉磯正覺講堂　☆已遷移新址☆

825 S. Lemon Ave Diamond Bar, CA 91789 U.S.A.

Tel. (909) 595-5222（請於週六 9:00~18:00 之間聯繫）

Cell. (626) 454-0607

禪淨班：每逢週末 16：00~18：00 上課。

進階班：每逢週末上午 10：00~12：00 上課。

不退轉法輪經詳解：平實導師講解。每週六下午 13：30~15：30 以台北所錄 DVD 放映。歡迎各界人士共享第一義諦無上法益，不需報名。

二、招生公告

本會台北講堂及全省各講堂、香港講堂，每逢四月、十月下旬開新班，每週共修一次（每次二小時。開課日起三個月內仍可插班）；**但美國洛杉磯共修處之禪淨班得隨時插班共修。各班共修期間皆為二年半，全程免費，欲參加者請向本會函索報名表**（各共修處皆於共修時間方有人執事，非共修時間請勿電詢或前來洽詢、請書），**或直接從本會官方網站(http://www.enlighten.org.tw/newsflash/class)或成佛之道網站下載報名表**。共修期滿時，若經報名禪三審核通過者，可參加四天三夜之禪三精進共修，有機會明心、取證如來藏，發起般若實相智慧，成為實義菩薩，脫離凡夫菩薩位。

三、新春禮佛祈福 農曆**年假**期間停止共修：自農曆新年前七天起停止共修與弘法，正月 8 日起回復共修、弘法事務。新春期間正月初一～初七 9.00～17.00 開放台北講堂、正月初一~初三開放新竹、台中、嘉義、台南、高雄講堂，以及大溪禪三道場（正覺祖師堂），方便會員供佛、祈福及會外人士請書。美國洛杉磯共修處之休假時間，請逕詢該共修處。

密宗四大派修雙身法，是外道性力派的邪法；又以生滅的識陰作為常住法，是常見外道，是假的藏傳佛教。

西藏覺囊巴以他空見弘揚第八識如來藏勝法，才是真藏傳佛教

佛教正覺同修會　弘法行事表　　2019/02/18

1、**禪淨班**　以無相念佛及拜佛方式修習動中定力，實證一心不亂功夫。傳授解脫道正理及第一義諦佛法，以及參禪知見。共修期間：二年六個月。每逢四月、十月開新班，詳見招生公告表。

2、**進階班**　禪淨班畢業後得轉入此班，進修更深入的佛法，期能證悟明心。各地講堂各有多班，繼續深入佛法、增長定力，悟後得轉入增上班修學道種智，期能證得無生法忍。

3、**增上班 瑜伽師地論**詳解　詳解論中所言凡夫地至佛地等 17 師之修證境界與理論，從凡夫地、聲聞地……宣演到諸地所證無生法忍、一切種智之眞實正理。由平實導師開講，每逢一、三、五週之週末晚上開示，僅限已明心之會員參加。2003 年二月開講至今，預定 2019 年講畢。

4、**不退轉法輪經**詳解　本經所說妙法極爲甚深難解，時至末法，已然無有知者；而其甚深絕妙之法，流傳至今依舊多人可證，顯示佛法眞是義學而非玄談，其中甚深極妙令人拍案稱絕之第一義諦妙義。已於 2019 年元月底開講，由平實導師詳解。不限制聽講資格。

5、**精進禪三**　主三和尚：平實導師。於四天三夜中，以克勤圓悟大師及大慧宗杲之禪風，施設機鋒與小參、公案密意之開示，幫助會員剋期取證，親證不生不滅之眞實心——人人本有之如來藏。每年四月、十月各舉辦三個梯次；平實導師主持。僅限本會會員參加禪淨班共修期滿，報名審核通過者，方可參加。並選擇會中定力、慧力、福德三條件皆已具足之已明心會員，給以指引，令得眼見自己無形無相之佛性遍佈山河大地，眞實而無障礙，得以肉眼現觀世界身心悉皆如幻，具足成就如幻觀，圓滿十住菩薩之證境。

6、**阿含經**詳解　選擇重要之阿含部經典，依無餘涅槃之實際而加以詳解，令大眾得以現觀諸法緣起性空，亦復不墮斷滅見中，顯示經中所隱說之涅槃實際—如來藏—確實已於四阿含中隱說；令大眾得以聞後觀行，確實斷除我見乃至我執，證得**見到**眞現觀，乃至**身證**……等眞現觀；已得大乘或二乘見道者，亦可由此聞熏及聞後之觀行，除斷我所之貪著，成就慧解脫果。由平實導師詳解。不限制聽講資格。

7、**解深密經**詳解　重講本經之目的，在於令諸已悟之人明解大乘法道之成佛次第，以及悟後進修一切種智之內涵，確實證知三種自性性，並得據此證解七眞如、十眞如等正理。每逢週二 18.50~20.50 開示，由平實導師詳解。將於《**不退轉法輪經**》講畢後開講。不限制聽講資格。

8、**成唯識論**詳解　詳解一切種智眞實正理，詳細剖析一切種智之微細深妙廣大正理；並加以舉例說明，使已悟之會員深入體驗所證如來藏之微密行相；及證驗見分相分與所生一切法，皆由如來藏—阿賴耶識—直接或展轉而生，因此證知一切法無我，證知無餘涅槃之本際。將於增上班《瑜伽師地論》講畢後，由平實導師重講。僅限已明心之會員參加。

9、**精選如來藏系經典**詳解　精選如來藏系經典一部，詳細解說，以此完全印證會員所悟如來藏之眞實，得入不退轉住。另行擇期詳細解說之，由平實導師講解。僅限已明心之會員參加。

10、**禪門差別智**　藉禪宗公案之微細淆訛難知難解之處，加以宣說及剖析，以增進明心、見性之功德，啓發差別智，建立擇法眼。每月第一週日全天，由平實導師開示，僅限破參明心後，復又眼見佛性者參加（事冗暫停）。

11、**枯木禪**　先講智者大師的《小止觀》，後說《釋禪波羅蜜》，詳解四禪八定之修證理論與實修方法，細述一般學人修定之邪見與岔路，及對禪定證境之誤會，消除枉用功夫、浪費生命之現象。已悟般若者，可以藉此而實修初禪，進入大乘通教及聲聞教的三果心解脫境界，配合應有的大福德及後得無分別智、十無盡願，即可進入初地心中。親教師：平實導師。未來緣熟時將於正覺寺開講。不限制聽講資格。

註：本會例行年假，自 2004 年起，改爲每年農曆新年前七天開始停息弘法事務及共修課程，農曆正月 8 日回復所有共修及弘法事務。新春期間（每日 9.00~17.00）開放台北講堂，方便會員禮佛祈福及會外人士請書。大溪區的正覺祖師堂，開放參訪時間，詳見〈正覺電子報〉或成佛之道網站。本表得因時節因緣需要而隨時修改之，不另作通知。

佛教正覺同修會　贈閱書籍 目錄　2018/10/20

1.**無相念佛**　平實導師著　回郵 36 元
2.**念佛三昧修學次第**　平實導師述著　回郵 52 元
3.**正法眼藏—護法集**　平實導師述著　回郵 76 元
4.**真假開悟簡易辨正法&佛子之省思**　平實導師著　回郵 26 元
5.**生命實相之辨正**　平實導師著　回郵 31 元
6.**如何契入念佛法門**（附：印順法師否定極樂世界）平實導師著　回郵 26 元
7.**平實書箋**—答元覽居士書　平實導師著　回郵 52 元
8.**三乘唯識**—如來藏系經律彙編　平實導師編　回郵 80 元
（精裝本　長 27 cm　寬 21 cm　高 7.5 cm　重 2.8 公斤）
9.**三時繫念全集**—修正本　回郵掛號 52 元（長 26.5 cm×寬 19 cm）
10.**明心與初地**　平實導師述　回郵 31 元
11.**邪見與佛法**　平實導師述著　回郵 36 元
12.**甘露法雨**　平實導師述　回郵 36 元
13.**我與無我**　平實導師述　回郵 36 元
14.**學佛之心態**—修正錯誤之學佛心態始能與正法相應 孫正德老師著 回郵52元
附錄：平實導師著《**略說八、九識並存…等之過失**》
15.**大乘無我觀**—《悟前與悟後》別說　平實導師述著　回郵 36 元
16.**佛教之危機**—中國台灣地區現代佛教之真相（附錄：公案拈提六則）
平實導師著　回郵 52 元
17.**燈　影**—燈下黑（覆「求教後學」來函等）　平實導師著　回郵 76 元
18.**護法與毀法**—覆上平居士與徐恒志居士網站毀法二文
張正圜老師著　回郵 76 元
19.**淨土聖道**—兼評**選擇本願念佛**　正德老師著　**由正覺同修會購贈** 回郵 52 元
20.**辨唯識性相**—對「紫蓮心海《辯唯識性相》書中否定阿賴耶識」之回應
正覺同修會 台南共修處法義組 著　回郵 52 元
21.**假如來藏**—對法蓮法師《如來藏與阿賴耶識》書中否定阿賴耶識之回應
正覺同修會 台南共修處法義組 著　回郵 76 元
22.**入不二門**—公案拈提集錦 第一輯（於平實導師公案拈提諸書中選錄約二十則，
合輯為一冊流通之）平實導師著　回郵 52 元
23.**真假邪說**—西藏密宗索達吉喇嘛《破除邪說論》真是邪說
釋正安法師著　上、下冊回郵各 52 元
24.**真假開悟**—真如、如來藏、阿賴耶識間之關係　平實導師述著　回郵 76 元
25.**真假禪和**—辨正釋傳聖之謗法謬說　孫正德老師著　回郵 76 元
26.**眼見佛性**—駁慧廣法師**眼見佛性的含義**文中謬說
游正光老師著　回郵 52 元

27.**普門自在**—公案拈提集錦 第二輯（於平實導師公案拈提諸書中選錄約二十則，合輯爲一冊流通之）平實導師著 回郵52元

28.**印順法師的悲哀**—以現代禪的質疑為線索 恒毓博士著 回郵52元

29.**識蘊真義**—現觀識蘊內涵、取證初果、親斷三縛結之具體行門。
—依《成唯識論》及《惟識述記》正義，略顯安慧《大乘廣五蘊論》之邪謬
平實導師著 回郵76元

30.**正覺電子報** 各期紙版本 免附回郵 每次最多函索三期或三本。
（已無存書之較早各期，不另增印贈閱）

31.**現代人應有的宗教觀** 蔡正禮老師 著 回郵31元

32.**遠惑趣道**—正覺電子報般若信箱問答錄 第一輯 回郵52元

33.**遠惑趣道**—正覺電子報般若信箱問答錄 第二輯 回郵52元

34.**確保您的權益**—器官捐贈應注意自我保護 游正光老師 著 回郵31元

35.**正覺教團電視弘法三乘菩提 DVD 光碟（一）**

由正覺教團多位親教師共同講述錄製 DVD 8片，MP3 一片，共9片。有二大講題：一爲「三乘菩提之意涵」，二爲「學佛的正知見」。內容精闢，深入淺出，精彩絕倫，幫助大眾快速建立三乘法道的正知見，免被外道邪見所誤導。有志修學三乘佛法之學人不可不看。（製作工本費100元，回郵 52元）

36.**正覺教團電視弘法 DVD 專輯（二）**

總有二大講題：一爲「三乘菩提之念佛法門」，一爲「學佛正知見（第二篇）」，由正覺教團多位親教師輪番講述，內容詳細闡述如何修學念佛法門、實證念佛三昧，以及學佛應具有的正確知見，可以幫助發願往生西方極樂淨土之學人，得以把握往生，更可令學人快速建立三乘法道的正知見，免於被外道邪見所誤導。有志修學三乘佛法之學人不可不看。（一套17片，工本費160元。回郵 76元）

37.**喇嘛性世界**—揭開假藏傳佛教譚崔瑜伽的面紗 張善思 等人合著
由正覺同修會購贈 回郵52元

38.**假藏傳佛教的神話**—性、謊言、喇嘛教 張正玄教授編著
由正覺同修會購贈 回郵52元

39.**隨 緣**—理隨緣與事隨緣 平實導師述 回郵52元。

40.**學佛的覺醒** 正枝居士 著 回郵52元

41.**導師之真實義** 蔡正禮老師 著 回郵31元

42.**淺談達賴喇嘛之雙身法**—兼論解讀「密續」之達文西密碼
吳明芷居士 著 回郵31元

43.**魔界轉世** 張正玄居士 著 回郵31元

44.**一貫道與開悟** 蔡正禮老師 著 回郵31元

45.**博愛**—愛盡天下女人 正覺教育基金會 編印 回郵36元

46.**意識虛妄經教彙編**—實證解脫道的關鍵經文 正覺同修會編印 回郵36元

47.**邪箭囈語**—破斥藏密外道多識仁波切《破魔金剛箭雨論》之邪說
陸正元老師著　上、下冊回郵各 52 元
48.**真假沙門**—依 佛聖教闡釋佛教僧寶之定義
蔡正禮老師著　俟正覺電子報連載後結集出版
49.**真假禪宗**—藉評論釋性廣《印順導師對變質禪法之批判
及對禪宗之肯定》以顯示真假禪宗
附論一：凡夫知見 無助於佛法之信解行證
附論二：世間與出世間一切法皆從如來藏實際而生而顯
余正偉老師著　俟正覺電子報連載後結集出版　回郵未定

★ 上列贈書之郵資，係台灣本島地區郵資，大陸、港、澳地區及外國地區，請另計酌增（大陸、港、澳、國外地區之郵票不許通用）。尚未出版之書，請勿先寄來郵資，以免增加作業煩擾。

★ 本目錄若有變動，唯於後印之書籍及「成佛之道」網站上修正公佈之，不另行個別通知。

函索書籍請寄：佛教正覺同修會　103 台北市承德路 3 段 277 號 9 樓
台灣地區函索書籍者請附寄郵票，無時間購買郵票者可以等值現金抵用，但不接受郵政劃撥、支票、匯票。大陸地區得以人民幣計算，國外地區請以美元計算（請勿寄來當地郵票，在台灣地區不能使用）。欲以掛號寄遞者，請另附掛號郵資。

親自索閱：正覺同修會各共修處。　★請於共修時間前往取書，餘時無人在道場，請勿前往索取；共修時間與地點，詳見書末正覺同修會共修現況表（以近期之共修現況表爲準）。

註：正智出版社發售之局版書，請向各大書局購閱。若書局之書架上已經售出而無陳列者，請向書局櫃台指定洽購；若書局不便代購者，請於正覺同修會共修時間前往各共修處請購，正智出版社已派人於共修時間送書前往各共修處流通。 郵政劃撥購書及 大陸地區 購書，請詳別頁正智出版社發售書籍目錄最後頁之說明。

成佛之道 網站：http://www.a202.idv.tw　正覺同修會已出版之結緣書籍，多已登載於 成佛之道 網站，若住外國、或住處遙遠，不便取得正覺同修會贈閱書籍者，可以從本網站閱讀及下載。　書局版之《宗通與說通》亦已上網，台灣讀者可向書局洽購，售價 300 元。《狂密與眞密》第一輯~第四輯，亦於 2003.5.1.全部於本網站登載完畢；台灣地區讀者請向書局洽購，每輯約 400 頁，售價 300 元（網站下載紙張費用較貴，容易散失，難以保存，亦較不精美）。

＊＊假藏傳佛教修雙身法，非佛教＊＊

正智出版社 籌募弘法基金發售書籍目錄　2020/02/22

1.**宗門正眼**—公案拈提 第一輯 重拈　平實導師著　500 元
　因重寫內容大幅度增加故，字體必須改小，並增爲 576 頁 主文 546 頁。比初版更精彩、更有內容。初版《禪門摩尼寶聚》之讀者，可寄回本公司免費調換新版書。免附回郵，亦無截止期限。（2007 年起，每冊附贈本公司精製公案拈提〈超意境〉CD 一片。市售價格 280 元，多購多贈。）

2.**禪淨圓融**　平實導師著　200 元（第一版舊書可換新版書。）

3.**真實如來藏**　平實導師著　400 元

4.**禪—悟前與悟後**　平實導師著　上、下冊，每冊 250 元

5.**宗門法眼**—公案拈提 第二輯　平實導師著　500 元
（2007 年起，每冊附贈本公司精製公案拈提〈超意境〉CD 一片）

6.**楞伽經詳解**　平實導師著　全套共 10 輯　每輯 250 元

7.**宗門道眼**—公案拈提 第三輯　平實導師著　500 元
（2007 年起，每冊附贈本公司精製公案拈提〈超意境〉CD 一片）

8.**宗門血脈**—公案拈提 第四輯　平實導師著　500 元
（2007 年起，每冊附贈本公司精製公案拈提〈超意境〉CD 一片）

9.**宗通與說通**—成佛之道 平實導師著 主文 381 頁 全書 400 頁售價 300 元

10.**宗門正道**—公案拈提 第五輯　平實導師著　500 元
（2007 年起，每冊附贈本公司精製公案拈提〈超意境〉CD 一片）

11.**狂密與真密 一～四輯**　平實導師著　西藏密宗是人間最邪淫的宗教，本質不是佛教，只是披著佛教外衣的印度教性力派流毒的喇嘛教。此書中將西藏密宗密傳之男女雙身合修樂空雙運所有祕密與修法，毫無保留完全公開，並將全部喇嘛們所不知道的部分也一併公開。內容比大辣出版社喧騰一時的《西藏慾經》更詳細。並且函蓋藏密的所有祕密及其錯誤的中觀見、如來藏見……等，藏密的所有法義都在書中詳述、分析、辨正。每輯主文三百餘頁　每輯全書約 400 頁　售價每輯 300 元

12.**宗門正義**—公案拈提 第六輯　平實導師著　500 元
（2007 年起，每冊附贈本公司精製公案拈提〈超意境〉CD 一片）

13.**心經密意**—心經與解脫道、佛菩提道、祖師公案之關係與密意　平實導師述　300 元

14.**宗門密意**—公案拈提 第七輯　平實導師著　500 元
（2007 年起，每冊附贈本公司精製公案拈提〈超意境〉CD 一片）

15.**淨土聖道**—兼評「選擇本願念佛」　正德老師著　200 元

16.**起信論講記**　平實導師述著　共六輯　每輯三百餘頁　售價各 250 元

17.**優婆塞戒經講記**　平實導師述著 共八輯 每輯三百餘頁 售價各 250 元

18.**真假活佛**—略論附佛外道盧勝彥之邪說（對前岳靈犀網站主張「盧勝彥是證悟者」之修正）　正犀居士（岳靈犀）著　流通價 140 元

19.**阿含正義**—唯識學探源　平實導師著　共七輯　每輯 300 元

20.**超意境** CD 以平實導師公案拈提書中超越意境之頌詞，加上曲風優美的旋律，錄成令人嚮往的超意境歌曲，其中包括正覺發願文及平實導師親自譜成的黃梅調歌曲一首。詞曲雋永，殊堪翫味，可供學禪者吟詠，有助於見道。內附設計精美的彩色小冊，解說每一首詞的背景本事。每片 280 元。【每購買公案拈提書籍一冊，即贈送一片。】

21.**菩薩底憂鬱** CD 將菩薩情懷及禪宗公案寫成新詞，並製作成超越意境的優美歌曲。 1.主題曲〈菩薩底憂鬱〉，描述地後菩薩能離三界生死而迴向繼續生在人間，但因尚未斷盡習氣種子而有極深沈之憂鬱，非三賢位菩薩及二乘聖者所知，此憂鬱在七地滿心位方才斷盡；本曲之詞中所說義理極深，昔來所未曾見；此曲係以優美的情歌風格寫詞及作曲，聞者得以激發嚮往諸地菩薩境界之大心，詞、曲都非常優美，難得一見；其中勝妙義理之解說，已印在附贈之彩色小冊中。 2.以各輯公案拈提中直示禪門入處之頌文，作成各種不同曲風之超意境歌曲，值得玩味、參究；聆聽公案拈提之優美歌曲時，請同時閱讀內附之印刷精美說明小冊，可以領會超越三界的證悟境界；未悟者可以因此引發求悟之意向及疑情，眞發菩提心而邁向求悟之途，乃至因此眞實悟入般若，成眞菩薩。 3.正覺總持咒新曲，總持佛法大意；總持咒之義理，已加以解說並印在隨附之小冊中。本 CD 共有十首歌曲，長達 63 分鐘。每盒各附贈二張購書優惠券。每片 280 元。

22.**禪意無限** CD 平實導師以公案拈提書中偈頌寫成不同風格曲子，與他人所寫不同風格曲子共同錄製出版，幫助參禪人進入禪門超越意識之境界。盒中附贈彩色印製的精美解說小冊，以供聆聽時閱讀，令參禪人得以發起參禪之疑情，即有機會證悟本來面目而發起實相智慧，實證大乘菩提般若，能如實證知般若經中的眞實意。本 CD 共有十首歌曲，長達 69 分鐘，每盒各附贈二張購書優惠券。每片 280 元。

23.**我的菩提路**第一輯　釋悟圓、釋善藏等人合著　售價 300 元

24.**我的菩提路**第二輯　郭正益、張志成等人合著　售價 300 元

25.**我的菩提路**第三輯　王美伶等人合著　售價 300 元

26.**我的菩提路**第四輯　陳晏平等人合著　售價 300 元

27.**我的菩提路**第五輯　林慈慧等人合著　售價 300 元

28.**鈍鳥與靈龜**—考證後代凡夫對大慧宗杲禪師的無根誹謗。

平實導師著 共 458 頁 售價 350 元

29.**維摩詰經講記** 平實導師述 共六輯 每輯三百餘頁 售價各 250 元

30.**真假外道**—破劉東亮、杜大威、釋證嚴常見外道見　正光老師著　200 元

31.**勝鬘經講記**—兼論印順《勝鬘經講記》對於《勝鬘經》之誤解。

平實導師述　共六輯　每輯三百餘頁　售價250 元

32.**楞嚴經講記** 平實導師述 共 **15** 輯，每輯三百餘頁 售價 300 元

33.**明心與眼見佛性**—駁慧廣〈蕭氏「眼見佛性」與「明心」之非〉文中謬說
正光老師著　共448頁　售價300元
34.**見性與看話頭**　黃正倖老師 著，本書是禪宗參禪的方法論。
內文375頁，全書416頁，售價300元。
35.**達賴真面目**—玩盡天下女人 白正偉老師 等著 中英對照彩色精裝大本 800元
36.**喇嘛性世界**—揭開假藏傳佛教譚崔瑜伽的面紗　張善思 等人著　200元
37.**假藏傳佛教的神話**—性、謊言、喇嘛教　正玄教授編著　200元
38.**金剛經宗通**　平實導師述　共九輯　每輯售價250元。
39.**空行母**—性別、身分定位，以及藏傳佛教。
珍妮·坎貝爾著 呂艾倫 中譯 售價250元
40.**末代達賴**—性交教主的悲歌　張善思、呂艾倫、辛燕編著 售價250元
41.**霧峰無霧**—給哥哥的信　辨正釋印順對佛法的無量誤解
游宗明 老師著　售價250元
42.**霧峰無霧**—第二輯—救護佛子向正道　細說釋印順對佛法的各類誤解
游宗明 老師著　售價250元
43.**第七意識與第八意識？**—穿越時空「超意識」
平實導師述　每冊300元
44.**黯淡的達賴**—失去光彩的諾貝爾和平獎
正覺教育基金會編著　每冊250元
45.**童女迦葉考**—論呂凱文〈佛教輪迴思想的論述分析〉之謬。
平實導師 著 定價180元
46.**人間佛教**—實證者必定不悖三乘菩提
平實導師 述，定價400元
47.**實相經宗通**　平實導師述　共八輯　每輯250元
48.**真心告訴您(一)**—達賴喇嘛在幹什麼？
正覺教育基金會編著　售價250元
49.**中觀金鑑**—詳述應成派中觀的起源與其破法本質
孫正德老師著　分為上、中、下三冊，每冊250元
50.**藏傳佛教要義**—《狂密與真密》之簡體字版　平實導師 著 上、下冊
僅在大陸流通　每冊300元
51.**法華經講義**　平實導師述　共二十五輯　每輯300元
已於2015/05/31起開始出版，每二個月出版一輯
52.**西藏「活佛轉世」制度**—附佛、造神、世俗法
許正豐、張正玄老師合著　定價150元
53.**廣論三部曲**　郭正益老師著　定價150元
54.**真心告訴您(二)**—達賴喇嘛是佛教僧侶嗎？
—補祝達賴喇嘛八十大壽
正覺教育基金會編著　售價300元
55.**次法**—實證佛法前應有的條件
張善思居士著　分為上、下二冊，每冊250元

56.**涅槃**—解說四種涅槃之實證及內涵　平實導師著 上、下冊 各350元
57.**山法**—西藏關於他空與佛藏之根本論
篤補巴・喜饒堅贊著　　傑弗里・霍普金斯英譯
張火慶教授、張志成、呂艾倫等中譯　精裝大本1200元
58.**假鋒虛焰金剛乘**—揭示顯密正理，兼破索達吉師徒《般若鋒兮金剛焰》
釋正安法師著 簡體字版 即將出版 售價未定
59.**廣論之平議**—宗喀巴《菩提道次第廣論》之平議　正雄居士著
約二或三輯　俟正覺電子報連載後結集出版　書價未定
60.**救護佛子向正道**—對印順法師中心思想之綜合判攝
游宗明老師著　書價未定
61.**菩薩學處**—菩薩四攝六度之要義　陸正元老師著　出版日期未定。
62.**八識規矩頌**詳解　○○居士 註解　出版日期另訂　書價未定。
63.**印度佛教史**—法義與考證。依法義史實評論印順《印度佛教思想史、佛教史地考論》之謬說　正偉老師著　出版日期未定　書價未定
64.**中國佛教史**—依中國佛教正法史實而論。○○老師 著　書價未定。
65.**中論正義**—釋龍樹菩薩《中論》頌正理。
孫正德老師著　出版日期未定　書價未定
66.**中觀正義**—註解平實導師《中論正義頌》。
○○法師（居士）著　出版日期未定　書價未定
67.**佛藏經講記**　平實導師述　已於2019年7月31日出版　共21輯，每二個月出版一輯，每輯300元。
68.**阿含經講記**—將選錄四阿含中數部重要經典全經講解之，講後整理出版。
平實導師述　約二輯　每輯300元　出版日期未定
69.**寶積經講記**　平實導師述　每輯三百餘頁 優惠價300元 出版日期未定
70.**解深密經講記**　平實導師述 約四輯　將於重講後整理出版
71.**成唯識論略解**　平實導師著　五～六輯　每輯300元　出版日期未定
72.**修習止觀坐禪法要講記**　平實導師述　每輯三百餘頁
將於正覺寺建成後重講、以講記逐輯出版　出版日期未定
73.**無門關**—《無門關》公案拈提　平實導師著　出版日期未定
74.**中觀再論**—兼述印順《中觀今論》謬誤之平議。正光老師著 出版日期未定
75.**輪迴與超度**—佛教超度法會之真義。
○○法師（居士）著　出版日期未定　書價未定
76.**《釋摩訶衍論》平議**—對偽稱龍樹所造《釋摩訶衍論》之平議
○○法師（居士）著　出版日期未定　書價未定
77.**正覺發願文**註解—以真實大願為因 得證菩提
正德老師著　出版日期未定　書價未定
78.**正覺總持咒**—佛法之總持　正圜老師著　出版日期未定　書價未定
79.**三自性**—依四食、五蘊、十二因緣、十八界法，說三性三無性。
作者未定　出版日期未定

80.**道品**—從三自性說大小乘三十七道品　　作者未定　出版日期未定
81.**大乘緣起觀**—依四聖諦七真如現觀十二緣起 作者未定　出版日期未定
82.**三德**—論解脫德、法身德、般若德。　　作者未定　出版日期未定
83.**真假如來藏**—對印順《如來藏之研究》謬說之平議　作者未定 出版日期未定
84.**大乘道次第**　　　作者未定　出版日期未定　書價未定
85.**四緣**—依如來藏故有四緣。　作者未定　出版日期未定
86.**空之探究**—印順《空之探究》謬誤之平議　作者未定 出版日期未定
87.**十法義**—論阿含經中十法之正義　　作者未定　出版日期未定
88.**外道見**—論述外道六十二見　　作者未定　　出版日期未定

正智出版社有限公司 書籍介紹

禪淨圓融：言淨土諸祖所未曾言，示諸宗祖師所未曾示；禪淨圓融，另闢成佛捷徑，兼顧自力他力，闡釋淨土門之速行易行道，亦同時揭櫫聖教門之速行易行道；令廣大淨土行者得免緩行難證之苦，亦令聖道門行者得以藉著淨土速行道而加快成佛之時劫。乃前無古人之超勝見地，非一般弘揚禪淨法門典籍也，先讀爲快。平實導師著 200元。

宗門正眼—公案拈提第一輯：繼承克勤圜悟大師碧巖錄宗旨之禪門鉅作。先則舉示當代大法師之邪說，消弭當代禪門大師鄉愿之心態，摧破當今禪門「世俗禪」之妄談；次則旁通教法，表顯宗門正理；繼以道之次第，消弭古今狂禪；後藉言語及文字機鋒，直示宗門入處。悲智雙運，禪味十足，數百年來難得一睹之禪門鉅著也。平實導師著 500元（原初版書《禪門摩尼寶聚》，改版後補充爲五百餘頁新書，總計多達二十四萬字，內容更精彩，並改名爲《宗門正眼》，讀者原購初版《禪門摩尼寶聚》皆可寄回本公司免費換新，免附回郵，亦無截止期限）（2007年起，凡購買公案拈提第一輯至第七輯，每購一輯皆贈送本公司精製公案拈提〈超意境〉CD一片，市售價格280元，多購多贈）。

禪—悟前與悟後：本書能建立學人悟道之信心與正確知見，圓滿具足而有次第地詳述禪悟之功夫與禪悟之內容，指陳參禪中細微淆訛之處，能使學人明自眞心、見自本性。若未能悟入，亦能以正確知見辨別古今中外一切大師究係眞悟？或屬錯悟？便有能力揀擇，捨名師而選明師，後時必有悟道之緣。一旦悟道，遲者七次人天往返，便出三界，速者一生取辦。學人欲求開悟者，不可不讀。　平實導師著。上、下冊共500元，單冊250元。

眞實如來藏：如來藏眞實存在，乃宇宙萬有之本體，並非印順法師、達賴喇嘛等人所說之「唯有名相、無此心體」。如來藏是涅槃之本際，是一切有智之人竭盡心智、不斷探索而不能得之生命實相；是古今中外許多大師自以爲悟而當面錯過之生命實相。如來藏即是阿賴耶識，乃是一切有情本自具足、不生不滅之眞實心。當代中外大師於此書出版之前所未能言者，作者於本書中盡情流露、詳細闡釋。眞悟者讀之，必能增益悟境、智慧增上；錯悟者讀之，必能檢討自己之錯誤，免犯大妄語業；未悟者讀之，能知參禪之理路，亦能以之檢查一切名師是否眞悟。此書是一切哲學家、宗教家、學佛者及欲昇華心智之人必讀之鉅著。　平實導師著　售價400元。

公案拈提第一輯至第七輯，每購一輯皆贈送本公司精製公案拈提〈超意境〉CD一片，市售價格280元，多購多贈）。

宗門法眼—公案拈提第二輯：列舉實例，闡釋土城廣欽老和尚之悟處；並直示這位不識字的老和尚妙智橫生之根由，繼而剖析禪宗歷代大德之開悟公案，解析當代密宗高僧卡盧仁波切之錯悟證據，並例舉當代顯宗高僧、大居士之錯悟證據（凡健在者，爲免影響其名聞利養，皆隱其名）。藉辨正當代名師之邪見，向廣大佛子指陳禪悟之正道，彰顯宗門法眼。悲勇兼出，強捋虎鬚；慈智雙運，巧探驪龍；摩尼寶珠在手，直示宗門入處，禪味十足；若非大悟徹底，不能爲之。禪門精奇人物，允宜人手一冊，供作參究及悟後印證之圭臬。本書於2008年4月改版，增寫爲大約500頁篇幅，以利學人研讀參究時更易悟入宗門正法，以前所購初版首刷及初版二刷舊書，皆可免費換取新書。平實導師著　500元（2007年起，凡購買公案拈提第一輯至第七輯，每購一輯皆贈送本公司精製公案拈提〈超意境〉CD一片，市售價格280元，多購多贈）。

宗門道眼—公案拈提第三輯：繼宗門法眼之後，再以金剛之作略、慈悲之胸懷、犀利之筆觸，舉示寒山、拾得、布袋三大士之悟處，消弭當代錯悟者對於寒山大士……等之誤會及誹謗。　亦舉出民初以來與虛雲和尚齊名之蜀郡鹽亭袁煥仙夫子——南懷瑾老師之師，其「悟處」何在？並蒐羅許多眞悟祖師之證悟公案，顯示禪宗歷代祖師之睿智，指陳部分祖師、奧修及當代顯密大師之謬悟，作爲殷鑑，幫助禪子建立及修正參禪之方向及知見。假使讀者閱此書已，一時尚未能悟，亦可一面加功用行，一面以此宗門道眼辨別眞假善知識，避開錯誤之印證及歧路，可免大妄語業之長劫慘痛果報。欲修禪宗之禪者，務請細讀。平實導師著　售價500元（2007年起，凡購買公案拈提第一輯至第七輯，每購一輯皆贈送本公司精製公案拈提〈超意境〉CD一片，市售價格280元，多購多贈）。

楞伽經詳解：本經是禪宗見道者印證所悟眞僞之根本經典，亦是禪宗見道者悟後起修之依據經典；故達摩祖師於印證二祖慧可大師之後，將此經典連同佛鉢祖衣一併交付二祖，令其依此經典佛示金言、進入修道位，修學一切種智。由此可知此經對於眞悟之人修學佛道，是非常重要之一部經典。此經能破外道邪說，亦破佛門中錯悟名師之謬說，亦破禪宗部分祖師之狂禪：不讀經典、一向主張「一悟即成究竟佛」之謬執。並開示愚夫所行禪、觀察義禪、攀緣如禪、如來禪等差別，令行者對於三乘禪法差異有所分辨；亦糾正禪宗祖師古來對於如來禪之誤解，嗣後可免以訛傳訛之弊。此經亦是法相唯識宗之根本經典，禪者悟後欲修一切種智而入初地者，必須詳讀。　平實導師著，全套共十輯，已全部出版完畢，每輯主文約320頁，每冊約352頁，定價250元。

宗門血脈—公案拈提第四輯：末法怪象—許多修行人自以爲悟，每將無念靈知認作眞實；崇尚二乘法諸師及其徒衆，則將外於如來藏之緣起性空—無因論之無常空、斷滅空、一切法空—錯認爲 佛所說之般若空性。這兩種現象已於當今海峽兩岸及美加地區顯密大師之中普遍存在；人人自以爲悟，心高氣壯，便敢寫書解釋祖師證悟之公案，大多出於意識思惟所得，言不及義，錯誤百出，因此誤導廣大佛子同陷大妄語之地獄業中而不能自知。彼等書中所說之悟處，其實處處違背第一義經典之聖言量。彼等諸人不論是否身披袈裟，都非佛法宗門血脈，或雖有禪宗法脈之傳承，亦只徒具形式；猶如螟蛉，非眞血脈，未悟得根本眞實故。禪子欲知 佛、祖之眞血脈者，請讀此書，便知分曉。平實導師著，主文452頁，全書464頁，定價500元（2007年起，凡購買公案拈提第一輯至第七輯，每購一輯皆贈送本公司精製公案拈提〈超意境〉CD一片，市售價格280元，多購多贈）。

宗通與說通：古今中外，錯誤之人如麻似粟，每以常見外道所說之靈知心，認作眞心；或妄想虛空之勝性能量爲眞如，或錯認物質四大元素藉冥性（靈知心本體）能成就吾人色身及知覺，或認初禪至四禪中之了知心爲不生不滅之涅槃心。此等皆非通宗者之見地。復有錯悟之人一向主張「宗門與教門不相干」，此即尚未通達宗門之人也。其實宗門與教門互通不二，宗門所證者乃是眞如與佛性，教門所說者乃說宗門證悟之眞如佛性，故教門與宗門不二。本書作者以宗教二門互通之見地，細說「宗通與說通」，從初見道至悟後起修之道、細說分明；並將諸宗諸派在整體佛教中之地位與次第，加以明確之教判，學人讀之即可了知佛法之梗概也。欲擇明師學法之前，允宜先讀。平實導師著，主文共381頁，全書392頁，只售成

宗門正道—公案拈提第五輯：修學大乘佛法有二果須證——解脫果及大菩提果。二乘人不證大菩提果，唯證解脫果；此果之智慧，名為聲聞菩提、緣覺菩提。大乘佛子所證二果之菩提果為佛菩提，故名大菩提果，其慧名為一切種智—函蓋二乘解脫果。然此大乘二果修證，須經由禪宗之宗門證悟方能相應。而宗門證悟極難，自古已然；其所以難者，咎在古今佛教界普遍存在三種邪見：1.以修定認作佛法，2.以無因論之緣起性空—否定涅槃本際如來藏以後之一切法空作為佛法，3.以常見外道邪見（離語言妄念之靈知性）作為佛法。如是邪見，或因自身正見未立所致，或因邪師之邪教導所致，或因無始劫來虛妄熏習所致。若不破除此三種邪見，永劫不悟宗門真義、不入大乘正道，唯能外門廣修菩薩行。平實導師於此書中，有極為詳細之說明，有志佛子欲摧邪見、入於內門修菩薩行者，當閱此書。主文共496頁，全書512頁。售價500元（2007年起，凡購買公案拈提第一輯至第七輯，每購一輯皆贈送本公司精製公案拈提〈超意境〉CD一片，市售價格280元，多購多贈）。

狂密與真密：密教之修學，皆由有相之觀行法門而入，其最終目標仍不離顯教經典所說第一義諦之修證；若離顯教第一義經典、或違背顯教第一義經典，即非佛教。西藏密教之觀行法，如灌頂、觀想、遷識法、寶瓶氣、大聖歡喜雙身修法、喜金剛、無上瑜伽、大樂光明、樂空雙運等，皆是印度教兩性生生不息思想之轉化，自始至終皆以如何能運用交合淫樂之法達到全身受樂為其中心思想，純屬欲界五欲的貪愛，不能令人超出欲界輪迴，更不能令人斷除我見；何況大乘之明心與見性，更無論矣！故密宗之法絕非佛法也。而其明光大手印、大圓滿法教，又皆同以常見外道所說離語言妄念之無念靈知心錯認為佛地之真如，不能直指不生不滅之真如。西藏密宗所有法王與徒眾，都尚未開頂門眼，不能辨別真偽，以依人不依法、依密續不依經典故，不肯將其上師喇嘛所說對照第一義經典，純依密續之藏密祖師所說為準，因此而誇大其證德與證量，動輒謂彼祖師上師為究竟佛、為地上菩薩；如今台海兩岸亦有自謂其師證量高於　釋迦文佛者，然觀其師所述，猶未見道，仍在觀行即佛階段，尚未到禪宗相似即佛、分證即佛階位，竟敢標榜為究竟佛及地上法王，誑惑初機學人。凡此怪象皆是狂密，不同於真密之修行者。近年狂密盛行，密宗行者被誤導者極眾，動輒自謂已證佛地真如，自視為究竟佛，陷於大妄語業中而不知自省，反謗顯宗真修實證者之證量粗淺；或如義雲高與釋性圓…等人，於報紙上公然誹謗真實證道者為「騙子、無道人、人妖、癩蛤蟆…」等，造下誹謗大乘勝義僧之大惡業；或以外道法中有為有作之甘露、魔術……等法，誑騙初機學人，狂言彼外道法為真佛法。如是怪象，在西藏密宗及附藏密之外道中，不一而足，舉之不盡，學人宜應慎思明辨，以免上當後又犯毀破菩薩戒之重罪。密宗學人若欲遠離邪知邪見者，請閱此書，即能了知密宗之邪謬，從此遠離邪見與邪修，轉入真正之佛道。平實導師著　共四輯　每輯約400頁（主文約340頁）每輯售價300元。

宗門正義—公案拈提第六輯：佛教有六大危機，乃是藏密化、世俗化、膚淺化、學術化、宗門密意失傳、悟後進修諸地之次第混淆；其中尤以宗門密意之失傳，爲當代佛教最大之危機。由宗門密意失傳故，易令　世尊本懷普被錯解，易令　世尊正法被轉易爲外道法，以及加以淺化、世俗化，是故宗門密意之廣泛弘傳與具緣佛弟子，極爲重要。然而欲令宗門密意之廣泛弘傳予具緣之佛弟子者，必須同時配合錯誤知見之解析、普令佛弟子知之，然後輔以公案解析之直示入處，方能令具緣之佛弟子悟入。而此二者，皆須以公案拈提之方式爲之，方易成其功、竟其業，是故平實導師續作宗門正義一書，以利學人。　全書500餘頁，售價500元（2007年起，凡購買公案拈提第一輯至第七輯，每購一輯皆贈送本公司精製公案拈提〈超意境〉CD一片，市售價格280元，多購多贈）。

心經密意—心經與解脫道、佛菩提道、祖師公案之關係與密意。　二乘菩提所證之解脫道，實依第八識心之斷除煩惱障現行而立解脫之名；大乘菩提所證之佛菩提道，實依親證第八識如來藏之涅槃性、清淨自性、及其中道性而立般若之名；禪宗祖師公案所證之眞心，即是此第八識如來藏；是故三乘佛法所修所證之三乘菩提，皆依此如來藏心而立名也。此第八識心，即是《心經》所說之心也。證得此如來藏已，即能漸入大乘佛菩提道，亦可因證知此心而了知二乘無學所不能知之無餘涅槃本際，是故《心經》之密意，與三乘佛菩提之關係極爲密切、不可分割，三乘佛法皆依此心而立名故。今者平實導師以其所證解脫道之無生智及佛菩提之般若種智，將《心經》與解脫道、佛菩提道、祖師公案之關係與密意，以演講之方式，用淺顯之語句和盤托出，發前人所未言，呈三乘菩提之眞義，令人藉此《心經密意》一舉而窺三乘菩提之堂奧，迥異諸方言不及義之說；欲求眞實佛智者、不可不讀！　主文317頁，連同跋文及序文…等共384頁，售價300元。

宗門密意—公案拈提第七輯：佛教之世俗化，將導致學人以信仰作爲學佛，則將以感應及世間法之庇祐，作爲學佛之主要目標，不能了知學佛之主要目標爲親證三乘菩提。大乘菩提則以般若實相智慧爲主要修習目標，以二乘菩提解脫道爲附帶修習之標的；是故學習大乘法者，應以禪宗之證悟爲要務，能親入大乘菩提之實相般若智慧中故，般若實相智慧非二乘聖人所能知故。此書則以台灣世俗化佛教之三大法師，說法似是而非之實例，配合眞悟祖師之公案解析，提示證悟般若之關節，令學人易得悟入。平實導師著，全書五百餘頁，售價500元（2007年起，凡購買公案拈提第一輯至第七輯，每購一輯皆贈送本公司精製公案拈提〈超意境〉CD一片，市售價格280元，多購多贈）。

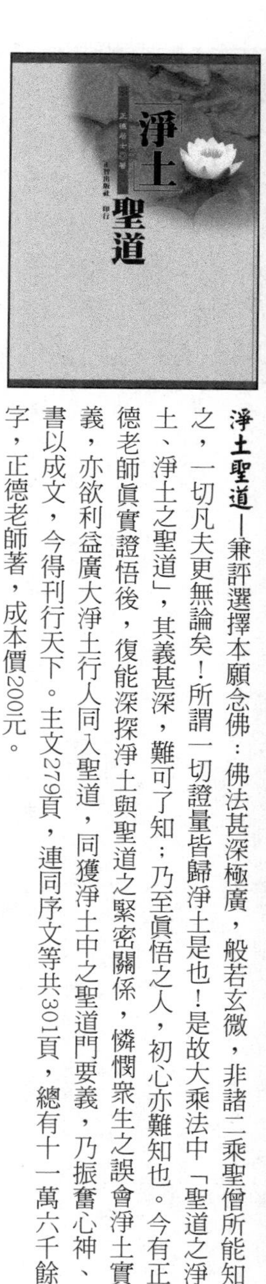

淨土聖道—兼評選擇本願念佛：佛法甚深極廣，般若玄微，非諸二乘聖僧所能知之，一切凡夫更無論矣！所謂一切證量皆歸淨土是也！是故大乘法中「聖道之淨土、淨土之聖道」，其義甚深，難可了知；乃至眞悟之人，初心亦難知也。今有正德老師眞實證悟後，復能深探淨土與聖道之緊密關係，憐憫衆生之誤會淨土實義，亦欲利益廣大淨土行人同入聖道，同獲淨土中之聖道門要義，乃振奮心神、書以成文，今得刊行天下。主文279頁，連同序文等共301頁，總有十一萬六千餘字，正德老師著，成本價200元。

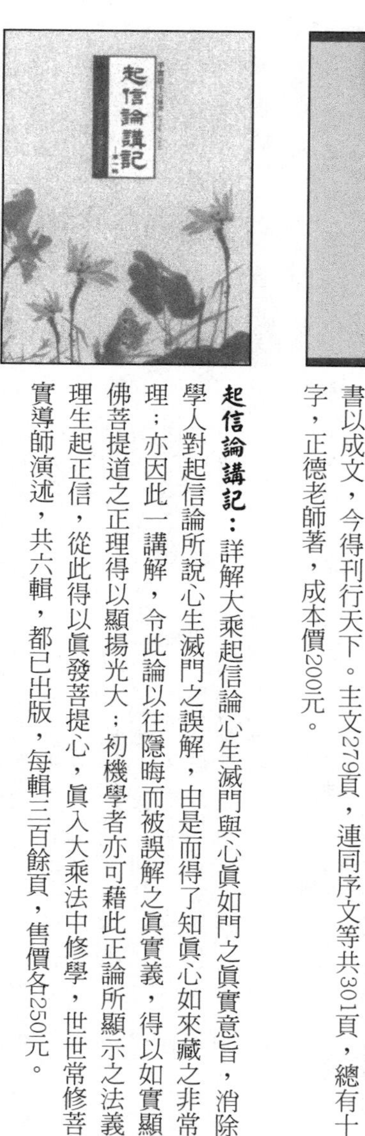

起信論講記：詳解大乘起信論心生滅門與心眞如門之眞實意旨，消除以往大師與學人對起信論所說心生滅門之誤解，由是而得了知眞心如來藏之非常非斷中道正理；亦因此一講解，令此論以往隱晦而被誤解之眞實義，得以如實顯示，令大乘佛菩提道之正理得以顯揚光大；初機學者亦可藉此正論所顯示之法義，對大乘法理生起正信，從此得以眞發菩提心，眞入大乘法中修學，世世常修菩薩正行。平實導師演述，共六輯，都已出版，每輯三百餘頁，售價各250元。

優婆塞戒經講記

優婆塞戒經講記：本經詳述在家菩薩修學大乘佛法，應如何受持菩薩戒？對人間善行應如何看待？對三寶應如何護持？應如何正確地修集此世後世證法之福德？應如何修集後世「行菩薩道之資糧」？並詳述第一義諦之正義：五蘊非我非異我、自作自受、異作異受、不作不受……等深妙法義，乃是修學大乘佛法、行菩薩行之在家菩薩所應當了知者。出家菩薩今世或未來世登地已，捨報之後多數將如華嚴經中諸大菩薩，以在家菩薩身而修行菩薩行，故亦應以此經所述正理而修之，配合《楞伽經、解深密經、楞嚴經、華嚴經》等道次第正理，方得漸次成就佛道；故此經是一切大乘行者皆應證知之正法。　平實導師講述，每輯三百餘頁，售價各250元；共八輯，已全部出版。

真假活佛—略論附佛外道盧勝彥之邪說：人人身中都有眞活佛，永生不滅而有大神用，但衆生都不了知，所以常被身外的西藏密宗假活佛籠罩欺瞞。本來就眞實存在的眞活佛，才是眞正的密宗無上密！諾那活佛因此而說禪宗是大密宗，但藏密的所有活佛都不知道、也不曾實證自身中的眞活佛。本書詳實宣示眞活佛的道理，舉證盧勝彥的「佛法」不是眞佛法，也顯示盧勝彥是假活佛，直接的闡釋第一義佛法見道的眞實正理。眞佛宗的所有上師與學人們，都應該詳細閱讀，包括盧勝彥個人在內。正犀居士著，優惠價140元。

阿含正義—唯識學探源：廣說四大部《阿含經》諸經中隱說之眞正義理，一一舉示佛陀本懷，令阿含時期初轉法輪根本經典之眞義，如實顯現於佛子眼前。並提示末法大師對於阿含眞義誤解之實例，一一比對之，證實唯識增上慧學確於原始佛法之阿含諸經中已隱覆密意而略說之，證實 世尊確於原始佛法中已曾密意而說第八識如來藏之總相；亦證實 世尊在四阿含中已說此藏識是名色十八界之因、之本—證明如來藏是能生萬法之根本心。佛子可據此修正以往受諸大師（譬如西藏密宗應成派中觀師：印順、昭慧、性廣、大願、達賴、宗喀巴、寂天、月稱、……等人）誤導之邪見，建立正見，轉入正道乃至親證初果而無困難；書中並詳說三果所證的心解脫，以及四果慧解脫的親證，都是如實可行的具體知見與行門。全書共七輯，已出版完畢。平實導師著，每輯三百餘頁，售價300元。

超意境CD：以平實導師公案拈提書中超越意境之頌詞，加上曲風優美的旋律，錄成令人嚮往的超意境歌曲，其中包括正覺發願文及平實導師親自譜成的黃梅調歌曲一首。詞曲雋永，殊堪翫味，可供學禪者吟詠，有助於見道。內附設計精美的彩色小冊，解說每一首詞的背景本事。每片280元。【每購買公案拈提書籍一冊，即贈送一片。】

我的菩提路第一輯：凡夫及二乘聖人不能實證的佛菩提證悟，末法時代的今天仍然有人能得實證，由正覺同修會釋悟圓、釋善藏法師等二十餘位實證如來藏者所寫的見道報告，已爲當代學人見證宗門正法之絲縷不絕，證明大乘義學的法脈仍然存在，爲末法時代求悟般若之學人照耀出光明的坦途。由二十餘位大乘見道者所繕，敘述各種不同的學法、見道因緣與過程，參禪求悟者必讀。全書三百餘頁，售價300元。

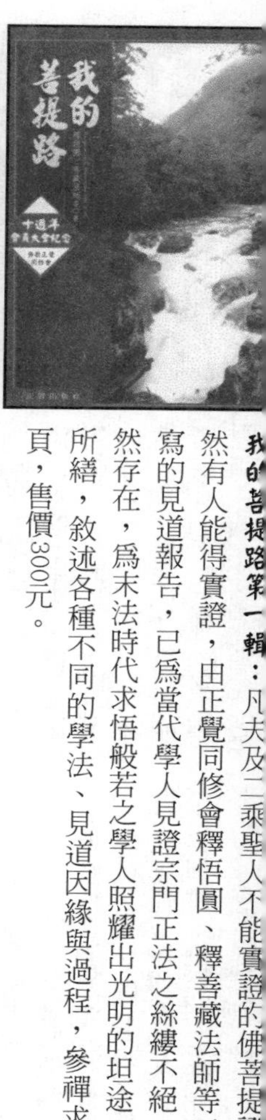

我的菩提路第二輯：由郭正益老師等人合著，書中詳述彼等諸人歷經各處道場學法，一一修學而加以檢擇之不同過程以後，因閱讀正覺同修會、正智出版社書籍而發起抉擇分，轉入正覺同修會中修學；乃至學法及見道之過程，都一一詳述之。其中張志成等人係由前現代禪轉進正覺同修會，張志成原爲現代禪副宗長，以前未閱本會書籍時，曾被人藉其名義著文評論 平實導師（詳見《宗通與說通》辨正及《眼見佛性》書末附錄…等）；後因偶然接觸正覺同修會書籍，深覺以前聽人評論平實導師之語不實，於是投入極多時間閱讀本會書籍、深入思辨，詳細探索中觀與唯識之關聯與異同，認爲正覺之法義方是正法，深覺相應；亦解開多年來對佛法的迷雲，確定應依八識論正理修學方是正法。乃不顧面子，毅然前往正覺同修會面見平實導師懺悔，並正式學法求悟。今已與其同修王美伶（亦爲前現代禪傳法老師），同樣證悟如來藏而證得法界實相，生起實相般若眞智。此書中尚有七年來本會第一位眼見佛性者之見性報告一篇，一同供養大乘佛弟子。全書四百頁，售價300元。

我的菩提路第三輯：由王美伶老師等人合著。自從正覺同修會成立以來，每年夏初、冬初都舉辦精進禪三共修，藉以助益會中同修們得以證悟明心發起般若實相智慧；凡已實證而被平實導師印證者，皆書具見道報告用以證明佛法之眞實可證而非玄學，證明佛法並非純屬思想、理論而無實質，是故每年都能有人證明正覺同修會的「實證佛教」主張並非虛語。特別是眼見佛性一法，自古以來中國禪宗祖師實證者極寡，較之明心開悟的證境更難令人信受；至2017年初，正覺同修會中的證悟明心者已近五百人，然而其中眼見佛性者至今唯十餘人爾，可謂難能可貴，是故明心後欲冀眼見佛性者實屬不易。黃正倖老師是懸絕七年無人見性後的第一人，她於2009年的見性報告刊於本書的第二輯中，爲大衆證明佛性確實可以眼見；其後七年之中求見性者都屬解悟佛性而無人眼見，幸而又經七年後的2016冬初，以及2017夏初的禪三，復有三人眼見佛性，希冀鼓舞四衆佛子求見佛性之大心，今則具載一則於書末，顯示求見佛性之事實經歷，供養現代佛教界欲得見性之四衆弟子。全書四百頁，售價300元，已於2017年6月30日發行。

我的菩提路第四輯：由陳晏平等人著。中國禪宗祖師往往有所謂「見性」之言，所言多屬看見如來藏具有能令人發起成佛之自性，並非《大般涅槃經》中 如來所說之眼見佛性。眼見佛性者，於親見佛性之時，即能於山河大地眼見自己佛性，亦能於他人身上眼見自己佛性及對方之佛性，如是境界無法爲尚未實證者解釋；勉強說之，縱使眞實明心證悟之人聞之，亦只能以自身明心之境界想像之，但不論如何想像多屬非量，能有正確之比量者亦是稀有，故說眼見佛性極爲困難。眼見佛性之人若所見極分明時，在所見佛性之境界下所眼見之山河大地、自己五蘊身心皆是虛幻，自有異於明心者之解脫功德受用，此後永不思證二乘涅槃，必定邁向成佛之道而進入第十住位中，已超第一阿僧祇劫三分有一，可謂之爲超劫精進也。今又有明心之後眼見佛性之人出於人間，將其明心及後來見性之報告，連同其餘證悟明心者之精彩報告一同收錄於此書中，供養眞求佛法實證之四衆佛子。全書380頁，售價300元，已於2018年6月30日發行。

我的菩提路第五輯：林慈慧老師等人著，本輯中所舉學人從相似正法中來到正覺同修會的過程，各人都有不同，發生的因緣亦是各有差別，然而都會指向同一個目標——證實生命實相的源底，確證自己生從何來、死往何去的事實，所以最後都證明佛法眞實而可親證，絕非玄學；本書將彼等諸人的始修及末後證悟之實例，羅列出來以供學人參考。本期亦有一位會裡的老師，是從1995年即開始追隨 平實導師修學，1997年明心後持續進修不斷，直到2017年眼見佛性之實例，足可證明《大般涅槃經》中世尊開示眼見佛性之法正眞無訛，第十住位的實證在末法時代的今天仍有可能，如今一併具載於書中以供學人參考，並供養現代佛教界欲得見性之四衆弟子。全書四百頁，售價300元，已於2019年12月31日發行。

我的菩提路第六輯：劉正莉老師等人著。書中詳敘學佛路程之辛苦萬端，直至得遇正法之後如何修行終能實證，現觀眞如而入勝義菩薩僧數。本輯亦錄入一位1990年明心後追隨平實導師學法弘法的老師，不數年後又再眼見佛性的實證者，文中詳述見性之過程，欲令學人深信眼見佛性其實不難，冀得奮力向前而得實證。然古來能得明心又得見性之祖師極寡，禪師們所謂見性者往往屬於明心時親見第八識如來藏具備能使人成佛之自性，即名見性，例如六祖等人，是明心時看見了如來藏具有能使人成佛的自性，當作見性，其實只是明心而階眞見道位，尚非眼見佛性。但非《大般涅槃經》中所說之「眼見佛性」之實證。今本書提供十幾篇明心見道報告及眼見佛性者的見性報告一篇，以饗讀者，預定2020年8月31日出版。全書384頁，300元。

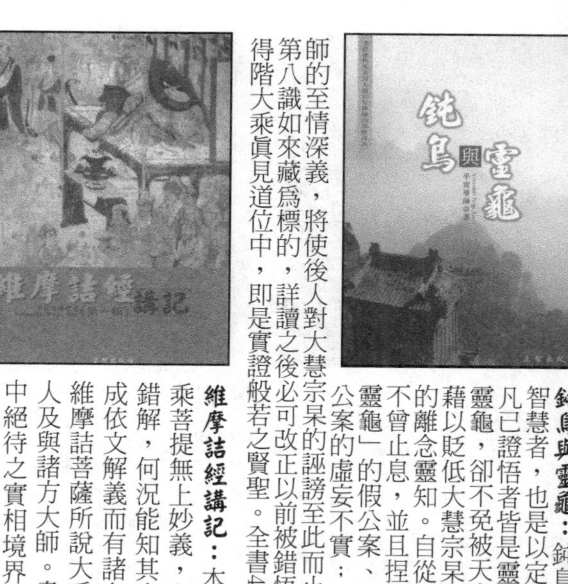

鈍鳥與靈龜：鈍鳥及靈龜二物，被宗門證悟者說爲二種人：前者是精修禪定而無智慧者，也是以定爲禪的愚癡禪人；後者是或有禪定、或無禪定的宗門證悟者，凡已證悟者皆是靈龜。但後者被人虛造事實，用以嘲笑大慧宗杲禪師，說他雖是靈龜，卻不免被天童禪師預記「患背」痛苦而亡：「鈍鳥離巢易，靈龜脫殼難。」藉以貶低大慧宗杲的證量。同時將天童禪師實證如來藏的證量，曲解爲意識境界的離念靈知。自從大慧禪師入滅以後，錯悟凡夫對他的不實毀謗就一直存在著，不曾止息，並且捏造的假事實也隨著年月的增加而越來越多，終至編成「鈍鳥與靈龜」的假公案、假故事。本書是考證大慧與天童之間的不朽情誼，顯現這件假公案的虛妄不實；更見大慧宗杲面對惡勢力時的正直不阿，亦顯示大慧對天童禪師的至情深義，將使後人對大慧宗杲的誣謗至此而止，不再有人誤犯毀謗賢聖的惡業。書中亦舉證宗門的所悟確以第八識如來藏爲標的，詳讀之後必可改正以前被錯悟大師誤導的參禪知見，日後必定有助於實證禪宗的開悟境界，得階大乘眞見道位中，即是實證般若之賢聖。全書459頁，售價350元。

維摩詰經講記：本經係 世尊在世時，由等覺菩薩維摩詰居士藉疾病而演說之大乘菩提無上妙義，所說函蓋甚廣，然極簡略，是故今時諸方大師與學人讀之悉皆錯解，何況能知其中隱含之深妙正義，是故普遍無法爲人解說；若強爲人說，則成依文解義而有諸多過失。今由平實導師公開宣講之後，詳實解釋其中密意，令維摩詰菩薩所說大乘不可思議解脫之深妙正法得以正確宣流於人間，利益當代學人及與諸方大師。書中詳實演述大乘佛法深妙不共二乘之智慧境界，顯示諸法之中絕待之實相境界，建立大乘菩薩妙道於永遠不敗不壞之地，以此成就護法偉功，欲冀永利娑婆人天。已經宣講圓滿整理成書流通，以利諸方大師及諸學人。全書共六輯，每輯三百餘頁，售價各250元。

真假外道：本書具體舉證佛門中的常見外道知見實例，並加以教證及理證上的辨正，幫助讀者輕鬆而快速的了知常見外道的錯誤知見，進而遠離佛門內外的常見外道知見，因此即能改正修學方向而快速實證佛法。游正光老師著 。成本價200元。

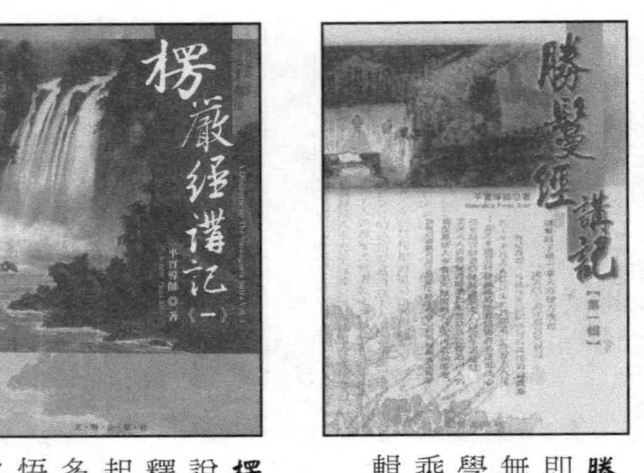

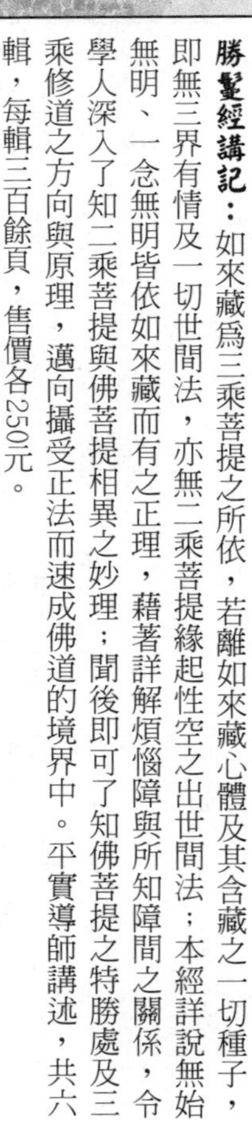

勝鬘經講記：如來藏爲三乘菩提之所依，若離如來藏心體及其含藏之一切種子，即無三界有情及一切世間法，亦無二乘菩提緣起性空之出世間法；本經詳說無始無明、一念無明皆依如來藏而有之正理，藉著詳解煩惱障與所知障間之關係，令學人深入了知二乘菩提與佛菩提相異之妙理；聞後即可了知佛菩提之特勝處及三乘修道之方向與原理，邁向攝受正法而速成佛道的境界中。平實導師講述，共六輯，每輯三百餘頁，售價各250元。

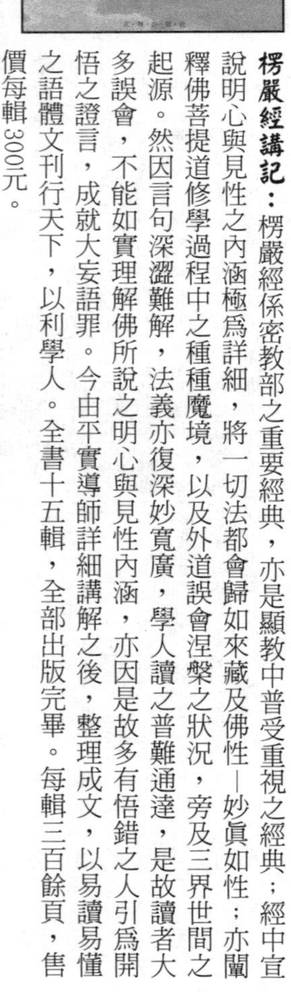

楞嚴經講記：楞嚴經係密教部之重要經典，亦是顯教中普受重視之經典；經中宣說明心與見性之內涵極爲詳細，將一切法都會歸如來藏及佛性—妙眞如性；亦闡釋佛菩提道修學過程中之種種魔境，以及外道誤會涅槃之狀況，旁及三界世間之起源。然因言句深澀難解，法義亦復深妙寬廣，學人讀之普難通達，是故讀者大多誤會，不能如實理解佛所說之明心與見性內涵，亦因是故多有悟錯之人引爲開悟之證言，成就大妄語罪。今由平實導師詳細講解之後，整理成文，以易讀易懂之語體文刊行天下，以利學人。全書十五輯，全部出版完畢。每輯三百餘頁，售價每輯300元。

明心與眼見佛性：本書細述明心與眼見佛性之異同，同時顯示了中國禪宗破初參明心與重關眼見佛性二關之間的關聯；書中又藉法義辨正而旁述其他許多勝妙法義，讀後必能遠離佛門長久以來積非成是的錯誤知見，令讀者在佛法的實證上有極大助益。也藉慧廣法師的謬論來教導佛門學人回歸正知正見，遠離古今禪門錯悟者所墮的意識境界，非唯有助於斷我見，也對未來的開悟明心實證第八識如來藏有所助益，是故學禪者都應細讀之。游正光老師著　共448頁　售價300元。

菩薩底憂鬱CD：將菩薩情懷及禪宗公案寫成新詞，並製作成超越意境的優美歌曲。1.主題曲〈菩薩底憂鬱〉，描述地後菩薩能離三界生死而迴向繼續生在人間，但因尚未斷盡習氣種子而有極深沈之憂鬱，非三賢位菩薩及二乘聖者所知，此憂鬱在七地滿心位方才斷盡；本曲之詞中所說義理極深，昔來所未曾見；此曲係以優美的情歌風格寫詞及作曲，聞者得以激發嚮往諸地菩薩境界之大心，詞、曲都非常優美，難得一見；其中勝妙義理之解說，已印在附贈之彩色小冊中。2.以各輯公案拈提中直示禪門入處之頌文，作成各種不同曲風之超意境歌曲，值得玩味、參究；聆聽公案拈提之優美歌曲時，請同時閱讀內附之印刷精美說明小冊，可以領會超越三界的證悟境界；未悟者可以因此引發求悟之意向及疑情，眞發菩提心而邁向求悟之途，乃至因此眞實悟入般若，成眞菩薩。3.正覺總持咒新曲，總持佛法大意；總持咒之義理，已加以解說並印在隨附之小冊中。本CD共有十首歌曲，長達63分鐘，附贈二張購書優惠券。每片280元。

禪意無限CD：平實導師以公案拈提書中偈頌寫成不同風格曲子，與他人所寫不同風格曲子共同錄製出版，幫助參禪人進入禪門超越意識之境界。盒中附贈彩色印製的精美解說小冊，以供聆聽時閱讀，令參禪人得以發起參禪之疑情，即有機會證悟本來面目，實證大乘菩提般若。本CD共有十首歌曲，長達69分鐘，每盒各附贈二張購書優惠券。每片280元。

金剛經宗通：三界唯心，萬法唯識，是成佛之修證內容，是諸地菩薩之所修；般若則是成佛之道（實證三界唯心、萬法唯識）的入門，若未證悟實相般若，即無成佛之可能，必將永在外門廣行菩薩六度，永在凡夫位中。然而實相般若的發起，全賴實證萬法的實相；若欲證知萬法的眞相，則必須探究萬法之所從來，則須實證自心如來—金剛心如來藏，然後現觀這個金剛心的金剛性、眞實性、如如性、清淨性、涅槃性、能生萬法的自性性、本住性，名爲證眞如；進而現觀三界六道唯是此金剛心所成，人間萬法須藉八識心王和合運作方能現起。如是實證

《華嚴經》的「三界唯心、萬法唯識」以後，由此等現觀而發起實相般若智慧，繼續進修第十住位的如幻觀、第十行位的陽焰觀、第十迴向位的如夢觀，再生起增上意樂而勇發十無盡願，方能滿足三賢位的實證，轉入初地；自知成佛之道而無偏倚，從此按部就班、次第進修乃至成佛。第八識自心如來是般若智慧之所依，般若智慧的修證則要從實證金剛心自心如來開始；《金剛經》則是解說自心如來之經典，是一切三賢位菩薩所應進修之實相般若經典。這一套書，是將平實導師宣講的《金剛經宗通》內容，整理成文字而流通之；書中所說義理，迥異古今諸家依文解義之說，指出大乘見道方向與理路，有益於禪宗學人求開悟見道，及轉入內門廣修六度萬行。已於2013年9月出版完畢，總共9輯，每輯約三百餘頁，售價各250元。

空行母—性別、身分定位，以及藏傳佛教：本書作者為蘇格蘭哲學家，因為嚮往佛教深妙的哲學內涵，於是進入當年盛行於歐美的假藏傳佛教密宗，擔任卡盧仁波切的翻譯工作多年以後，被邀請成為卡盧的空行母（又名佛母、明妃），開始了她在密宗裡的實修過程；後來發覺在密宗雙身法中的修行，其實無法使自己成佛，也發覺密宗對女性歧視而處處貶抑，並剝奪女性在雙身法中擔任一半角色時應有的身分定位。當她發覺自己只是雙身法中被喇嘛利用的工具，沒有獲得絲毫應有的尊重與基本定位時，發現了密宗的父權社會控制女性的本質；於是作者傷心地離開了卡盧仁波切與密宗，但是卻被恐嚇不許講出她在密宗裡的經歷，也不許她說出自己對密宗的教義與教制下對女性剝削的本質，否則將被咒殺死亡。後來她去加拿大定居，十餘年後方才擺脫這個恐嚇陰影，下定決心將親身經歷的實情及觀察到的事實寫下來並且出版，公諸於世。出版之後，她被流亡的達賴集團人士大力攻訐，誣指她為精神狀態失常、說謊……等。但有智之士並未被達賴集團的政治操作及各國政府政治運作吹捧達賴的表相所欺，使她的書銷售無阻而又再版。正智出版社鑑於作者此書是親身經歷的事實，所說具有針對「藏傳佛教」而作學術研究的價值，也有使人認清假藏傳佛教剝削佛母、明妃的男性本位實質，因此洽請作者同意中譯而出版於華人地區。珍妮．坎貝爾女士著，呂艾倫 中譯，每冊250元。

霧峰無霧—給哥哥的信　本書作者藉兄弟之間信件往來論義，略述佛法大義；並以多篇短文辨義，舉出釋印順對佛法的無量誤解證據，並一一給予簡單而清晰的辨正，令人一讀即知。久讀、多讀之後即能認清楚釋印順的六識論見解，與眞實佛法之牴觸是多麼嚴重；於是在久讀、多讀之後，於不知不覺之間提升了對佛法的極深入理解，正知正見就在不知不覺間建立起來了。當三乘佛法的正知見建立起來之後，對於三乘菩提的見道條件便將隨之具足，於是聲聞解脫道的見道也就水到渠成；接著大乘見道的因緣也將次第成熟，未來自然也會有親見大乘菩提之道的因緣，悟入大乘實相般若也將自然成功，自能通達般若系列諸經而成實義菩薩。作者居住於南投縣霧峰鄉，自喻見道之後不復再見霧峰之霧，故鄉原野美景一一明見，於是立此書名爲《霧峰無霧》；讀者若欲撥霧見月，可以此書爲緣。游宗明　老師著　已於2015年出版　售價250元。

霧峰無霧—第二輯—救護佛子向正道　本書作者藉釋印順著作中之各種錯謬法義提出辨正，以詳實的文義一一提出理論上及實證上之解析，列舉釋印順對佛法的無量誤解證據，藉此教導佛門大師與學人釐清佛法義理，遠離岐途轉入正道，然後知所進修，久之便能見道明心而入大乘勝義僧數。被釋印順誤導的大師與學人極多，很難救轉，是故作者大發悲心深入解說其錯謬之所在，佐以各種義理辨正而令讀者在不知不覺之間轉歸正道。如是久讀之後欲得斷身見、證初果，即不爲難事；乃至久之亦得大乘見道而得證眞如，脫離空有二邊而住中道，實相般若智慧生起，於佛法不再茫然，漸漸亦知悟後進修之道。屆此之時，對於大乘般若等深妙法之迷雲暗霧亦將一掃而空，生命及宇宙萬物之故鄉原野美景一一明見，是故本書仍名《霧峰無霧》，爲第二輯；讀者若欲撥雲見日、離霧見月，可以此書爲緣。游宗明　老師著　已於2019年出版　售價250元。

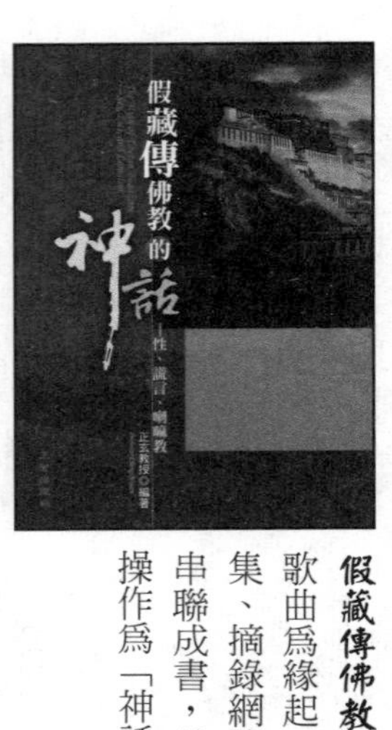

假藏傳佛教的神話—性、謊言、喇嘛教：本書編著者是由一首名爲「阿姊鼓」的歌曲爲緣起，展開了序幕，揭開假藏傳佛教—喇嘛教—的神秘面紗。其重點是蒐集、摘錄網路上質疑「喇嘛教」的帖子，以揭穿「假藏傳佛教的神話」爲主題，串聯成書，並附加彩色插圖以及說明，讓讀者們瞭解西藏密宗及相關人事如何被操作爲「神話」的過程，以及神話背後的眞相。作者：張正玄教授。售價200元。

達賴真面目—玩盡天下女人：假使您不想戴綠帽子，請記得詳細閱讀此書；假使您不想讓好朋友戴綠帽子，請您將此書介紹給您的好朋友。假使您想保護家中的女性，也想要保護好朋友的女眷，請記得將此書送給家中的女性和好友的女眷都來閱讀。本書爲印刷精美的大本彩色中英對照精裝本，爲您揭開達賴喇嘛的眞面目，內容精彩不容錯過，爲利益社會大眾，特別以優惠價格嘉惠所有讀者。編著者：白志偉等。大開版雪銅紙彩色精裝本。售價800元。

童女迦葉考—論呂凱文〈佛教輪迴思想的論述分析〉之謬：童女迦葉是佛世率領五百大比丘遊行於人間的歷史事實，是以童貞行而依止菩薩戒弘化於人間的大菩薩，不依別解脫戒（聲聞戒）來弘化於人間。這是大乘佛教與聲聞佛教同時存在於佛世的歷史明證，證明大乘佛教不是從聲聞法中分裂出來的部派佛教的產物，卻是聲聞佛教分裂出來的部派佛教聲聞凡夫僧所不樂見的史實；於是古今聲聞法中的凡夫都欲加以扭曲而作詭說，更是末法時代高聲大呼「大乘非佛說」的六識論聲聞凡夫極力想要扭曲的佛教史實之一，於是想方設法扭曲迦葉菩薩爲聲聞僧，以及扭曲迦葉童女爲比丘僧等荒謬不實之論著便陸續出現，古時聲聞僧寫作的《分別功德論》是最具體之事例，現代之代表作則是呂凱文先生的〈佛教輪迴思想的論述分析〉論文。鑑於如是假藉學術考證以籠罩大眾之不實謬論，未來仍將繼續造作及流竄於佛教界，繼續扼殺大乘佛教學人法身慧命，必須舉證辨正之，遂成此書。平實導師 著，每冊180元。

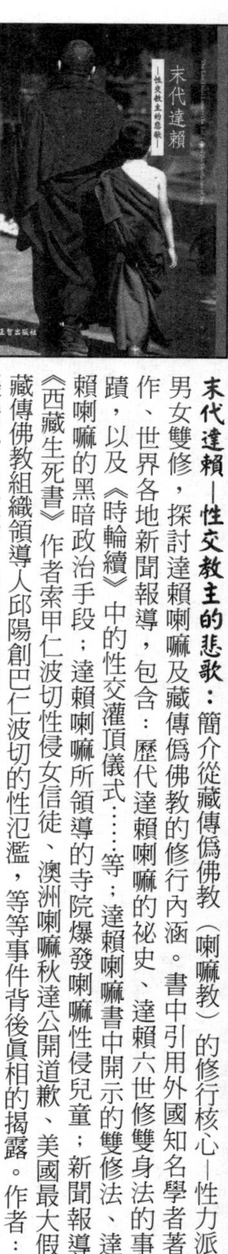

末代達賴—性交教主的悲歌：簡介從藏傳僞佛教（喇嘛教）的修行核心—性力派男女雙修，探討達賴喇嘛及藏傳僞佛教的修行內涵。書中引用外國知名學者著作、世界各地新聞報導，包含：歷代達賴喇嘛的祕史、達賴六世修雙身法的事蹟，以及《時輪續》中的性交灌頂儀式……等；達賴喇嘛書中開示的雙修法、達賴喇嘛的黑暗政治手段；達賴喇嘛所領導的寺院爆發喇嘛性侵兒童；新聞報導《西藏生死書》作者索甲仁波切性侵女信徒、澳洲喇嘛秋達公開道歉、美國最大假藏傳佛教組織領導人邱陽創巴仁波切的性氾濫，等等事件背後眞相的揭露。作者：張善思、呂艾倫、辛燕。售價250元。

黯淡的達賴—失去光彩的諾貝爾和平獎：本書舉出很多證據與論述，詳述達賴喇嘛不爲世人所知的一面，顯示達賴喇嘛並不是眞正的和平使者，而是假借諾貝爾和平獎的光環來欺騙世人；透過本書的說明與舉證，讀者可以更清楚的瞭解，達賴喇嘛是結合暴力、黑暗、淫欲於喇嘛教裡的集團首領，其政治行爲與宗教主張，早已讓諾貝爾和平獎的光環染污了。　本書由財團法人正覺教育基金會寫作、編輯，由正覺出版社印行，每冊250元。

第七意識與第八意識？—穿越時空「超意識」：「三界唯心，萬法唯識」是佛教中應該實證的聖教，也是《華嚴經》中明載而可以實證的法界實相。唯心者，三界一切境界、一切諸法唯是一心所成就，即是每一個有情的第八識如來藏，不是意識心。唯識者，即是人類各各都具足的八識心王——眼識、耳鼻舌身意識、意根、阿賴耶識，第八阿賴耶識又名如來藏，人類五陰相應的萬法，莫不由八識心王共同運作而成就，故說萬法唯識。依聖教量及現量、比量，都可以證明意識是二法因緣生，是由第八識藉意根與法塵二法爲因緣而出生，又是夜夜斷滅不存之生滅心，即無可能反過來出生第七識意根、第八識如來藏，當知不可能從生滅性的意識心中，細分出恆審思量的第七識意根，更無可能細分出恆而不審的第八識如來藏。本書是將演講內容整理成文字，細說如是內容，並已在〈正覺電子報〉連載完畢，今彙集成書以廣流通，欲幫助佛門有緣人斷除意識我見，跳脫於識陰之外而取證聲聞初果；嗣後修學禪宗時即得不墮外道神我之中，得以求證第八識金剛心而發起般若實智。平實導師 述，每冊300元。

中觀金鑑—詳述應成派中觀的起源與其破法本質：學佛人往往迷於中觀學派之不同學說，被應成派與自續派所迷惑；修學般若中觀二十年後自以爲實證般若中觀了，卻仍不曾入門，甫聞實證般若中觀者之所說，則茫無所知，迷惑不解；隨後信心盡失，不知如何實證佛法；凡此，皆因惑於這二派中觀學說所致。自續派中觀所說同於常見，以意識境界立爲第八識如來藏之境界，應成派所說則同於斷見，但又同立意識爲常住法，故亦具足斷常二見。今者孫正德老師有鑑於此，乃將起源於密宗的應成派中觀學說，追本溯源，詳考其來源之外，亦一一舉證其立論內容，詳加辨正，令密宗雙身法祖師以識陰境界而造之應成派中觀學說本質，詳細呈現於學人眼前，令其維護雙身法之目的無所遁形。若欲遠離密宗此二大派中觀謬說，欲於三乘菩提有所進道者，允宜具足閱讀並細加思惟，反覆讀之以後將可捨棄邪道返歸正道，則於般若之實證即有可能，證後自能現觀如來藏之中道境界而成就中觀。本書分上、中、下三冊，每冊250元，全部出版完畢。

人間佛教—實證者必定不悖三乘菩提：「大乘非佛說」的講法似乎流傳已久，卻只是日本人企圖擺脫中國正統佛教的影響，而在明治維新時期才開始提出來的說法；台灣佛教、大陸佛教的淺學無智之人，由於未曾實證佛法而迷信日本人錯誤的學術考證，錯認爲這些別有用心的日本佛學考證的講法爲天竺佛教的眞實歷史；甚至還有更激進的反對佛教者提出「釋迦牟尼佛並非眞實存在，只是後人捏造的假歷史人物」，竟然也有少數人願意跟著「學術」的假光環而信受不疑，於是開始有一些佛教界人士造作了反對中國佛教而推崇南洋小乘佛教的行爲，使佛教的信仰者難以檢擇，導致一般大陸人士開始轉入基督教的盲目迷信中。在這些佛教及外教人士之中，也就有一分人根據此邪說而大聲主張「大乘非佛說」的謬論，這些人以「人間佛教」的名義來抵制中國正統佛教，公然宣稱中國的大乘佛教是由聲聞部派佛教的凡夫僧所創造出來的。這樣的說法流傳於台灣及大陸佛教界凡夫僧之中已久，卻非眞正的佛教歷史中曾經發生過的事，只是繼承六識論的聲聞法中凡夫僧依自己的意識境界立場，純憑臆想而編造出來的妄想說法，卻已經影響許多無智之凡夫僧俗信受不移。本書則是從佛教的經藏法義實質及實證的現量內涵本質立論，證明大乘佛法本是佛說，是從《阿含正義》尚未說過的不同面向來討論「人間佛教」的議題，證明「大乘眞佛說」。閱讀本書可以斷除六識論邪見，迴入三乘菩提正道發起實證的因緣；也能斷除禪宗學人學禪時普遍存在之錯誤知見，對於建立參禪時的正知見有很深的著墨。 平實導師 述，內文488頁，全書528頁，定價400元。

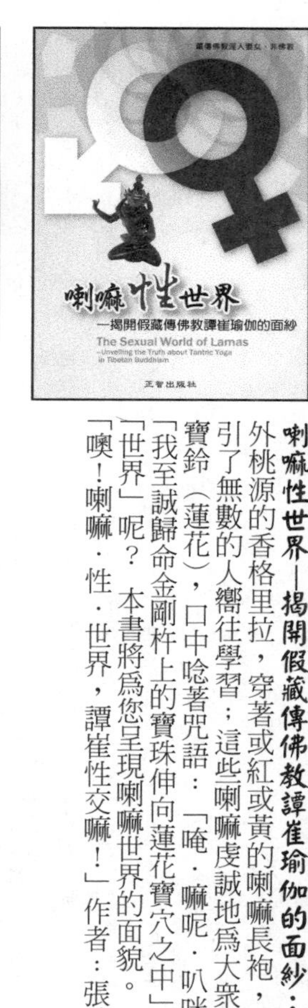

喇嘛性世界—揭開假藏傳佛教譚崔瑜伽的面紗：這個世界中的喇嘛，號稱來自世外桃源的香格里拉，穿著或紅或黃的喇嘛長袍，散布於我們的身邊傳教灌頂，吸引了無數的人嚮往學習；這些喇嘛虔誠地爲大衆祈福，手中拿著寶杵（金剛）與寶鈴（蓮花），口中唸著咒語：「唵．嘛呢．叭咪．吽……」，咒語的意思是說：「我至誠歸命金剛杵上的寶珠伸向蓮花寶穴之中」！「喇嘛性世界」是什麼樣的「世界」呢？本書將爲您呈現喇嘛世界的面貌。當您發現眞相以後，您將會唸：「噢！喇嘛．性．世界，譚崔性交嘛！」作者：張善思、呂艾倫。售價200元。

見性與看話頭：黃正倖老師的《見性與看話頭》於《正覺電子報》連載完畢，今結集出版。書中詳說禪宗看話頭的詳細方法，並細說看話頭與眼見佛性的關係，以及眼見佛性者求見佛性前必須具備的條件。本書是禪宗實修者追求明心開悟時參禪的方法書，也是求見佛性者作功夫時必讀的方法書，內容兼顧眼見佛性的理論與實修之方法，是依實修之體驗配合理論而詳述，條理分明而且極爲詳實、周全、深入。本書內文375頁，全書416頁，售價300元。

實相經宗通：學佛之目的在於實證一切法界背後之實相，禪宗稱之爲本來面目或本地風光，佛菩提道中稱之爲實相法界；此實相法界即是金剛藏，又名佛法之祕密藏，即是能生有情五陰、十八界及宇宙萬有（山河大地、諸天、三惡道世間）的第八識如來藏，又名阿賴耶識心，即是禪宗祖師所說的眞如心，此心即是三界萬有背後的實相。證得此第八識心時，自能瞭解般若諸經中隱說的種種密意，即得發起實相般若——實相智慧。每見學佛人修學佛法二十年後仍對實相般若茫然無知，亦不知如何入門，茫無所趣；更因不知三乘菩提的互異互同，是故越是久學者對佛法越覺茫然，都肇因於尚未瞭解佛法的全貌，亦未瞭解佛法的修證內容即是第八識心所致。本書對於修學佛法者所應實證的實相境界提出明確解析，並提示趣入佛菩提道的入手處，有心親證實相般若的佛法實修者，宜詳讀之，於佛菩提道之實證即有下手處。平實導師述著，共八輯，已於2016年出版完畢，每輯成本價250元。

真心告訴您(一)**—達賴喇嘛在幹什麼？**這是一本報導篇章的選集，更是「破邪顯正」的暮鼓晨鐘。「破邪」是戳破假象，說明達賴喇嘛及其所率領的密宗四大派法王、喇嘛們，弘傳的佛法是仿冒的佛法；他們是假藏傳佛教，是坦特羅(譚崔性交)外道法和藏地崇奉鬼神的苯教混合成的「喇嘛教」，推廣的是以所謂「無上瑜伽」的男女雙身法冒充佛法的假佛教，詐財騙色誤導眾生，常常造成信徒家庭破碎、家中兒少失怙的嚴重後果。「顯正」是揭櫫眞相，指出眞正的藏傳佛教只有一個，就是覺囊巴，傳的是 釋迦牟尼佛演繹的第八識如來藏妙法，稱爲他空見大中觀。正覺教育基金會即以此古今輝映的如來藏正法正知見，在眞心新聞網中逐次報導出來，將箇中原委「眞心告訴您」，如今結集成書，與想要知道密宗眞相的您分享。售價250元。

法華經講義：此書爲平實導師始從2009/7/21演述至2014/1/14之講經錄音整理所成。世尊一代時教，總分五時三教，即是華嚴時、聲聞緣覺教、般若教、種智唯識教、法華時；依此五時三教區分爲藏、通、別、圓四教。本經是最後一時的圓教經典，圓滿收攝一切法教於本經中，是故最後的圓教聖訓中，特地指出無有三乘菩提，其實唯有一佛乘；皆因眾生愚迷故，方便區分爲三乘菩提以助眾生證道。世尊於此經中特地說明如來示現於人間的唯一大事因緣，便是爲有緣眾生「開、示、悟、入」諸佛的所知所見——第八識如來藏妙眞如心，並於諸品中隱說「妙法蓮花」如來藏心的密意。然因此經所說甚深難解，眞義隱晦，古來難得有人能窺堂奧；平實導師以知如是密意故，特爲末法佛門四眾演述《妙法蓮華經》中各品蘊含之密意，使古來未曾被古德註解出來的「此經」密意，如實顯示於當代學人眼前。乃至〈藥王菩薩本事品〉、〈妙音菩薩品〉、〈觀世音菩薩普門品〉、〈普賢菩薩勸發品〉中的微細密意，亦皆一併詳述之，開前人所未曾言之密意，示前人所未見之妙法。最後乃至以〈法華大義〉而總其成，全經妙旨貫通始終，而依佛旨圓攝於一心如來藏妙心，厥爲曠古未有之大說也。平實導師述，共有25輯，已於2019/05/31出版完畢。每輯300元。

西藏「活佛轉世」制度—附佛、造神、世俗法：歷來關於喇嘛教活佛轉世的研究，多針對歷史及文化兩部分，於其所以成立的理論基礎，較少系統化的探討。尤其是此制度是否依據「佛法」而施設？是否合乎佛法眞實義？現有的文獻大多含糊其詞，或人云亦云，不曾有明確的闡釋與如實的見解。因此本文先從活佛轉世的由來，探索此制度的起源、背景與功能，並進而從活佛的尋訪與認證之過程，發掘活佛轉世的特徵，以確認「活佛轉世」在佛法中應具足何種果德。定價150元。

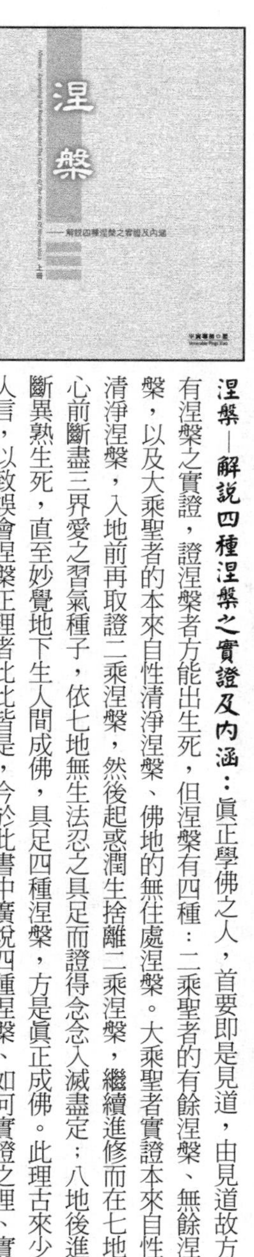

真心告訴您(二)—達賴喇嘛是佛教僧侶嗎？補祝達賴喇嘛八十大壽：這是一本針對當今達賴喇嘛所領導的喇嘛教，冒用佛教名相、於師徒間或師兄姊間，實修男女邪淫，而從佛法三乘菩提的現量與聖教量，揭發其謊言與邪術，證明達賴及其喇嘛教是仿冒佛教的外道，是「假藏傳佛教」。藏密四大派教義雖有「八識論」與「六識論」的表面差異，然其實修之內容，皆共許「無上瑜伽」四部灌頂爲究竟「成佛」之法門，也就是共以男女雙修之邪淫法爲「即身成佛」之密要，雖美其名曰「欲貪爲道」之「金剛乘」，並誇稱其成就超越於（應身佛）釋迦牟尼佛所傳之顯教般若乘之上；然詳考其理論，則或以意識離念時之粗細心爲第八識如來藏，或以中脈裡的明點爲第八識如來藏，或如宗喀巴與達賴堅決主張第六意識爲常恆不變之眞心者，分別墮於外道之常見與斷見中；全然違背 佛說能生五蘊之如來藏的實質。售價300元。

涅槃—解說四種涅槃之實證及內涵：眞正學佛之人，首要即是見道，由見道故方有涅槃之實證，證涅槃者方能出生死，但涅槃有四種：二乘聖者的有餘涅槃、無餘涅槃，以及大乘聖者的本來自性清淨涅槃、佛地的無住處涅槃。大乘聖者實證本來自性清淨涅槃，入地前再取證二乘涅槃，然後起惑潤生捨離二乘涅槃，繼續進修而在七地心前斷盡三界愛之習氣種子，依七地無生法忍之具足而證得念念入滅盡定；八地後進斷異熟生死，直至妙覺地下生人間成佛，具足四種涅槃，方是眞正成佛。此理古來少人言，以致誤會涅槃正理者比比皆是，今於此書中廣說四種涅槃、如何實證之理、實證前應有之條件，實屬本世紀佛教界極重要之著作，令人對涅槃有正確無訛之認識，然後可以依之實行而得實證。本書共有上下二冊，每冊各四百餘頁，對涅槃詳加解說，每冊各350元。

佛藏經講義：本經說明為何佛菩提難以實證之原因，都因往昔無數阿僧祇劫前的邪見，引生此世求證時之業障而難以實證。即以諸法實相詳細解說，繼之以念佛品、念法品、念僧品，說明諸佛與法之實質；然後以淨戒品之說明，期待佛弟子四眾堅持清淨戒而轉化心性，並以往古品的實例說明，教導四眾務必滅除邪見轉入正見中，然後以了戒品的說明和囑累品的付囑，期望末法時代的佛門四眾弟子皆能清淨知見而得以實證。平實導師於此經中有極深入的解說，總共21輯，每輯300元，於2019/07/31開始發行。

修習止觀坐禪法要講記：修學四禪八定之人，往往錯會禪定之修學知見，欲以無止盡之坐禪而證禪定境界，卻不知修除性障之行門才是修證四禪八定不可或缺之要素，故智者大師云「性障初禪」；性障不除，初禪永不現前，云何修證二禪等？又：行者學定，若唯知數息，而不解六妙門之方便善巧者，欲求一心入定，未到地定極難可得，智者大師名之為「事障未來」：障礙未到地定之修證。又禪定之修證，不可違背二乘菩提及第一義法，否則縱使具足四禪八定，亦不能實證涅槃而出三界。此諸知見，智者大師於《修習止觀坐禪法要》中皆有闡釋。作者平實導師以其第一義之見地及禪定之實證證量，曾加以詳細解析。將俟正覺寺竣工啟用後重講，不限制聽講者資格；講後將以語體文整理出版。欲修習世間定及增上定之學者，宜細讀之。平實導師述著。

解深密經講記：本經係 世尊晚年第三轉法輪，宣說地上菩薩所應熏修之唯識正義經典，經中所說義理乃是大乘一切種智增上慧學，以阿陀那識—如來藏—阿賴耶識為主體。禪宗之證悟者，若欲修證初地無生法忍乃至八地無生法忍者，必須修學《楞伽經、解深密經》所說之八識心王一切種智；此二經所說正法，方是真正成佛之道；印順法師否定第八識如來藏之後所說萬法緣起性空之法，是以誤會後之二乘解脫道取代大乘真正成佛之道，尚且不符二乘解脫道正理，亦已墮於斷滅見中，不可謂為成佛之道也。平實導師曾於本會郭故理事長往生時，於喪宅中從首七開始宣講，於每一七各宣講三小時，至第十七而快速略講圓滿，作為郭老之往生佛事功德，迴向郭老早證八地、速返娑婆住持正法。茲為今時後世學人故，將擇期重講《解深密經》，以淺顯之語句講畢後，將會整理成文，用供證悟者進道；亦令諸方未悟者，據此經中佛語

阿含經講記—小乘解脫道之修證：數百年來，南傳佛法所說證果之不實，所說解脫道之虛妄，所弘解脫道法義之世俗化，皆已少人知之；從南洋傳入台灣與大陸之後，所說法義虛謬之事，亦復少人知之；今時台灣全島印順系統之法師居士，多不知南傳佛法數百年來所說解脫道之義理已然偏斜、已然世俗化、已非眞正之二乘解脫正道，猶極力推崇與弘揚。彼等南傳佛法近代所謂之證果者皆非眞實證果者，譬如阿迦曼、葛印卡、帕奧禪師、一行禪師……等人，悉皆未斷我見故。近年更有台灣南部大願法師，高抬南傳佛法之二乘修證行門為「捷徑究竟解脫之道」者，然而南傳佛法縱使眞修實證，得成阿羅漢，至高唯是二乘菩提解脫之道，絕非究竟解脫，無餘涅槃中之實際尚未得證故，法界之實相尚未了知故，習氣種子待除故，一切種智未實證故，焉得謂為「究竟解脫」？即使南傳佛法近代眞有實證之阿羅漢，尚且不及三賢位中之七住明心菩薩本來自性清淨涅槃智慧境界，則不能知此賢位菩薩所證之無餘涅槃實際，仍非大乘佛法中之見道者，何況普未實證聲聞果乃至未斷我見之人？謬充證果已屬逾越，更何況是誤會二乘菩提之後，以未斷我見之凡夫知見所說之二乘菩提解脫偏斜法道，焉可高抬為「究竟解脫」？而且自稱「捷徑之道」？又妄言解脫之道即是成佛之道，完全否定般若實智、否定三乘菩提所依之如來藏心體，此理大大不通也！平實導師為令修學二乘菩提欲證解脫果者，普得迴入二乘菩提正見、正道中，是故選錄四阿含諸經中，對於二乘解脫道法義有具足圓滿說明之經典，預定未來十年內將會加以詳細講解，令學佛人得以了知二乘解脫道之修證理路與行門，庶免被人誤導之後，未證言證，梵行未立，干犯道禁自稱阿羅漢或成佛，成大妄語，欲升反墮。本書首重斷除我見，以助行者斷除我見而實證初果為著眼之目標，若能根據此書內容，配合平實導師所著《識蘊眞義》《阿含正義》內涵而作實地觀行，實證初果非為難事，行者可以藉此三書自行確認聲聞初果為實際可得現觀成就之事。此書中除依二乘經典所說加以宣示外，亦依斷除我見等之證量，及大乘法中道種智之證量，對於意識心之體性加以細述，令諸二乘學人必定得斷我見、常見，免除三縛結之繫縛。次則宣示斷除我執之理，欲令升進而得薄貪瞋痴，乃至斷五下分結…等。平實導師將擇期講述，然後整理成書。共二冊，每冊三百餘頁。每輯300元。

＊喇嘛教修外道雙身法，墮識陰境界，非佛教＊

＊弘揚如來藏他空見的覺囊派才是真正藏傳佛教＊

總經銷： 聯合發行股份有限公司

231 新北市新店區寶橋路 235 巷 6 弄 6 號 4F

Tel.02－2917-8022（代表號） Fax.02－2915-6275（代表號）

零售：1.**全台連鎖經銷書局**：

三民書局、誠品書局、何嘉仁書店

敦煌書店、紀伊國屋、金石堂書局、建宏書局

諾貝爾圖書城、墊腳石圖書文化廣場

2.**台北市**：佛化人生 **大安區**羅斯福路 3 段 325 號 6 樓之 4　台電大樓對面

3.**新北市**：春大地書店 **蘆洲區**中正路 117 號

4.**桃園市**：御書堂 **龍潭區**中正路 123 號

5.**新竹市**：大學書局 **東區**建功路 10 號

6.**台中市**：瑞成書局 **東區**雙十路 1 段 4 之 33 號

佛教詠春書局 **南屯區**永春東路 884 號

文春書店 **霧峰區**中正路 1087 號

7.**彰化市**：心泉佛教文化中心 南瑤路 286 號

8.**高雄市**：政大書城 **前鎮區**中華五路 789 號 2 樓（高雄夢時代店）

明儀書局 **三民區**明福街 2 號

青年書局 **苓雅區**青年一路 141 號

9.**台東市**：東普佛教文物流通處 博愛路 282 號

10.**其餘鄉鎮市經銷書局**：請電詢總經銷**聯合**公司。

11.**大陸地區請洽**：

香港：樂文書店

旺角店 :香港九龍旺角西洋菜街 62 號 3 樓

電話 :(852) 2390 3723　email: luckwinbooks@gmail.com

銅鑼灣店 :香港銅鑼灣駱克道 506 號 2 樓

電話 :(852) 2881 1150　email: luckwinbs@gmail.com

廈門：廈門外圖臺灣書店有限公司

地址：廈門市思明區湖濱南路809 號 廈門外圖書城3 樓 郵編：361004

電話：0592-5061658（臺灣地區請撥打 86-592-5061658）

E-mail：JKB118＠188.COM

12.**美國**：**世界日報圖書部**：紐約圖書部　電話 7187468889#6262

洛杉磯圖書部　電話 3232616972#202

13.**國內外地區網路購書**：

正智出版社 書香園地　http://books.enlighten.org.tw/

（書籍簡介、經銷書局可直接聯結下列網路書局購書）

三民 網路書局　http://www.sanmin.com.tw

誠品 網路書局　http://www.eslitebooks.com

博客來 網路書局　http://www.books.com.tw

金石堂 網路書局　http://www.kingstone.com.tw
聯合 網路書局　http:// www.nh.com.tw

附註：1.請儘量向各經銷書局購買：郵政劃撥需要八天才能寄到（本公司在您劃撥後第四天才能接到劃撥單，次日寄出後第二天您才能收到書籍，此六天中可能會遇到週休二日，是故共需八天才能收到書籍）若想要早日收到書籍者，請劃撥完畢後，將劃撥收據貼在紙上，旁邊寫上您的姓名、住址、郵區、電話、買書詳細內容，直接傳眞到本公司 02-28344822，並來電 02-28316727、28327495 確認是否已收到您的傳眞，即可提前收到書籍。 2.因台灣每月皆有五十餘種宗教類書籍上架，書局書架空間有限，故唯有新書方有機會上架，通常每次只能有一本新書上架；本公司出版新書，大多上架不久便已售出，若書局未再叫貨補充者，書架上即無新書陳列，則請直接向書局櫃台訂購。 3.若書局不便代購時，可於晚上共修時間向正覺同修會各共修處請購（共修時間及地點，詳閱**共修現況表**。每年例行年假期間請勿前往請書，年假期間請見共修現況表）。 4.郵購：郵政劃撥帳號 19068241。 5.正覺同修會會員購書都以八折計價（戶籍台北市者爲一般會員，外縣市爲護持會員）都可獲得優待，欲一次購買全部書籍者，可以考慮入會，節省書費。入會費一千元（第一年初加入時才需要繳），年費二千元。**6.尚未出版之書籍，請勿預先郵寄書款與本公司，謝謝您！** 7.若欲一次購齊本公司書籍，或同時取得正覺同修會贈閱之全部書籍者，請於正覺同修會共修時間，親到各共修處請購及索取；**台北市讀者**請洽：103 台北市承德路三段 267 號 10 樓（捷運淡水線 圓山站旁）請書時間：週一至週五爲 18.00~21.00，第一、三、五週週六爲 10.00~21.00，雙週之週六爲 10.00~18.00 請購處專線電話：25957295-分機 14（於請書時間方有人接聽）。

敬告大陸讀者：

大陸讀者購書、索書捷徑（尚未在大陸出版的書籍，以下二個途徑都可以購得，電子書另包括結緣書籍）：

1.廈門外國圖書公司：廈門市思明區湖濱南路 809 號 廈門外圖書城 3F
　　郵編：361004　電話：0592-5061658　網址：http://www.xibc.com.cn/

2.電子書：正智出版社有限公司及正覺同修會在台灣印行的各種局版書、結緣書，已有『**正覺電子書**』陸續上線中，提供讀者於手機、平板電腦上購書、下載、閱讀正智出版社、正覺同修會及正覺教育基金會所出版之電子書，詳細訊息敬請參閱『正覺電子書』專頁：http://books.enlighten.org.tw/ebook

關於平實導師的書訊，請上網查閱：
　　成佛之道　http://www.a202.idv.tw
　　正智出版社 書香園地　http://books.enlighten.org.tw/

中國網採訪佛教正覺同修會、正覺教育基金會訊息：

http://big5.china.com.cn/gate/big5/fangtan.china.com.cn/2014-06/19/content_32714638.htm

http://pinpai.china.com.cn/

★ 正智出版社有限公司售書之稅後盈餘，全部捐助財團法人正覺寺籌備處、佛教正覺同修會、正覺教育基金會，供作弘法及購建道場之用；懇請諸方大德支持，功德無量。

★ 聲　明 ★

本社於 2015/01/01 開始調整本目錄中部分書籍之售價，以因應各項成本的持續增加。

＊ 喇嘛教修外道雙身法、墮識陰境界，非佛教 ＊

＊ 弘揚如來藏他空見的覺囊派才是真正藏傳佛教 ＊

售後服務—換書啓事(免附回郵)　2017/12/05

《楞伽經詳解》第三輯初版免費調換新書啓事：茲因 平實導師弘法早期尚未回復往世全部證量，有些法義接受他人的說法，寫書當時並未察覺而有二處（同一種法義）跟著誤說，如今發現已將之修正。茲爲顧及讀者權益，已開始免費調換新書；敬請所有讀者將以前所購第三輯（不論第幾刷），攜回或寄回本公司免費換新；郵寄者之回郵由本公司負擔，不需寄來郵票。因此而造成讀者閱讀、以及換書的不便，在此向所有讀者致上萬分的歉意，祈請讀者大眾見諒！

《楞嚴經講記》第 14 輯初版首刷本免費調換新書啓事：本講記第 14 輯出版前因 平實導師諸事繁忙，未將之重新閱讀而只改正校對時發現的錯別字，故未能發覺十年前所說法義有部分錯誤，於第 15 輯付印前重閱時才發覺第 14 輯中有部分錯誤尚未改正。今已重新審閱修改並已重印完成，煩請所有讀者將以前所購第 14 輯初版首刷本，寄回本公司免費換新（初版二刷本無錯誤），本公司將於寄回新書時同時附上您寄書來換新時的郵資，並在此向所有讀者致上最誠懇的歉意。

《心經密意》初版書免費調換二版新書啓事：本書係演講錄音整理成書，講時因時間所限，省略部分段落未講。後於再版時補寫增加 13 頁，維持原價流通之。茲爲顧及初版讀者權益，自 2003/9/30 開始免費調換新書，原有初版一刷、二刷書籍，皆可寄來本公司換書。

《宗門法眼》已經增寫改版爲 464 頁新書，2008 年 6 月中旬出版。讀者原有初版之第一刷、第二刷書本，都可以寄回本公司免費調換改版新書。改版後之公案及錯悟事例維持不變，但將內容加以增說，較改版前更具有廣度與深度，將更能助益讀者參究實相。

換書者**免附回郵**，亦無截止期限；舊書請寄：111 台北郵政 73-151 號信箱 或 103 台北市承德路三段 267 號 10 樓 正智出版社有限公司。舊書若有塗鴨、殘缺、破損者，仍可換取新書；但缺頁之舊書至少應仍有五分之三頁數，方可換書。所有讀者不必顧念本公司是否有盈餘之問題，都請踴躍寄來換書；本公司成立之目的不是營利，只要能眞實利益學人，即已達到成立及運作之目的。若以郵寄方式換書者，免附回郵；並於寄回新書時，由本公司附上您寄來書籍時耗用的郵資。造成您不便之處，再次致上萬分的歉意。

正智出版社有限公司 啓

換書及道歉公告

《法華經講義》第十三輯，因謄稿、印製等相關人員作業疏失，導致該書中的經文及內文用字將「**親近**」誤植成「清淨」。茲為顧及讀者權益，自 2017/8/30 開始免費調換新書；敬請所有讀者將以前所購第十三輯初版首刷及二刷本，攜回或寄回本社免費換新，或請自行更正其中的錯誤之處；郵寄者之回郵由本社負擔，不需寄來郵票。同時對因此而造成讀者閱讀、以及換書的困擾及不便，在此向所有讀者致上最誠懇的歉意，祈請讀者大眾見諒！錯誤更正說明如下：

一、第 256 頁第 10 行~第 14 行：【就是先要具備「**法親近處**」、「**眾生親近處**」；法**親近**處就是在實相之法有所實證，如果在實相法上有所實證，他在二乘菩提中自然也能有所實證，以這個作為第一個**親近**處——第一個基礎。然後還要有第二個基礎，就是瞭解應該如何善待眾生；對於眾生不要有排斥或者是貪取之心，平等觀待而攝受、親近一切有情。以這兩個**親近**處作為基礎，來實行其他三個安樂行法。】。

二、第 268 頁第 13 行：【具足了那兩個「**親近處**」，使你能夠在末法時代，如實而圓滿的演述《法華經》時，那麼你作這個夢，它就是如理作意的，完全符合邏輯去完成這個過程，就表示你那個晚上，在那短短的一場夢中，已經度了不少眾生了。】

正智出版社有限公司 敬啓

佛藏經講義——第一輯

國家圖書館出版品預行編目(CIP)資料

佛藏經講義 / 平實導師述著. -- 初版.
-- 臺北市 : 正智, 2019.07
面 ; 公分
ISBN 978-986-97233-8-1(第一輯;平裝)
ISBN 978-986-98038-1-6(第二輯;平裝)
ISBN 978-986-98038-5-4(第三輯;平裝)
ISBN 978-986-98038-8-5(第四輯;平裝)
ISBN 978-986-98038-9-2(第五輯;平裝)
ISBN 978-986-98891-3-1(第六輯;平裝)
1. 經集部
221.733　　108011014

著述者：平實導師
音文轉換：蔡正利 黃昇金
校對：章乃鈞 陳介源 孫淑貞 傅素嫻 王美伶
出版者：正智出版社有限公司
電話：〇二 28327495 28316727（白天）
傳眞：〇二 28344822
111 台北郵政 73-151 號信箱
郵政劃撥帳號：一九〇六八二四一
正覺講堂：總機〇二 25957295（夜間）
總經銷：聯合發行股份有限公司
231 新北市新店區寶橋路 235 巷 6 弄 6 號 4 樓
電話：〇二 29178022（代表號）
傳眞：〇二 29156275
初版首刷：二〇一九年七月三十一日 二千冊
初版十刷：二〇二〇年六月二十二日 二千冊
定價：三〇〇元